CHAKRAS

O livro é a porta que se abre para a realização do homem.
Jair Lot Vieira

ANODEA JUDITH

CHAKRAS
O guia clássico para o equilíbrio e a cura do sistema energético

Tradução
PRISCILA CATÃO
Tem formação em *vinyasa yoga*.
Já traduziu grandes mestres do *advaita vedanta*,
como Sri Ramana Maharshi,
e atuou como intérprete em *workshops*
de renomados professores do *ashtanga yoga*,
como Kino MacGregor e Mark Robberds.

mantra.

Translated from: Wheels of life.
Copyright © 1987 and 1999 by Anodea Judith
Published by Llewellyn Publications
Woodbury, MN 55125 USA
www.llewellyn.com

Copyright da tradução e desta edição © 2022 by Edipro Edições Profissionais Ltda.

Título original: *Wheels of life*. Traduzido com base na 2ª edição publicada pela Llewellyn Publications nos Estados Unidos em 2006.

Todos os direitos reservados. Nenhuma parte deste livro poderá ser reproduzida ou transmitida de qualquer forma ou por quaisquer meios, eletrônicos ou mecânicos, incluindo fotocópia, gravação ou qualquer sistema de armazenamento e recuperação de informações, sem permissão por escrito do editor.

Grafia conforme o novo Acordo Ortográfico da Língua Portuguesa.

1ª edição, 1ª reimpressão 2023.

Editores: Jair Lot Vieira e Maíra Lot Vieira Micales
Coordenação editorial: Fernanda Godoy Tarcinalli
Produção editorial: Carla Bettelli
Edição de textos: Marta Almeida de Sá
Assistente editorial: Thiago Santos
Preparação de texto: Thiago de Christo
Revisão: Tatiana Tanaka Dohe
Diagramação e preparação de índice remissivo: Karina Tenório
Capa: Karine Moreto de Almeida
Ilustrações: Mary Ann Zapalac

Dados Internacionais de Catalogação na Publicação (CIP)
(Câmara Brasileira do Livro, SP, Brasil)

Judith, Anodea.
    Chakras: O guia clássico para o equilíbrio e a cura do sistema energético / Anodea Judith; tradução e notas de Priscila Catão. – São Paulo: Mantra, 2022.

    Título original: Wheels of life
    ISBN 978-65-87173-08-5 (impresso)
    ISBN 978-65-87173-09-2 (e-pub)

    1. Autocura 2. Chakras 3. Corpo e mente 4. Cura 5. Energia 6. Equilíbrio II. Título.

21-75420   CDD-615.85

Índice para catálogo sistemático:
1. Chacras : Cura vibracional : Terapias alternativas : 615.85

Cibele Maria Dias – Bibliotecária – CRB-8/9427

mantra

São Paulo: (11) 3107-7050 • Bauru: (14) 3234-4121
www.mantra.art.br • edipro@edipro.com.br
@editoramantra

Para meu filho Alex

⁂ SUMÁRIO ⁂

Agradecimentos 9
Prefácio à segunda edição 10
Prefácio à primeira edição 14

PARTE UM — EXPLORANDO O SISTEMA
A roda da vida 21
Capítulo 1 — E a roda gira 23

PARTE DOIS — JORNADA PELOS CHAKRAS
CHAKRA UM 62
Capítulo 2 — Chakra um: terra 63

CHAKRA DOIS 98
Capítulo 3 — Chakra dois: água 99

CHAKRA TRÊS 130
Capítulo 4 — Chakra três: fogo 131

CHAKRA QUATRO 160
Capítulo 5 — Chakra quatro: amor 161

CHAKRA CINCO 192
Capítulo 6 — Chakra cinco: som 193

CHAKRA SEIS 224
Capítulo 7 — Chakra seis: luz 225

CHAKRA SETE 252
Capítulo 8 — Chakra sete: pensamento 253

PARTE TRÊS — CONECTANDO TUDO
Capítulo 9 — A jornada de volta 279
Capítulo 10 — Como os chakras interagem 284
Capítulo 11 — Chakras e relacionamentos 293

Capítulo 12 — Uma perspectiva evolutiva 299

Capítulo 13 — Como criar chakras saudáveis nas crianças 313

Glossário de termos indianos 323

Bibliografia 329

Índice remissivo 338

Créditos adicionais 351

AGRADECIMENTOS

Nos muitos anos em que tenho trabalhado com os chakras, várias pessoas memoráveis apareceram no meu caminho e partilharam seu conhecimento. No topo da lista encontram-se os alunos e clientes que se comprometeram com o audacioso trabalho da cura e do desenvolvimento pessoal. Suas dificuldades, triunfos, perguntas e comentários têm sido uma força que guia meu trabalho. Que as palavras deste livro também possam guiar o leitor.

Há também pessoas constantes na minha vida privada que acreditaram em mim, trabalharam comigo e me apoiaram de uma miríade de maneiras. Quem ocupa o primeiro lugar dessa lista é meu marido Richard Ely, por me amar e me estimular, pela edição e por conferir que a parte científica estava correta. Gostaria de agradecer ao meu filho Alex Wayne, que contribuiu com a computação gráfica e me faz rir. E gostaria de agradecer a Selene Vega, minha antiga amiga e companheira de ensino, que foi quem me inspirou em primeiro lugar a escrever um livro sobre os chakras. Ela me ajudou a expandir o material que compartilhamos nos nossos workshops e foi coautora do meu segundo livro, *Jornadas de cura*.[1]

Gostaria de agradecer a Carl Weschcke a publicação deste livro pela primeira vez antes que os chakras fossem um tema popular e à ótima equipe da Llewellyn que participou desta revisão: Jim Garrison, Christine Snow, Kimberly Nightingale e Lynne Menturweck. Também gostaria de manifestar meu agradecimento a Mary Ann Zapalac pela arte e ao osteopata Carlisle Holland, ao quiroprata Robert Lamb e ao acupunturista Michael Gandy por compartilharem seu conhecimento profissional.

Acima de tudo, sou grata pelo espírito indelével que nos mantém vivos e ao próprio Sistema dos Chakras, por ser um portal tao profundo para os mistérios da vida.

É uma imensa honra servir a todos vocês.

---

1. Anodea Judith e Selene Vega. *Jornadas de cura*: Um livro de exercícios e práticas para o desenvolvimento dos chakras. São Paulo: Pensamento, 1993. (N.E.)

❄ PREFÁCIO À SEGUNDA EDIÇÃO ❄

Já se passaram 25 anos desde que tive o primeiro contato com a palavra *chakra*. Naquela época, eu raramente encontrava a palavra em índices ou fichas catalográficas, mas hoje em dia existem incontáveis referências e livros da Nova Era sobre o tema, sem falar nos diapasões, nas velas coloridas, nos incensos, nas camisetas e na parafernália que costuma adornar qualquer despertar arquetípico da consciência coletiva. Embora eu me sinta lisonjeada quando a primeira edição deste livro é mencionada como parte crucial dessa tendência, creio que se isso está mais relacionado a uma maior sede cultural por modelos de integração e completude. Em suma, chegou o momento do Sistema dos Chakras.

Ao entrarmos no terceiro milênio da era atual, enfrentamos uma época sem precedentes no desenvolvimento humano. Nossos livros de história nos mostraram que os sistemas que usamos para organizar nossas vidas afetam imensamente nossa realidade coletiva. Com essa informação, é fundamental inovar os sistemas que nos servem inteligentemente. Enquanto passamos por este limiar da história, temos de construir pontes entre o passado e o futuro, não apenas criando modelos que se encaixem nas novas realidades, mas também atualizando continuamente os antigos modelos para que eles se mantenham viáveis em uma cultura que muda velozmente. Se queremos que o Sistema dos Chakras seja relevante no século XXI, ele precisa refletir a estrutura subjacente que sempre existiu e, ao mesmo tempo, ser flexível a ponto de ser relevante para as demandas da vida moderna. Os povos antigos criaram um sistema profundo, e agora podemos unir a sabedoria dele às informações modernas sobre o mundo natural, o corpo e a psique a fim de criar um sistema ainda mais eficaz.

Quando inseri na teoria dos chakras pela primeira vez ideias como aterramento, ou quando propus a ideia de uma corrente descendente da consciência, algumas pessoas duvidaram de mim. A maioria das interpretações dos chakras voltava-se para a transcendência da nossa realidade física, retratada como algo inferior ou degenerado. Ouvimos falar que viver é sofrer e que os antídotos para isso são os planos transcendentes. Se viver é sofrer e a transcendência é o antídoto, partindo da lógica dessa equação, pode-se deduzir que a transcendência é contrária à própria vida — um ponto de vista que realmente questiono neste livro.

Não acredito que precisemos sacrificar nosso entusiasmo pela vida e seus prazeres para avançar espiritualmente. Tampouco acho que a espiritualidade seja contrária à existência mundana ou que o desenvolvimento espiritual requeira um intenso domínio e controle das nossas naturezas biológicas inatas e, por conseguinte, da própria vida. Creio que isso faz parte de um paradigma de controle apropriado para uma época anterior, mas não para os desafios atuais do nosso período, pois eles precisam de modelos de integração, e não de dominação.

Desde o início dos anos 80, quando escrevi este livro, o paradigma coletivo mudou consideravelmente. A ênfase na retomada do corpo e no reconhecimento do caráter sagrado da Terra aumentou exponencialmente, bem como a percepção de que a matéria tem um valor espiritual inato. Aprendemos que a repressão de forças naturais provoca efeitos colaterais desagradáveis e energias sombrias. Ignorar o corpo provoca doenças. Desvalorizar a Terra causa crises ecológicas. A sexualidade reprimida pode irromper e se converter em estupro e incesto.

Chegou a hora de retomarmos aquilo que perdemos e de integrá-lo a novas fronteiras. Entrelaçar novamente os conceitos discrepantes de Oriente e Ocidente, espírito e matéria e mente e corpo é uma necessidade tanto pessoal quanto cultural. Como disse Marion Goodman, "a matéria sem espírito é um cadáver. O espírito sem matéria é um fantasma".[2] *Ambos os casos descrevem algo que está morto.*

As filosofias tântricas que originaram os chakras são uma filosofia de tecelagem. Seus muitos fios tecem a tapeçaria da realidade, complexa e elegante. O tantra é uma filosofia que é a favor tanto da vida quanto da espiritualidade. Ela entrelaça espírito e matéria, fazendo-os voltar ao todo original, e move esse todo ao longo da espiral da evolução.

Agora finalmente temos o privilégio de tecer o conhecimento das civilizações antigas e modernas, formando um elegante mapa da jornada evolutiva da consciência. Este livro é um mapa dessa jornada. Pense nele como um manual do usuário para os chakras. Suspeito que muitos outros livros serão publicados por muitos outros autores no futuro, mas esta é a atualização recente do meu ponto de vista.

Então o que há de diferente nesta edição? Ela contém mais referências aos ensinamentos tântricos, pois tive mais tempo de estudá-los, mas tentei manter palavras ocidentais e não esotéricas. Também a revisei e a encurtei um pouco, pois muitas pessoas me disseram que o tamanho da versão anterior as intimidava. Eliminei a retórica política contínua que era tão importante para mim na casa dos 20. Agora, na casa dos 40, apesar de ainda ter a mesma política espiritual, prefiro deixar o sistema falar por si só. Parte dos dados científicos também

---

2. Palestra realizada na conferência "Fabric of the Future", em Palo Alto, Califórnia, no dia 7 de novembro de 1998.

foi atualizada, pois até mesmo nossos modelos para a matéria vêm mudando com rapidez.

Tentei manter o tom metafísico original do livro, deixando-o diferente das minhas publicações posteriores. *Jornadas de cura* (escrito com Selene Vega, publicado em 1993) é o manual "prático" para a "teoria" deste livro e contém os exercícios diários, tanto mentais quanto físicos, que auxiliam o progresso pessoal pelo Sistema dos Chakras. Meu terceiro livro, *Eastern Body, Western Mind: Psychology and the Chakra System as a Path to the Self*, analisa a psicologia dos chakras, a progressão do desenvolvimento deles, os traumas e abusos que acontecem no nível de cada chakra e como curá-los. A psicologia ocidental e as terapias somáticas são tecidas no interior do sistema oriental dos chakras.

O livro que está nas suas mãos descreve a teoria metafísica subjacente que há por trás do Sistema dos Chakras. Mais do que um mero conjunto de centros energéticos situados no corpo, os chakras revelam um mapeamento profundo de princípios universais, intricadamente encaixados um no outro como planos progressivamente transcendentes da realidade. Os níveis da consciência que os chakras representam são portas de entrada para esses vários planos. Como eles estão integrados uns aos outros, é impossível que o sistema se mantenha teórica e experimentalmente com a eliminação de algum deles. Não acho que receberíamos um sistema de sete chakras só para descartar os três inferiores.

Este livro estuda realidades externas e internas e analisa o Sistema dos Chakras como um sistema profundo para o crescimento espiritual e também como um diagrama da arquitetura sagrada a que estamos integrados — da estrutura maior que nos contém. Se realmente fomos "criados à imagem de Deus", creio que a arquitetura sagrada encontrada na natureza também é um modelo das nossas estruturas internas, tanto do corpo quanto da psique. Quando se cria uma ponte entre nossos mundos externo e interno, eles se unem ininterruptamente, e o crescimento interno deixa de ser contrário ao trabalho externo no mundo. Assim, este livro usa muitos modelos que são científicos por natureza a fim de exemplificar a antiga sabedoria com metáforas modernas.

Os estudiosos tântricos e os gurus da Kundalini costumam distinguir os chakras testemunhados pelas experiências da Kundalini e o modelo ocidentalizado dos chakras, usado como "sistema de desenvolvimento pessoal". Alguns alegam que essa distinção é tão grande que não há uma relação significativa entre ambos, e usam um deles para negar a validade do outro. Certamente há uma diferença notável, por exemplo, entre ter uma intuição ou visão (relacionadas ao sexto chakra) e sentir a luminescência interior avassaladora associada ao despertar da Kundalini. No entanto, não enxergo essas experiências como desconexas — para mim, elas existem em um contínuo.

Acredito piamente que purificar os chakras por meio da compreensão deles, da prática dos exercícios relacionados, da visualização e da meditação prepara o caminho para uma abertura espiritual que tende a ser menos tumultuosa do que o despertar da Kundalini. Creio que essa ocidentalização é um passo importante para conversarmos com a mente ocidental em harmonia com as circunstâncias em que vivemos, em vez de contrariá-las. Ela nos propicia um contexto em que essas experiências possam ocorrer.

Da mesma maneira, muitos dizem que os chakras, como vórtices do corpo sutil, não têm absolutamente nada a ver com o corpo físico nem com os gânglios nervosos que emanam da coluna vertebral e também que um despertar espiritual não é uma experiência somática. O fato de uma experiência não ser *inteiramente* somática não significa que seu aspecto somático é negado. Quem já testemunhou ou teve as sensações físicas e movimentos espontâneos (*kriyas*) que caracterizam o despertar da Kundalini não tem como negar que há um aspecto somático. Creio que essa perspectiva é apenas mais uma prova da separação entre corpo e espírito que, a meu ver, é a principal ilusão da qual precisamos acordar.

Um indiano compareceu a um dos meus workshops e me disse que tinha ido aos Estados Unidos para aprender sobre chakras porque, na Índia, o tema era tão esotérico que era um "conhecimento secreto", proibido para todos que tivessem família e emprego. Para mim, "aterrar" os chakras é uma maneira de permitir que o material se torne mais acessível para mais pessoas. Mesmo que gurus orientais nos alertem do perigo que há nisso, após 25 anos trabalhando com esse sistema, descobri que a abordagem pelo bom senso permite muitas pessoas mudarem de vida sem os sintomas perigosos e desaterrados que costumam ser associados à Kundalini. Em vez de diluir a base espiritual em que os chakras se enraízam, essa abordagem a expande.

Leia este livro com calma. Há muitos temas para reflexão aqui. Permita que os chakras se tornem uma lente por meio da qual você enxerga sua vida e o mundo. A jornada é abundante e colorida. Que a Ponte do Arco-Íris da alma se revele na sua frente à medida que você percorre seu caminho.

1998

⚡ PREFÁCIO À PRIMEIRA EDIÇÃO ⚡

Uma vez, tive uma experiência estranha enquanto estava sentada no meu tapete de pele de carneiro, meditando profundamente. Eu estava contando minha respiração quieta e conscientemente quando, de repente, me encontrei fora do meu corpo e vi outra eu ali, sentada na postura de lótus. Assim que percebi quem eu estava olhando (embora ela parecesse um tanto mais velha), vi um livro cair no colo dela. Na hora em que ele bateu no corpo, voltei bruscamente para dentro dele, olhei para baixo e li o título: *O Sistema dos Chakras*, de A. Judith Mull (meu nome na época).

Isso foi em 1975. Fazia pouco tempo que eu tinha lido a palavra "chakra" pela primeira vez, mas obviamente eu assimilara parte da sua importância. Parei a meditação, fui atrás do trecho — um mero parágrafo de um livro de Ram Dass[3] — e o encontrei quase de imediato. Li-o várias vezes e na mesma hora senti um turbilhão de energia no meu corpo, uma agitação interna e profunda, como se eu fosse um detetive encontrando uma pista importante. Era uma sensação de concepção, de algo novo que começava a crescer. Foi naquele momento que eu soube que, um dia, escreveria este livro.

A palavra *chakra* demorou muitos anos para começar a aparecer nos índices dos livros e nas fichas catalográficas. As informações eram escassas, então (felizmente) fui obrigada a desenvolver minhas próprias teorias baseadas nas minhas experiências e na análise de outras pessoas para quem eu ensinava yoga e com quem eu fazia trabalho corporal. Em pouco tempo, tudo que eu via começou a parecer se encaixar num nítido padrão do número sete — cores, acontecimentos, comportamentos, dias —, mas as informações que eu encontrava para associar às minhas teorias eram pouquíssimas.

Desisti, depois me mudei para o interior e comecei a estudar com afinco a magia ritual — trabalhei principalmente com os elementos terra, água, fogo e ar. Minhas meditações continuaram e minhas teorias se expandiram, assim como eu. Eu ainda não tinha as palavras que queria, então, em vez de escrever sobre os chakras, comecei a pintá-los. O processo de visualização fez meu pensamento se desenvolver de uma maneira não linear.

Dois anos depois, quando fui obrigada a voltar à civilização, descobri que o uso da palavra chakra tinha se tornado mais comum. Entrei num grupo de pesquisa

---

3. Ram Dass, *The Only Dance There Is.*

sobre a consciência e voltei a estudar. Voltei aos meus trabalhos corporais. Fiz um treinamento de clarividência e descobri que outras pessoas também tinham visto os mesmos padrões independentemente. Minhas teorias tinham sido corroboradas e, com minha clarividência recém-adquirida, voltei a trabalhar com elas.

Nos últimos dez anos, desenvolvi essas teorias com base nas centenas de clientes que atendi para realizar algum trabalho corporal, fazer leituras psíquicas, aconselhar e ensinar. Estudei literatura sânscrita, física quântica, teosofia, fisiologia, psicologia e experiências pessoais a fim de criar um sistema coerente que unisse o antigo e o novo. Tanto meu trabalho quanto eu passamos por muitas mudanças.

Hoje, onze anos depois, finalmente abro mão dessa gravidez. Quer esteja plenamente formado ou não, este bebê decidiu nascer. Parece que estou tendo séptuplos, fazendo muita força num demorado parto, mas é algo impossível de interromper depois que começa.

Cada um desses sete bebês chamados chakras merece um livro só para ele. Dei nomes para eles — sobrevivência, sexo, poder, amor, comunicação, clarividência e sabedoria —, mas eles são conhecidos por muitos nomes e, mais frequentemente, por números. Neste livro, no entanto, eles são representados como uma família, uma unidade completa, e funcionam e evoluem juntos. Seria impossível que os capítulos abordassem tudo que há para se dizer sobre sexo, poder ou algum outro desses aspectos. Dizemos apenas o que é relevante para acompanhar os galhos desta árvore específica, cujas raízes se encontram na Terra, e as folhas, nos céus.

Este livro é um guia prático de um tema que costuma ser considerado espiritual demais. E como os "temas espirituais" muitas vezes são considerados impraticáveis ou inacessíveis, este livro tenta reanalisar os planos espirituais e mostrar o quanto eles estão imersos em cada aspecto das nossas vidas cotidianas. Acredito que as pessoas só entenderão e valorizarão suas naturezas espirituais quando isso for algo factível. Realizamos muito mais quando queremos fazer algo do que quando achamos que deveríamos fazê-lo.

Numa época em que bilhões de pessoas se deparam com a possibilidade de um desastre nuclear, em que homens e mulheres temem andar pelas ruas à noite, em que a alienação e a desorientação nunca estiveram tão altas, a espiritualidade se torna muito acessível. A procura de fatores unificadores na nossa existência cotidiana, a busca por compreensão e direção e a atração inevitável pela consciência nos fazem avaliar criticamente nossa natureza espiritual. Por serem pragmáticos e científicos demais para aceitar as coisas com base na fé, os ocidentais perderam o contato com o mundo espiritual e com a sensação de unidade que ele é capaz de provocar. Os antigos sistemas, oriundos de línguas e culturas tão distintas das nossas, costumam ser demasiadamente inacessíveis para a mente ocidental.

Este livro tenta legitimar as necessidades físicas, mentais e espirituais que enfrentamos hoje. Ele contém teorias para os intelectuais, arte para os visionários, meditações para o aspecto etéreo e exercícios para o corpo. Espero que todos descubram alguma coisa aqui, encontrando praticidade sem uma repressão da essência subjacente mais importante.

Para satisfazer a mente ocidental (e a minha), incluí algumas teorias científicas, mas não tenho formação científica e percebo que, no fim das contas, pouquíssimas pessoas realmente pensam assim nas vidas delas. Para mim, a descoberta dos chakras veio primeiramente de um senso de intuição, que depois se expandiu e se uniu à razão. Eu gostaria de transmitir essa ordem para o leitor também.

A literatura costuma ser linear e racional, enquanto os estados induzidos pelos chakras requerem um modo de consciência diferente. Assim, as informações serão apresentadas de diversas maneiras. Para satisfazer a mente racional, apresento as teorias com metáforas científicas concretas, paradigmas populares dos campos de pesquisa da consciência e técnicas terapêuticas modernas. Essa é a parte intelectual, cujo propósito é transmitir informações e estimular o processo de reflexão.

Para abordar o outro lado do cérebro, incluí meditações guiadas, exercícios, arte e anedotas pessoais na esperança de que os chakras ganhem mais vida. É a parte divertida, cujo propósito é propiciar a experiência de nos conectarmos intuitivamente às informações à nossa disposição.

As meditações foram escritas para serem lidas lenta e poeticamente. Não incluí uma fase de relaxamento profundo antes de cada meditação porque elas são entediantes de ler e diminuiriam o impacto literário. No entanto, se você deseja fazer essas meditações sozinho ou em grupo, sugiro fortemente que separe um tempo para relaxar o corpo e se preparar para entrar lentamente no estado meditativo. O exercício de relaxamento profundo ou meditação aterradora descrito no Capítulo 2 pode ser usado como preparo, ou talvez você prefira usar sua própria técnica. As meditações, gravadas profissionalmente com um fundo musical afinado para cada chakra, podem ser obtidas na Llewellyn Publications.

Os exercícios físicos têm níveis variados de dificuldade. A maioria deles pode ser realizada pela pessoa comum. Alguns, como a parada sobre a cabeça ou o *chakrasana*,[4] são para corpos mais flexíveis ou desenvolvidos. Enfatizo imensamente que todo exercício físico apresentado neste livro deve ser realizado lenta e cuidadosamente, e que você deve tomar o devido cuidado para não forçar nem lesionar músculos. Você também não deve obrigar seu corpo a entrar em posturas dolorosas ou desconfortáveis. Caso sinta algum desconforto, PARE.

Se você não tem conhecimento algum sobre chakras ou metafísica em geral, tenha calma na hora de assimilar cada nível. As associações são amplas e sutis e não são assimiladas como as informações de outras disciplinas. Neste livro, o mais importante é aproveitar a exploração — algo que certamente fiz enquanto o escrevia.

1987

---

4. Esses exercícios não são apresentados na segunda edição.

A Roda da Salvação, Templo de Konorak, Índia

Parte um

EXPLORANDO O SISTEMA

A RODA DA VIDA

Tempo é...
Amor é...
Morte é...
E a roda gira,
E a roda gira,
E estamos todos presos à roda.

E disse o sábio:
Aquilo que o prende à roda
Foi criado por você mesmo,
E a própria roda
Foi criada por você mesmo.
E a roda gira,
E a roda gira,
E estamos todos presos à roda.

E disse o sábio:
Saiba que todos somos o Um.
Saiba que a roda foi criada por você mesmo
Saiba que a roda foi criada por você mesmo,
E estamos todos presos à roda.

E disse o sábio:
Liberte-se da roda.
Saiba que você é o Um,
Aceite seu próprio dever,
Liberte-se da roda.
Saiba que a roda foi criada por você mesmo
E estamos todos presos à roda.

E o sábio se libertou da roda,
E se tornou o Um,
O deus imortal,
Livre da roda,
Livre da ilusão,
E descobriu então por que o Um criara a roda.
E o Um transformou-se em muitos,
E o Um transformou-se em nós.
E estamos todos presos à roda.

Tempo é...
Amor é...
Morte é...
E a roda gira,
E a roda gira,
E estamos todos presos à roda.

© Paul Edwin Zimmer, 1981

Capítulo 1
E A RODA GIRA

*Somos um círculo dentro de um círculo...
sem começo e sem jamais acabar.*[5]

Das grandes galáxias espirais, a milhares de anos-luz de distância, aos trilhões de átomos que rodopiam em um grão de areia, o universo é composto de rodas energéticas giratórias. Flores, troncos de árvores, planetas e pessoas — tudo é constituído de minúsculas rodas que giram internamente e são carregadas pela grande roda que é a Terra, que percorre sua órbita no espaço. Como elemento fundamental da natureza, a roda é o círculo da vida fluindo por todos os aspectos da existência. (Ver Figura 1.1, página 24 e Figura 1.2, página 25).

No cerne de cada um de nós há sete centros energéticos que giram, parecendo rodas, chamados chakras. Como intersecções rodopiantes das forças vitais, cada chakra reflete um aspecto da consciência que é essencial para as nossas vidas. Juntos, os sete chakras compõem uma *fórmula da completude* que integra corpo, mente e espírito. Por fazerem parte de um sistema completo, os chakras são uma poderosa ferramenta tanto para o desenvolvimento pessoal quanto para o planetário.

Os chakras são centros de organização em que há recepção, assimilação e transmissão de energias vitais. Nossos chakras, como centros fundamentais, formam a rede que coordena nosso complexo sistema corpo-mente. Do comportamento instintivo às estratégias conscientemente planejadas, das emoções às criações artísticas, os chakras são os programas que governam nossas vidas, nossos amores, nosso aprendizado e nossa iluminação. Como sete modalidades vibratórias, os chakras formam a mítica *Ponte do Arco-Íris*, um canal que conecta céu e Terra, corpo e mente, espírito e matéria, passado e futuro. Enquanto enfrentamos os tumultuosos períodos da nossa era atual, os chakras são como engrenagens que comandam a espiral da evolução e nos fazem avançar constantemente rumo às fronteiras ainda desconhecidas da consciência e de seu infinito potencial.

---

5. De uma música de Rick Hamouris, gravada em *Welcome to Annwfn*, disponibilizada por Nemeton, P.O. Box 8247, Toledo, Ohio.

Canto superior esquerdo: espécie de *rhizostomeae*
Canto inferior esquerdo: estrela-de-cesto
Canto superior direito: líquen
Canto inferior direito: ouriço-do-mar

Figura 1.1
Exemplos de formas de chakras encontradas repetidas vezes na natureza.

O corpo é um veículo da consciência. Os chakras são as rodas da vida que carregam esse veículo durante seus desafios, tribulações e transformações. E para que o veículo funcione sem percalços, precisamos de um manual do usuário e de um mapa que nos mostre como navegar o território que o veículo pode explorar.

Este livro é um mapa para a jornada da consciência. Você pode considerá-lo como um "manual do usuário" para o Sistema dos Chakras. Este mapa, como qualquer outro, não lhe dirá aonde você deve ir, mas o ajudará ao longo da jornada que deseja fazer. O foco é a integração dos sete níveis arquetípicos que afetam nossas vidas.

Com o mapa em mãos, podemos embarcar em uma jornada entusiasmante. Assim como em todas as jornadas, é necessário que haja um certo preparo por meio de informações essenciais: os sistemas psicológicos, o contexto do Sistema dos Chakras, um estudo mais aprofundado do que os chakras são e as correntes energéticas que eles descrevem. Assim, teremos uma língua para falar ao longo da nossa jornada e depois estaremos prontos para realizá-la, subindo pela coluna vertebral, chakra por chakra.

Figura 1.2
Mais exemplos de formas de chakras encontradas com frequência na natureza.

Cada chakra que encontramos é um passo no contínuo entre matéria e consciência. Assim, essa jornada incluirá áreas das nossas vidas que vão do nível somático da consciência física e instintiva ao nível interpessoal das interações sociais e, por fim, aos domínios mais abstratos da consciência interpessoal. Quando todos os chakras são compreendidos, abertos e interconectados, criamos uma ponte por cima do golfo entre matéria e espírito e entendemos que nós mesmos somos a Ponte do Arco-Íris que conecta Terra e céu.

Num mundo fragmentado em que há separação entre corpo e mente, cultura e planeta, e material e espiritual, precisamos bastante de sistemas que nos permitam retomar nossa completude. Eles devem possibilitar a integração entre corpo e mente e nos levar para planos novos e expandidos sem negar as realidades mundanas que enfrentamos diariamente. Creio que os chakras propiciam um sistema exatamente assim, sem o qual não podemos viver e cuja hora chegou.

ABORDANDO O SISTEMA

Sistema — exibição completa de princípios ou fatos essenciais,
dispostos de maneira racional ou organizada,
ou complexo de ideias ou de princípios que formam um todo coerente.

Webster's New Collegiate Dictionary

Imagine se você fosse à biblioteca e encontrasse apenas pilhas de livros desordenadas espalhadas pelo chão. Para encontrar algo específico, você teria de fazer uma busca longa e entediante, com apenas uma remota possibilidade de sucesso. Algo ridiculamente ineficiente, você diria.

Acessar a consciência sem nenhum sistema pode ser igualmente entediante. O circuito do cérebro permite possibilidades infinitas de pensamento, e as manifestações da consciência são muito mais numerosas do que os livros de qualquer biblioteca. Dados o ritmo e a velocidade da vida atual, certamente não conseguimos acessar essas informações sem sistemas eficientes que otimizem o processo.

Muitos sistemas já existem, mas eles são insuficientes para a cultura inconstante de hoje. A divisão de Sigmund Freud da psique em *id*, ego e superego é um ótimo exemplo de um sistema simples para o estudo do comportamento humano e formou a base da psicoterapia no início do século XX. No entanto, esse modelo é extremamente inadequado atualmente, pois quase não aborda o corpo, muito menos os estados transcendentais da consciência.

No contexto do movimento humano em potencial, a necessidade de novos sistemas é bem evidente. Clínicas têm sido abertas para tratar pessoas lidando com experiências psíquicas, pois muitas delas têm passado por um despertar espontâneo e incomum de energias espirituais. A cada dia temos um novo conjunto de problemas à nossa espera. A cada ano vemos uma expansão da prática de *biofeedback*, fotografia Kirlian, acupuntura, homeopatia, medicina ayurvédica, fitoterapia e miríades de terapias espirituais, verbais e físicas da Nova Era. Atualmente, existem tantas opções de cura, elevação da consciência, religião e estilos de vida que as informações e as escolhas são avassaladoras. O campo certamente se abriu, e continuará aberto somente se conseguirmos extrair do caos um pouco de senso e de ordem. Esse é o propósito de um sistema — ele nos dá uma maneira sistemática de abordar uma tarefa complexa.

Para que a construção de um sistema seja lógica, ela precisa se basear na observação de padrões persistentes. Muitos deles foram descritos por nossos ancestrais e transmitidos ao longo das eras, revestidos de mitos e metáforas, como sementes inativas à espera das condições perfeitas para brotar. Agora, ao buscarmos novas direções para uma era de mudanças, talvez seja hora de desarquivar os antigos sistemas do passado, desempoeirá-los e atualizá-los para que sejam úteis no mundo moderno em que vivemos. Antes, contudo, precisamos examinar a origem e a evolução desse sistema, com o devido respeito às suas antigas raízes.

HISTÓRIA DO SISTEMA DOS CHAKRAS

É maravilhoso que os chakras, como componentes arquetípicos da consciência, finalmente estejam adquirindo mais notoriedade na mentalidade coletiva, com mais livros e referências do que nunca. Embora essa popularidade tenha tornado a palavra chakra conhecida, ela também tem disseminado muitas informações confusas e contraditórias. É importante saber que os chakras vêm de uma antiga tradição que muitos professores da Nova Era mal exploraram. Para aqueles que se interessam pela origem deles, eis um breve resumo do desenvolvimento histórico do Sistema dos Chakras. (Se você não tiver interesse algum pelo assunto, sinta-se à vontade para pular para a próxima seção.)

Os chakras estão intrinsecamente ligados à ciência e à prática do yoga. A palavra "yoga" significa "jugo", e é um sistema de filosofia e prática cujo objetivo é jungir o eu mortal à sua natureza divina da pura consciência. A origem do yoga e as primeiras menções dos chakras[6] remontam aos *Vedas*, palavra que significa "conhecimentos", uma série de hinos que são a tradição escrita mais antiga da Índia. Esses escritos foram criados a partir de uma tradição oral ainda mais antiga da cultura ariana, uma tribo indo-europeia que invadiu a Índia durante o segundo século a.C.[7]

Dizem que os arianos entraram na Índia em carruagens, e o sentido original da palavra chakra como "roda" se refere às rodas da carruagem dos arianos invasores. (A grafia correta no sânscrito, na verdade, é *çakra*, embora se pronuncie com "ch", como em chocolate, por isso a grafia em inglês é chakra.) A palavra também era uma metáfora para o Sol, a grande roda que se desloca pelo céu como a carruagem brilhante de um *cakravartin*, o nome dos cocheiros arianos. A roda também denota o ciclo eterno do tempo, chamado *kalacakra*. Assim, a roda representa a ordem e o equilíbrio celestiais. Em outro significado, o chakra é um círculo tântrico de adoradores.

Dizem que os *cakravartins* foram precedidos por um disco luminoso dourado e reluzente, como a auréola de Cristo, mas o disco giratório era visto na frente deles. (Quem sabe não eram seus terceiros chakras poderosos?) Diziam que o nascimento de um *cakravartin* anunciava uma nova era, e talvez tenha sido esse período que marcou o início da era do terceiro chakra na história humana (ver Capítulo 13, "Como criar chakras saudáveis nas crianças"). Também dizem que

---

6. Os chakras e as correntes energéticas são mencionados no Atharva Veda (10.2.31), (15.15.2-9).
7. Georg Feuerstein, em *Enciclopédia de Yoga da Pensamento* (São Paulo, Pensamento, 2006), refuta a teoria da invasão ariana e associa os Vedas ao terceiro ou quarto milênio a.C. Ele argumenta que os arianos, de pele mais clara, eram nativos da Índia devido às semelhanças com a antiga civilização indo-sarasvati. (N.T.)

o deus Vishnu desceu para a Terra carregando em seus quatro braços um chakra, uma flor de lótus, um cajado e uma concha.[8] O texto também poderia estar se referindo ao chakra como uma arma parecida com um disco.

Após os *Vedas* vieram as *Upaniṣadas*,[9] ou ensinamentos de sabedoria transmitidos de professor a discípulo. Os chakras são mencionados como centros psíquicos da consciência nas *Upaniṣadas* (aproximadamente em 600 a.C.) e posteriormente em *Os Yoga Sutras de Patanjali*[10] (aproximadamente em 200 d.C.). São os sutras de Patanjali que nos apresentam à clássica tradição do yoga do caminho dos oito passos,[11] que era em grande parte dual, afirmando que a natureza e o espírito eram separados e recomendando práticas ascetas, e também a renúncia da natureza instintiva, como um caminho para a iluminação.

Foi na tradição tântrica não dual que os chakras e a Kundalini passaram a ser uma parte fundamental da filosofia do yoga. Os ensinamentos tântricos são uma união sincrética das muitas tradições espirituais indianas que se popularizaram durante os séculos VI e VII, em reação à filosofia dual que as precedeu. Essas tradições aconselhavam permanecer no mundo, e não se separar dele. O tantra costuma ser visto no Ocidente como uma tradição mais voltada para o sexo, pois o tantrismo insere a sexualidade num contexto sagrado e considera o corpo um templo sagrado para a consciência que nele se encontra. Porém, isso é apenas uma pequena parte de uma ampla filosofia que une as práticas do hatha yoga e do kundalini yoga à adoração a divindades (especialmente as deusas hindus) e que enfatiza a integração das forças universais.

A palavra tantra literalmente significa "tear" e denota a tecelagem de fios separados a fim de formar a tapeçaria da completude. Assim, o Sistema dos Chakras, por ser oriundo da tradição tântrica, tece as polaridades de espírito e matéria, mente e corpo, masculino e feminino, céu e Terra em uma única filosofia de muitos fios filosóficos que remonta à tradição oral que precedeu os *Vedas*.

O principal texto sobre os chakras a chegar ao Ocidente foi uma tradução de textos tântricos realizada pelo inglês Arthur Avalon em seu livro *The Serpent Power*, publicado em 1919.[12] Esses textos — o *Sat-Cakra-Nirupana*, escrito por um pândita indiano em 1577, e o *Padaka-Pancaka*, escrito no século X — contêm descrições dos chakras e das práticas relacionadas a eles. Também há outro texto do século X chamado *Gorakshashatakam*, com instruções para meditar sobre os chakras. Esses textos formam a base da nossa compreensão atual da teoria dos chakras.

---

8. Troy Wilson Organ, *Hinduism*, p. 183.
9. *Upaniṣadas*: os doze textos fundamentais. São Paulo, Mantra, 2020. (N.E.)
10. Patanjali, *Os Yoga Sutras de Patanjali*. São Paulo, Mantra, 2017. (N.E.)
11. O caminho dos oito passos é composto de *yamas* (limitações), *niyamas* (observâncias), *asana* (posturas), *pranayama* (respiração), *pratyahara* (supressão dos sentidos), *dharana* (concentração), *dhyana* (absorção) e *samadhi* (iluminação).
12. Arthur Avalon, *The Serpent Power*: The Secrets of Tantric and Shaktic Yoga.

Nessas tradições, há sete chakras básicos[13] que existem no corpo sutil e interpenetram o corpo físico. O corpo sutil é um corpo psíquico não físico sobreposto aos nossos corpos físicos. Pode ser medido como um campo de força eletromagnética dentro e ao redor de todas as criaturas vivas. A fotografia Kirlian, por exemplo, captou emanações do corpo sutil tanto em plantas quanto em animais. Na aura, que é a manifestação externa do corpo sutil, o campo energético aparece como um suave brilho ao redor do corpo físico, muitas vezes composto de fibras que lembram fusos. Na psicologia do yoga, o corpo sutil é dividido em cinco camadas diferentes no corpo sutil, chamadas *koshas*.[14] No centro do corpo, o campo sutil aparece como discos giratórios — chakras. Os chakras são os geradores psíquicos do campo áurico. A própria aura é o ponto de encontro entre os padrões centrais gerados pelos chakras e a influência do mundo exterior.

Pela fisiologia moderna, vemos que esses sete chakras se situam perto dos sete principais gânglios nervosos que emanam da coluna vertebral. (Ver Figura 1.3, página 30.) Há dois chakras menores mencionados nos textos antigos: o chakra *soma*, localizado logo acima do terceiro olho, e o *lótus Anandakanda*, que contém a Árvore Celestial dos Desejos (*Kalpataru*) do chakra cardíaco (ver descrição mais detalhada na página 165). Alguns sistemas esotéricos propõem nove ou doze chakras;[15] já outras tradições, como o budismo Vajrayana, descrevem apenas cinco centros.[16] Como o chakra é literalmente um vórtice energético, não há limite para a quantidade deles. No entanto, os sete chakras "principais" originais formam um sistema profundo e elegante que mapeia logicamente o corpo por meio dos gânglios nervosos e que, ao mesmo tempo, conecta nossa existência física a planos superiores e mais profundos que não são físicos. O controle dos sete primeiros chakras pode demorar facilmente uma vida inteira. Aconselho as pessoas a trabalhar apenas nesses sete centros relacionados ao corpo antes de lidar com sistemas mais complexos, obscuros e extracorpóreos.

Embora muitas interpretações sobre os chakras recomendem transcender os chakras inferiores em prol dos chakras superiores, mais expansivos, não concordo com essa filosofia nem acredito que essa seja a intenção dos textos tântricos. Essa visão surgiu num período da história em que todas as principais

---

13. *The Serpent Power* lista seis centros, além do *Sahasrara* (lótus de mil pétalas no topo da cabeça).

14. Os cinco *koshas* são: *annamayakosha*, revestimento físico; *pranamayakosha*, revestimento energético; *manamayakosha*, revestimento mental; *vijnanamayakosha*, revestimento da sabedoria; e *anandamayakosha*, ou corpo da bem-aventurança.

15. Ver Georg Feurstein, *Enciclopédia do Yoga da Pensamento* (São Paulo, Pensamento, 2006). O pândita Rajmani Tigunait descreve nove chakras em *Sakti: The Power in Tantra, A Scholarly Approach*. Honesdale, Himalayan Institute, 1998, p. 111.

16. Os chakras um e dois são unidos num único centro, assim como os chakras seis e sete, resultando em um total de cinco chakras.

religiões patriarcais defendiam que a mente era mais importante do que a matéria, negando a existência do aspecto espiritual *dentro* dos planos mundanos. Uma leitura cautelosa dos textos tântricos não indica uma negação dos chakras inferiores em favor dos superiores, mas uma mera sequência em que cada nível superior é uma transcendência que *inclui* o nível precedente e que é *construída* a partir dele. Assim, os chakras inferiores proporcionam uma *base* para o nosso crescimento espiritual, assim como as raízes de uma árvore que fazem força para baixo, possibilitando que ela fique mais alta. Isso será explorado mais a fundo quando analisarmos a importância do primeiro chakra no próximo capítulo.

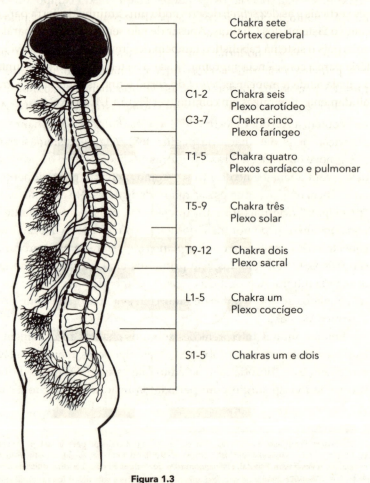

Figura 1.3
Esta figura mostra as vértebras relacionadas aos diferentes chakras baseados nos nervos da coluna que inervam os gânglios e vários órgãos. Se essas vértebras são danificadas afetando os nervos da coluna, os chakras relacionados também podem ser afetados.

SISTEMAS DE OUTRAS CULTURAS

Além da literatura hindu, há muitos outros sistemas metafísicos que apresentam sete níveis do homem, da natureza ou dos planos físicos. Os teosofistas, por exemplo, falam dos sete raios cósmicos da criação com sete raças evolutivas. Os cristãos falam dos sete dias da criação e também de sete sacramentos, sete selos, sete anjos, sete virtudes, sete pecados capitais e, em Apocalipse 1:16, talvez até mesmo sete chakras: "E Ele segurava na Sua mão direita sete estrelas". Carolyn Myss também associou os chakras aos sete sacramentos cristãos.[17]

A Árvore da Vida cabalística, também um sistema de estudo do comportamento e da consciência, tem sete níveis horizontais distribuídos entre três pilares verticais e as dez *sefirot*, descrevendo um caminho da Terra para o céu, assim como o Sistema dos Chakras. Apesar de não serem iguais, há paralelos entre os dois, pois o sistema cabalístico também descreve uma jornada evolutiva da matéria para a consciência suprema.[18] Usar o Sistema dos Chakras juntamente com a cabala ajuda a mapear as *sefirot* do corpo e une as duas antigas tradições que, nitidamente, têm raízes em comum (ver Figura 1.4, abaixo).

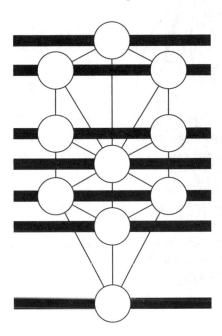

Figura 1.4
Árvore da Vida cabalística, com suas dez *sefirot* (círculos), vinte e dois caminhos (linhas conectando círculos), três pilares verticais e sete níveis (barras horizontais).

---

17. Caroline Myss, *Anatomia do espírito* (Rio de Janeiro, Rocco, 2000).
18. Para mais detalhes sobre a comparação entre o Sistema dos Chakras e as dez *sefirot*, ver nota de rodapé 14.

O número sete também é encontrado fora dos mitos e da religião. Há sete cores no arco-íris, sete notas na escala musical mais usada no Ocidente, sete dias na semana, e acredita-se que os principais ciclos da vida duram sete anos cada — infância aos sete anos, adolescência aos 14, vida adulta aos 21, primeiro retorno de Saturno aos 28. Em *The Reflexive Universe*, Arthur Young descreve a evolução em sete níveis,[19] e é possível enxergar um padrão do número sete na tabela periódica dos elementos em relação à massa atômica.

Muitas culturas falam de centros energéticos ou níveis de consciência semelhantes aos chakras, embora nem sempre eles sejam sete. Os chineses têm um sistema de seis níveis nos hexagramas do *I Ching* baseado em duas forças cósmicas, o yin e o yang. Também há seis pares de meridianos nos órgãos que correspondem a cinco elementos (fogo, terra, metal, água e madeira). Os índios hopi, assim como os tibetanos, falam de centros energéticos no corpo.

Restam poucas dúvidas de que existe uma chave para se compreender a correlação entre todos esses mitos e dados. Para os aventureiros da consciência, existe um mapa em algum lugar. As pistas foram deixadas pelo mundo inteiro no decorrer das eras. Não é hora de juntarmos todas elas e começarmos a sair das nossas dificuldades atuais?

Felizmente, há cada vez mais pesquisas sendo feitas que condizem com a existência dos chakras[20] e com a contraparte deles, a energia Kundalini. Nestas páginas, espero mostrar o suficiente para deixar isso claro, mas prefiro que você comece a acreditar no sistema pela sua própria experiência em primeiro lugar e pelas evidências científicas somente em segundo lugar. Os aspectos científicos têm pouquíssimo valor prático para o uso do sistema. Eles servem mais como confirmação intelectual, pois, no fim das contas, os chakras são uma experiência subjetiva interna. Entendê-los é apenas uma parte da jornada; o verdadeiro desafio é vivenciá-los.[21]

Então, para entender os méritos desse antigo sistema, agora modernizado, incentivo o leitor a deixar a incredulidade de lado o máximo possível, entrar na onda mística da experiência pessoal e julgar a verdade a partir do próprio interior. Afinal, isso é só um pouco mais do que já fazemos ao ler um bom livro de aventuras ou uma história de amor. Considere que este livro tem um pouco dos dois — ele é um livro de aventuras que percorre os planos da sua própria consciência e contém uma história de amor entre seu eu interior e o universo que o cerca.

---

19. Arthur Young, *The Reflexive Universe*.
20. Ver Rosalyn L. Bruyere, *Wheels of Light: A Study of the Chakras*.
21. Para sugestões mais ativas sobre como sentir os chakras, a exemplo de posturas de yoga, exercícios com diários, meditações, tarefas e rituais, ver Judith e Vega, *Jornadas de cura*. São Paulo, Pensamento, 1993.

COMO OS CHAKRAS FUNCIONAM

Agora que examinamos a história do Sistema dos Chakras, analisemos mais a fundo os próprios chakras e como eles exercem sua forte influência na mente e no corpo.

Como já mencionamos, a palavra *chakra* vem do sânscrito e significa "roda" ou "disco" e denota um ponto de interseção entre corpo e mente. Os chakras também são chamados de lótus, simbolizando o desabrochar de pétalas de flores, o que descreve metaforicamente a abertura de um chakra. As belas flores de lótus são sagradas na Índia. Por crescerem na lama, elas simbolizam o caminho do desenvolvimento de um ser primitivo rumo à consciência que se desabrocha por completo, refletindo o chakra base enraizado na Terra que se transforma no "lótus de mil pétalas" no topo da cabeça. Assim como os lótus, os chakras têm "pétalas", e a quantidade delas varia entre eles. Começando por baixo, com o primeiro chakra, os números de pétalas são quatro, seis, dez, doze, dezesseis, dois e mil (ver Figura 1.5, página 34). Assim como as flores, os chakras podem estar abertos ou fechados, morrendo ou florescendo, dependendo do estado da consciência interna.

Os chakras são portais para várias dimensões — são centros em que a atividade de uma dimensão, como emoção e pensamento, conecta-se a outra dimensão, como nossos corpos físicos, e a explora. Essa interação, por sua vez, afeta nossas interações com os outros e, por consequência, influencia outra dimensão — nossas atividades no mundo externo.

Considere, por exemplo, a experiência emocional do medo, relacionada ao primeiro chakra. O medo afeta o corpo de algumas maneiras. Sentimos frio na barriga, ficamos ofegantes e nossa voz e nossas mãos podem tremer. Essas características físicas revelam nossa insegurança ao lidarmos com o mundo externo e podem levar os outros a nos tratar negativamente, perpetuando nosso medo. Pode ser que ele esteja enraizado em alguma experiência mal resolvida da infância que ainda controla nosso comportamento. Trabalhar com os chakras é nos curarmos de antigos padrões limitantes armazenados no corpo, na mente ou no comportamento habitual.

O total dos chakras forma uma coluna vertical nos nossos corpos chamada *sushumna*. Ela é um canal integrante central que conecta os chakras às suas várias dimensões (ver Figura 1.6, página 35) e pode ser considerada uma "grande estrada" na qual essas energias se deslocam, assim como nossas estradas de asfalto são canais nos quais itens físicos se deslocam do produtor para o consumidor. Podemos dizer que o *sushumna* traz a energia física do "produtor", a pura consciência (Mente Divina, Deus, Deusa, a Força, Natureza etc.) para o consumidor, que é o indivíduo físico e mental aqui no plano terrestre. Podemos pensar nos chakras como grandes cidades situadas ao longo da estrada, com cada uma delas sendo responsável pela produção de suas próprias

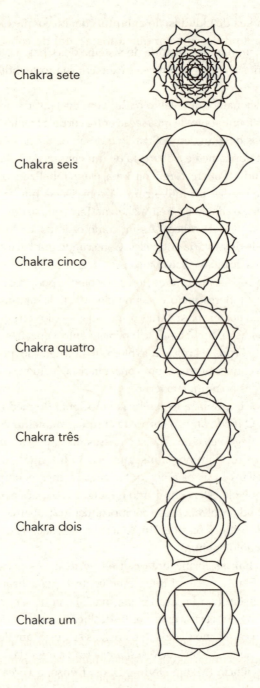

Figura 1.5
Sete lótus representando os sete chakras.

mercadorias. Em vez de cidades, no entanto, considero que eles são câmaras sagradas no templo do corpo, em que a força vital da consciência pode se acumular em diferentes níveis.

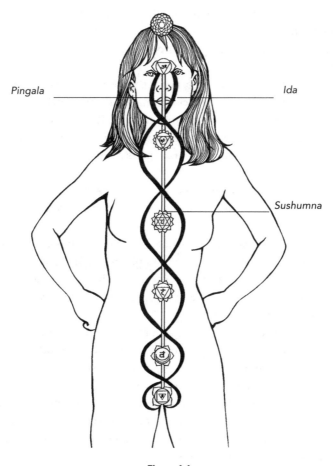

Figura 1.6
Sushumna, ida e pingala.
(Alguns textos mostram *ida* e *pingala* se cruzando nos chakras. Outros descrevem as correntes terminando ou começando nas narinas esquerda e direita.)

Quando nos deslocamos ao lado e ao redor do *sushumna*, e também através dele, há muitas vias secundárias como os meridianos da acupuntura chinesa e os milhares de outros *nadis*, os canais de energia sutil que os hindus encontraram no corpo sutil (ver Figura 1.7, página 37). Podemos pensar nos nadis como canais alternativos, como a rede telefônica, os gasodutos ou os leitos de rios, que servem para mover certos tipos de energia, com todos passando pelo mesmo vórtice.

Se você deseja sentir um chakra, a seguir apresento um exercício simples para abrir os chakras das mãos e perceber a energia deles:

1. Estenda os dois braços para frente, paralelos ao chão, com os cotovelos retos;
2. Vire uma mão para cima e a outra para baixo. Agora, abra e feche as mãos rapidamente umas dez vezes;
3. Inverta a posição das palmas e repita. Isso faz os chakras das mãos se abrirem;
4. Para sentir a energia deles, abra as mãos e aproxime as palmas lentamente, começando a uma distância de mais ou menos meio metro;
5. Quando suas mãos estiverem a cerca de 10 centímetros de distância, você deve sentir uma bola de energia sutil, como um campo magnético, pairando entre elas. Se você se sintonizar mais atentamente, talvez até perceba que ela está girando;
6. Após alguns momentos, a sensação passará, mas ela pode ser repetida com o movimento de abrir e fechar as palmas outra vez, como descrito acima.

No nível físico, os chakras correspondem aos gânglios nervosos, em que há um alto nível de atividade nervosa, e também às glândulas do sistema endócrino (ver Figura 1.8, página 38). Apesar de serem dependentes dos sistemas nervoso e endócrino, os chakras não correspondem a nenhuma parte do corpo físico. Eles existem no corpo sutil.

Porém, o efeito deles no corpo físico é forte, como pode atestar qualquer pessoa que passou por uma experiência com a Kundalini. Acredito que os chakras geram a forma e o comportamento do corpo físico, assim como a mente influencia nossas emoções. Um terceiro chakra ativo demais dá origem a uma barriga grande e firme; um quinto chakra limitado causa ombros tensos ou dor de garganta; uma conexão fraca com o primeiro chakra pode se manifestar como pernas magras ou problemas nos joelhos. O alinhamento da coluna vertebral está correlacionado à abertura dos chakras.

Por exemplo, se nosso peito fica escavado devido à curvatura da coluna ou por influência somática/emocional, o chakra cardíaco pode se obstruir. A forma do nosso corpo físico pode até ser determinada pelo nosso desenvolvimento nas vidas anteriores, que deve ser retomado na vida atual.

Na terminologia metafísica, um chakra é um vórtice (ver Figura 1.9, página 39.). Os chakras giram como rodas, atraindo ou repelindo atividades em seu plano com padrões análogos a um redemoinho. Tudo o que o chakra encontra em seu nível vibracional é atraído para dentro dele, assimilado e colocado para fora outra vez.

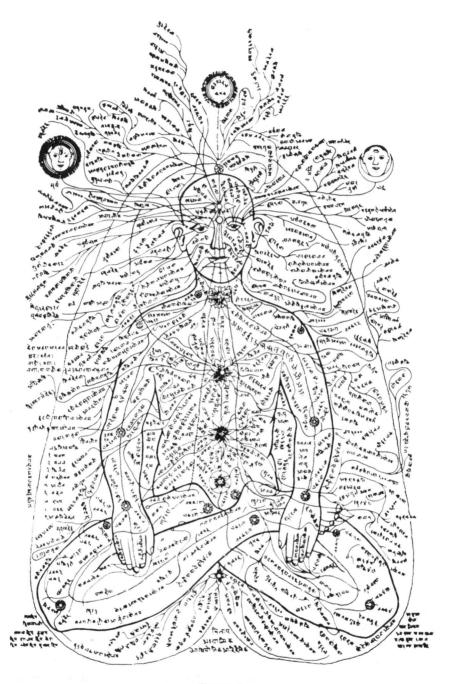

Figura 1.7
Antigo desenho hindu de *nadis* e chakras.

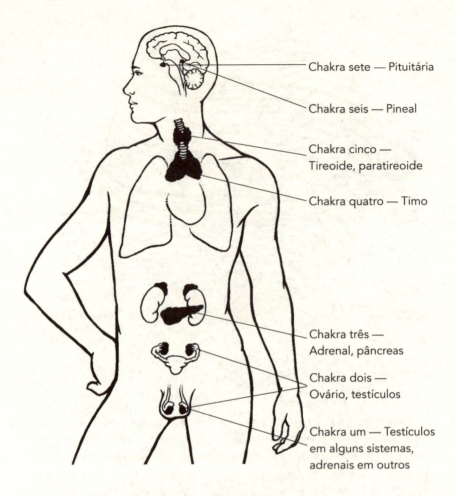

Figura 1.8
Associações comuns entre os chakras e as glândulas do sistema endócrino.
(Alguns sistemas invertem os chakras seis e sete, relacionando a
glândula pineal ao sétimo chakra e a pituitária ao sexto.)

Em vez de fluido, os chakras são constituídos de padrões simbólicos da nossa própria programação mental e física, que controla a maneira como nos comportamos. Assim como a programação de um computador, ela canaliza a maneira como a energia flui pelo sistema e nos apresenta diferentes tipos de informações. Podemos pensar em cada chakra — que, literalmente, significa "disco" — como a programação de um disquete que roda certos elementos das nossas vidas, como nossos programas de sobrevivência e sexuais e aquilo que pensamos e sentimos.

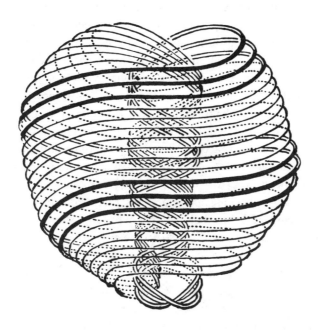

Figura 1.9
Ilustração metafísica de um vórtice.

Os chakras enviam energia a partir do centro do corpo e assimilam a energia que vem de fora e entra no centro. Assim, mais uma vez, defino chakra como um *centro organizacional para a recepção, assimilação e transmissão de energia vital*. O que geramos determina boa parte do que recebemos, portanto, cabe a nós trabalhar nos nossos chakras e limpar a programação desatualizada, disfuncional ou negativa que nos atrapalha.

O conteúdo dos chakras é formado em grande parte por padrões repetidos das nossas ações na vida cotidiana, pois somos sempre o centro delas. Movimentos e hábitos repetidos criam campos no mundo ao nosso redor. Outros fatores importantes também são a programação dos nossos pais e da nossa cultura, a forma física do nosso corpo, as circunstâncias em que nascemos e as informações das vidas anteriores. Muitas vezes esses padrões podem ser observados por médiuns quando estes veem os chakras, e suas interpretações são revelações valiosas sobre o nosso comportamento. Como num mapa astrológico, eles nos mostram tendências da personalidade que não são imutáveis de modo algum. Conhecer nossas tendências nos mostra com o que devemos tomar cuidado e o que devemos expandir.

Por meio do envolvimento com o mundo externo, os padrões dentro dos chakras tendem a se perpetuar, e é disso que vem a ideia de *karma* — padrões que se formam pela ação ou pelas leis de causa e efeito. Assim, é comum que alguém termine ficando preso num desses padrões, e então se diz que a pessoa está "presa" em um chakra. Ficamos presos em um ciclo que nos mantém em um nível particular. Pode ser um relacionamento, um emprego ou um hábito, mas na maioria das vezes é apenas um modo de pensar. Ficar preso pode ser uma consequência de um chakra subdesenvolvido ou que recebeu atenção em demasia. O objetivo do nosso trabalho é limpar dos chakras os padrões velhos e não benéficos, para que suas ações que se autoperpetuam tenham uma influência positiva e para que nossa energia vital possa continuar se expandindo para os planos mais elevados.

Os chakras são associados aos sete níveis básicos da consciência. Quando vivenciamos a abertura de um chakra, também passamos por uma compreensão profunda do estado de consciência associado a esse nível. Esses estados podem ser resumidos com as palavras-chave abaixo, mas devemos salientar que elas são uma simplificação grosseira da complexidade de cada nível (ver "Tabela de correspondências", das páginas 55 e 56). Os capítulos a seguir explicarão cada chakra mais detalhadamente. Seus elementos associados são apresentados, pois eles são cruciais para entender as características do chakra.

- **Chakra um:** encontra-se na base da coluna e é associado à *sobrevivência*. Seu elemento é a *terra*.
- **Chakra dois:** encontra-se no baixo-ventre e é associado às *emoções e à sexualidade*. Seu elemento é a *água*.
- **Chakra três:** encontra-se no plexo solar e é associado ao *poder pessoal, à força de vontade e à autoestima*. Seu elemento é o *fogo*.
- **Chakra quatro:** encontra-se acima do esterno e é associado ao *amor*. Seu elemento é o *ar*.
- **Chakra cinco:** encontra-se na garganta e é associado à *comunicação e à criatividade*. Seu elemento é o *som*.[22]
- **Chakra seis:** encontra-se no centro da testa e é associado à *clarividência, à intuição e à imaginação*. Seu elemento é a *luz*.
- **Chakra sete:** encontra-se no topo da cabeça e é associado ao *conhecimento, à compreensão e à consciência transcendente*. Seu elemento é o *pensamento*.

---

22. Classicamente, existem apenas cinco elementos associados aos chakras — terra, água, fogo, ar e éter, respectivamente de baixo para cima. O chakra cinco é associado a *sabda*, ou som. É a minha modernização que conecta os "elementos" luz e pensamento aos dois chakras superiores.

Os chakras podem estar abertos ou fechados e ser excessivos ou deficientes.[23] Eles também podem se encontrar em qualquer um dos muitos estados entre as duas opções. Esses estados podem ser aspectos básicos da personalidade de uma pessoa durante boa parte da vida dela ou algo que muda entre um momento e outro devido a alguma circunstância. Um chakra deficiente pode ser incapaz de mudar seu estado com facilidade por estar preso a um estado aberto ou fechado. O chakra, então, precisa de cura por meio da remoção do que quer que o esteja bloqueando. Se um chakra está bloqueado em um estado fechado, ele é incapaz de gerar ou receber energia nesse plano em particular, como energia amorosa ou comunicação. Se um chakra está bloqueado num estado aberto ou excessivo, ele tende a canalizar todas as energias para esse plano em particular, como, por exemplo, o uso de todas as situações para aumentar o próprio poder ou satisfazer necessidades sexuais quando outras formas de comportamento seriam mais adequadas. Um chakra fechado significa que certas energias são cronicamente evitadas, enquanto um chakra excessivamente aberto significa uma fixação crônica.

A qualidade e a quantidade de energia com que a pessoa se depara num plano particular têm a ver com o nível de abertura ou fechamento no qual o respectivo chakra se encontra ou com o quanto essa pessoa consegue controlar essa abertura ou fechamento em momentos apropriados. Isso determina a quantidade de atividade e complexidade com que conseguimos lidar em um certo nível.

Por exemplo, alguém que tem o terceiro chakra bem fechado (poder pessoal) pode ter pavor de confrontar os outros, enquanto aquele que tem esse chakra mais aberto lida muito bem com isso. Alguém que tem o segundo chakra aberto (sexualidade) pode ter vários parceiros sexuais ao mesmo tempo, enquanto aquele em quem esse chakra é mais fechado pode evitar até mesmo sentir a própria sexualidade. Alguém cujo chakra laríngeo é excessivo pode falar demais, sem realmente escutar, enquanto outra pessoa pode ter dificuldades para se expressar.

Há exercícios específicos para facilitar a abertura, a emissão e o fortalecimento de cada centro, mas primeiro é necessário entender o sistema como um todo. Depois que ele é compreendido, os níveis individuais podem ser abordados de várias maneiras. Você pode:

- concentrar-se nessa área do corpo e observar atentamente o que você sente nela e como ela se comporta;
- entender o funcionamento filosófico do chakra e o colocar em prática;

---

23. Para mais explicações sobre excesso e deficiência, ver meu livro *Eastern Body, Western Mind*.

- examinar as interações da sua vida cotidiana que estão no mesmo nível do chakra.

Neste trabalho, quaisquer correlações com algum nível em particular podem ser usadas para acessar o chakra e mudar a energia em seu interior.

Por exemplo, você pode entender em que condição seu segundo chakra (sexualidade) se encontra *se sintonizando com essa área do corpo* (abdômen, genitais). Ela está fluida, viva, dolorida, tensa, relaxada? O estado físico nos dá muitas pistas sobre o processo interno. O próximo passo é *examinar o significado e a função* do chakra em particular. Que significado você atribui às emoções e à sexualidade? Que valores essas coisas têm para você? Que tipo de programação você recebeu sobre essas questões? Assim você pode examinar a qualidade e a quantidade das interações emocionais e sexuais da sua vida. Ela é o que você deseja? Há um equilíbrio entre dar e receber? Há um fluxo energético natural ou uma sujeição ao medo e à ansiedade?

Em seguida, você pode trabalhar no segundo chakra com uma das opções a seguir:

- fazer exercícios físicos relacionados ao relaxamento, à abertura ou ao estímulo da área sacral do corpo;
- trabalhar com imagens, cores, sons, divindades ou elementos associados ao chakra, como o movimento constante, o fluxo de água e suas propriedades purificadoras. Você pode, por exemplo, tomar muita água, ir a um rio, nadar — tudo isso como uma maneira de se conectar ao elemento associado ao chakra, a água;
- analisar seus sentimentos e valores sobre a sexualidade e as emoções, e aplicar essas novas intuições ao seu comportamento com os outros.

Qualquer um desses processos (ou todos eles) pode causar mudanças na sua natureza emocional ou sexual.

O corpo e a mente estão inter-relacionados de maneira inseparável. Os dois se controlam e se afetam, e podemos acessar um pelo outro. Os sete chakras principais também estão inter-relacionados de maneira inseparável. O bloqueio no funcionamento de um chakra pode afetar a atividade daquele que fica acima ou abaixo dele. Por exemplo, você pode ter problemas com seu poder pessoal (terceiro chakra) por causa de um bloqueio na comunicação (quinto chakra) ou vice-versa. Ou talvez o verdadeiro problema seja seu coração (quarto chakra) e se manifeste em outras áreas por estar muito aprofundado. Ao examinar o Sistema teórico como um todo (que, a partir de agora, será escrito com maiúscula) e aplicá-lo ao seu sistema dos chakras individual (com minúscula), da maneira como ele ocorre unicamente em seu interior, você aprende a organizar essas sutilezas e padrões e a melhorar em função dos seus objetivos. Esse processo será explicado com mais detalhes quando explorarmos cada chakra a fundo.

Os chakras existem em muitas dimensões simultaneamente e, por conseguinte, são pontos de entrada para elas. No plano físico, eles correspondem a áreas específicas do corpo e podem ser sentidos como um frio na barriga, um nó na garganta, o coração acelerado ou a experiência de um orgasmo. O trabalho com as associações físicas nos permite usar o Sistema dos Chakras para diagnosticar doenças e, em alguns casos, curá-las.

Os chakras também correspondem a vários tipos de atividades. O trabalho é uma atividade do primeiro chakra, pois está relacionado à sobrevivência. Já a música, por ter a ver com som e comunicação, corresponde ao quinto chakra. O sonho está relacionado à função da visão interna e é uma atividade do sexto chakra.

Na dimensão do tempo, os chakras descrevem fases dos ciclos da vida pessoal e cultural. Na infância, eles se abrem sequencialmente, começando pelo primeiro chakra, que domina durante o primeiro ano da vida, e subindo até o topo da cabeça à medida que amadurecemos e nos tornamos adultos.[24] Na idade adulta, podemos nos concentrar mais em certos chakras do que em outros dependendo do foco — obter prosperidade, explorar a sexualidade, desenvolver o poder pessoal, relacionamentos, criatividade ou exploração espiritual.

Em termos de evolução, os chakras são paradigmas da consciência que predominam no mundo em um determinado momento. Os humanos primitivos existiam principalmente no primeiro chakra, pois a sobrevivência era o foco principal da cultura. A agricultura e as navegações marcaram o começo da era do segundo chakra. Nessa época de fim de milênio, creio que estamos passando da era do terceiro chakra, em que o foco principal era o poder e a energia, para o domínio do quarto chakra, o do coração, em que o centro é o amor e a compaixão. Embora essas transições não sejam suaves nem bruscas, certas fases podem ser nitidamente observadas ao longo da história (ver Capítulo 12).

Na mente, os chakras são padrões da consciência — sistemas de crença pelos quais vivenciamos e criamos nosso mundo pessoal. Assim, os chakras realmente são programas que rodam nossas vidas. Os programas dos nossos chakras inferiores contêm informações sobre o corpo em termos de sobrevivência, sexualidade e ação. Os chakras superiores nos levam a estados mais universais da consciência e agem nos nossos sistemas de crenças mais profundos sobre espiritualidade e propósito. Às vezes ficamos presos dentro de um programa específico, que passa a ser nossa maneira habitual de interagir com o mundo ao nosso redor. Um homem que enxerga toda situação como um desafio

---

24. Para mais detalhes sobre os chakras e as fases de desenvolvimento da infância, ver meu livro *Eastern Body, Western Mind*.

para o seu poder se baseia no seu terceiro chakra. Aquele que sempre enfrenta dificuldades relacionadas à sobrevivência, como saúde e dinheiro, tem problemas com o primeiro chakra. Já aquele que vive nas suas próprias fantasias deve estar preso no sexto chakra.

Como você pode ver, os chakras têm muitas complexidades. Como metáforas para a manifestação da consciência em vários planos de atividade, eles são inestimáveis. No entanto, como um Sistema completo, eles possibilitam uma melhor compreensão da dinâmica energética do ser humano.

SHIVA E SHAKTI

Sem o poder, não há um detentor do poder.
Sem um detentor do poder, não há poder.
O detentor do poder é Shiva.
O poder é Shakti, a Grande Mãe do universo.
Não há Shiva sem Shakti, nem Shakti sem Shiva.[25]

Na mitologia hindu, o universo é criado pela combinação das divindades Shiva e Shakti. O princípio masculino, Shiva, é identificado com a pura consciência não manifesta. Ele representa a bem-aventurança e é retratado como um ser amorfo em meditação profunda. Shiva é o potencial divino inativo igual à pura consciência — separado das suas manifestações. Às vezes ele é considerado o "destruidor", por ser a consciência sem forma — muitas vezes destruindo a forma para revelar a consciência. Acredita-se que Shiva tenha uma presença mais forte no chakra da coroa.[26]

Shakti, a contraparte feminina dessa consciência inativa, é quem concede a vida. Ela é a criação inteira e a mãe do universo. Shakti, em sua criação do mundo, é inventora de *maya*, que costuma ser considerada uma ilusão. No início do sânscrito, *maya* significava mágica, arte, sabedoria e um poder extraordinário.[27] *Maya* é a substância do universo manifesto, a amante da criação divina. *Maya* é uma projeção da consciência, mas não a própria consciência. Dizem que "quando o karma amadurece, Shakti deseja a criação e se cobre com sua própria *maya*".[28]

A raiz *shak* significa "ter poder" ou "ser capaz".[29] Shakti é a energia vital que concede poder para a formação da vida. É por meio da união com Shakti que a consciência de Shiva desce e proporciona a Divina Consciência ao universo (Shakti). Entre os mortais, a mulher gera o filho, mas apenas com a

---

25. Avalon, *The Serpent Power*, p. 23.
26. O primeiro chakra, no entanto, contém o linga Shiva, que é a forma de Shiva fortalecida pela presença de Kundalini-Shakti, que reside nele em sua forma dormente.
27. *Sir Monier Monier-Williams, Sanskrit-English Dictionary*, p. 811.
28. Lizelle Raymond, *Shakti – A Spiritual Experience*.
29. Swami Rama, "The Awakening of Kundalini". *In: Kundalini, Evolution, and Enligthenment*. Ed. John White. Anchor Books, 1979, p. 27.

semente do homem. Então, Shakti também produz o universo, mas apenas com a "semente" da consciência que vem de Shiva.

Essas divindades tendem a se mover uma para perto da outra. Shakti, ao subir da Terra, é descrita como a "aspiração divina da alma humana", enquanto Shiva, que desce de cima, é "a atração irresistível da graça divina" ou da manifestação.[30] Eles existem num abraço eterno, fazem amor constantemente e um não consegue existir sem o outro. A relação eterna dos dois cria tanto o mundo dos fenômenos quanto o espiritual.

Shiva e Shakti moram dentro de cada um de nós. Precisamos apenas praticar certos princípios para que essas forças se unam e nos tragam a iluminação a partir do véu de *maya*, ou a realização da consciência enterrada dentro dessa ilusão. Quando isso acontece, temos arte, sabedoria e os poderes da criação ao nosso alcance — assim como insinuava o antigo significado.

LIBERTAÇÃO E MANIFESTAÇÃO

A consciência, portanto, tem um aspecto duplo:
sua libertação (mukti) ou o aspecto amorfo
em que ela existe como a mera Consciência-Bem-Aventurança,
e um aspecto de universo ou forma,
em que ela se torna o mundo dos prazeres (bhukti).
Um dos princípios fundamentais [da prática espiritual]
é a obtenção tanto da libertação quanto dos prazeres.[31]

Shiva e Shakti também são representados como duas correntes energéticas que passam pelos chakras — uma descendente e outra ascendente[32] (ver Figura 1.10, página 46). A corrente descendente, que eu chamo de *corrente da manifestação*, inicia-se na pura consciência e desce pelos chakras até o plano manifesto, tornando-se cada vez mais densa a cada passo. Para produzir uma peça teatral, por exemplo, precisamos começar com uma ideia ou conceito (chakra sete). Em seguida, a ideia se torna um conjunto de imagens (chakra seis), que pode ser transmitido para os outros na forma de uma história (chakra cinco). À medida que a ideia se desenvolve e outras se misturam a ela, passamos a ter um conjunto de relações que ajuda a criá-la (chakra quatro). Dedicamos toda a nossa força de vontade e energia (chakra três), ensaiamos os movimentos e unimos os elementos conceituais e físicos (chakra dois) e, por fim, manifestamos a peça no plano físico (chakra um) na frente de uma plateia. Assim, pegamos nosso conceito abstrato que surgiu num pensamento e o fizemos passar pelos chakras até

---

30. Haridas Chaudhuri, "The Psychophysiology of Kundalini". *Ibidem*, p. 61.
31. Avalon, *The Serpent Power*, p. 38.
32. Sri Aurobindo também descreve correntes ascendentes e descendentes em muitos de seus escritos.

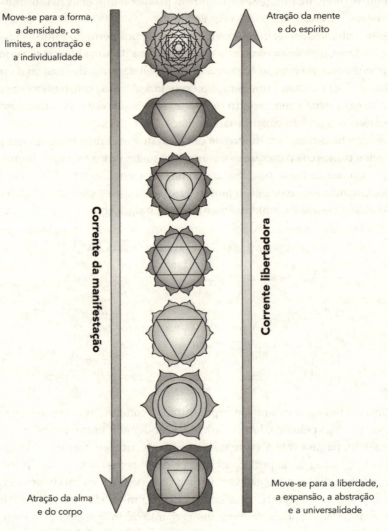

Figura 1.10
A corrente da manifestação e a corrente da libertação.

sua manifestação. Dizem que é esse caminho da manifestação que é conduzido pelos prazeres da vida ou *bhukti*.

A outra corrente, chamada de *corrente libertadora*, tira-nos das limitações do plano manifesto e nos leva para os estados de existência mais expansivos e inclusivos. Nesse caminho, a energia da matéria se liberta e se torna cada vez mais leve à medida que sobe pelos elementos, expandindo-se e se transformando num estado ilimitado de pura existência. Assim, a terra sólida perde sua rigidez e se transforma em água, depois na energia do fogo, na expansão do ar, na vibração do som, na irradiação de luz e na abstração do pensamento.

A corrente libertadora é o caminho que o estudo dos chakras costuma salientar, pois ele causa a libertação pessoal. É o caminho por meio do qual a energia limitada e lenta adquire novos níveis de liberdade aos poucos. Ele nos liberta dos hábitos restritivos ou ultrapassados e do véu de *maya*. É o caminho pelo qual nós nos desemaranhamos das limitações do mundo físico e encontramos um escopo mais amplo nos níveis mais abstratos e simbólicos. Cada passo no caminho da libertação reestrutura a matéria e a consciência a fim de produzir combinações mais eficientes, com mais energia, uma dissolução na nossa fonte primária. Como essa corrente vem de baixo, ela é estimulada pelos chakras inferiores — nossos instintos, raízes, necessidades e desejos.

Apesar de sofrer preconceitos, a corrente descendente é igualmente importante, pois ela nos permite manifestar. Cada passo para baixo é um ato criativo, um ato da consciência fazendo escolhas, dando um passo rumo à limitação e permitindo a restrição da liberdade. Por meio dessa restrição, a expansão abstrata da consciência tem um recipiente que lhe permite se condensar e se solidificar. Na corrente ascendente, cada chakra pode ser considerado um "condensador" de energia cósmica.

Para manifestar, precisamos limitar. Assim, é necessário criar restrições e especificações e definir estrutura e forma. Para escrever este livro, preciso estruturar minha vida e limitar minhas outras atividades por tempo o suficiente para que eu possa completá-lo. Para ter um emprego, criar um filho, terminar os estudos ou criar algo tangível, precisamos estar dispostos a aceitar a limitação.

A corrente libertadora nos traz entusiasmo, energia e novidades, enquanto a corrente descendente nos traz paz, graça e estabilidade. Para que esses caminhos sejam realmente completos, todos os chakras precisam estar abertos e ativos. A libertação sem limitação nos deixa indecisos, dispersos e confusos. Podemos ter ideias maravilhosas e muito conhecimento, mas somos incapazes de transformar esses frutos em algo completamente tangível. Por outro lado, a limitação sem libertação é monótona e restritiva. Ficamos presos a padrões repetitivos e nos atemos à segurança, temendo as mudanças. Para sermos realmente completos, ambas as correntes precisam estar abertas e ativas.

Podemos pensar nos chakras como câmaras no corpo em que essas duas forças se misturam em diferentes combinações. Cada chakra tem um equilíbrio distinto entre libertação e manifestação. Quanto mais descemos no sistema, mais forte é o ímpeto da corrente manifestante. Quanto mais subimos, mais os chakras são influenciados pela corrente libertadora. Essa polaridade básica é um elemento essencial para entendermos como o sistema funciona como um todo.

OS TRÊS GUNAS

Na mitologia hindu, acredita-se que o cosmos evoluiu a partir de uma base primordial chamada *prakrti*, semelhante ao conceito alquímico ocidental de *prima materia*. O *prakrti* é tecido a partir de três fios chamados gunas, ou características, que criam tudo que vivenciamos. Essas características correspondem, nos nossos termos, a matéria, energia e consciência.

O primeiro dos três gunas se chama *tamas* e representa matéria, massa ou a imobilidade densa da inércia. É *prakrti* em sua forma mais compacta. O segundo guna é chamado de *rajas*, representando a energia na forma de movimento, força e a superação da inércia. É *prakrti* em sua forma enérgica, mutável. O terceiro chama-se *sattva*, que significa mente, inteligência ou consciência. É *prakrti* em sua forma abstrata. Os gunas também podem ser descritos como tamas, a força magnética, rajas, a força cinética, e *sattva*, a força que equilibra essas duas. *Sattva* domina o plano causal, rajas domina o plano sutil e tamas domina o plano físico ou grosseiro.

Na criação contínua do cosmos, os três gunas se entrelaçam e formam os vários estados ou planos de existência que vivenciamos. Por surgirem de um estado básico de equilíbrio, os gunas mantêm esse equilíbrio por meio do fluxo constante. Em alguns momentos, pode haver uma predominância de tamas, levando à criação da matéria. Em outros, há mais rajas, o que nos dá energia. Quando *sattva* predomina, a experiência é mais mental ou espiritual. Porém, os três gunas sempre retêm sua própria essência, assim como as três partes de uma trança se mantêm distintas mesmo quando se juntam para formar uma única trança.

Acredita-se que a totalidade dos gunas permaneça constante, refletindo os princípios de conservação de energia aceitos pela física atualmente. Dentro da nossa trança, podemos alterar o número de fios em cada parte, mas o tamanho total da trança permanece o mesmo.

Os chakras são compostos de uma proporção variável dos três gunas. Essas três características são a essência de uma substância primordial, básica e unificada. Juntos, eles compõem a dança do universo, mas, separadamente, são bem distintos. Os gunas descrevem os passos de uma dança cósmica e, com o estudo da inter-relação que há entre eles, podemos aprender esses passos e nos juntar à dança.

Nas páginas a seguir, os termos matéria, energia e consciência serão amplamente usados. Eles descrevem características inerentes a todos os aspectos da vida — as características dos três gunas. Esses termos não se referem a três entidades separadas e jamais são encontrados sozinhos, sem uma proporção variável de suas contrapartes. Na verdade, é impossível separá-los fora de uma estrutura intelectual. Energia, matéria e consciência se unem e formam tudo que vivenciamos, assim como os gunas se misturam para formar o cosmos.

Os chakras são todos compostos de níveis variados desses ingredientes. A matéria (tamas) predomina nos chakras inferiores; a energia (rajas) prevalece nos chakras do meio e a consciência (*sattva*) se sobressai nos chakras superiores. Porém, há uma proporção de cada fio em cada nível e em cada ser vivo. Equilibrar a tecelagem desses três fios básicos significa equilibrar nossa mente, corpo e espírito.

CHAKRAS E KUNDALINI

O brilho dela é o do forte clarão de um raio novo.
Seu doce sussurro é como o zumbido indistinto
de enxames de abelhas loucas de amor.
Ela produz uma poesia melodiosa... é Ela que mantém
todos os seres do mundo pela inspiração e pela expiração.
Ela resplandece na cavidade do lótus raiz
como uma cadeia de luzes ofuscantes.

Sat-Chakra-Nirupana[33]

Quando Shakti reside no chakra base, ela repousa. Nele, ela se torna a serpente enrolada, Kundalini-Shakti, que dá três voltas e meia em torno do linga de *Shiva* no *Muladhara*. Nessa forma, ela é o potencial inerente à matéria, a força feminina primordial da criação e a força evolutiva da consciência humana. Na maioria das pessoas ela se mantém dormente e dorme com serenidade em sua morada, enroscada na base da coluna. Seu nome vem da palavra *kundala*, que significa "enrolado".

Ao ser despertada, essa deusa se desenrola e sobe chakra por chakra até chegar ao chakra coroa no topo da cabeça, onde ela espera encontrar Shiva, que desce ao seu encontro. À medida que penetra cada chakra, ela provoca o despertar dele no indivíduo. Na verdade, alguns acreditam que somente Kundalini-Shakti é capaz de abrir os chakras. Caso ela consiga alcançar o chakra coroa, completando a jornada, ela se une à sua contraparte, Shiva, a Consciência Divina, e o resultado é a iluminação ou a bem-aventurança.

O Kundalini Yoga é uma antiga disciplina esotérica cujo objetivo é estimular a força da Kundalini Shakti e fazê-la subir pela coluna. Normalmente, isso requer uma iniciação com um guru treinado e anos de práticas específicas de yoga e meditação. No entanto, há muitas pessoas no caminho espiritual, e também fora dele, que têm experiências espontâneas de emergência espiritual, e algumas delas são verdadeiros despertares da Kundalini. Assim, vale a pena examinar essa força misteriosa e poderosa.

Os caminhos que a Kundalini segue são bem variados. Na maioria das vezes, a Kundalini começa nos pés ou na base da coluna e sobe em direção à cabeça. Esse

---

33. Versos 10 e 11 do *Sat-Chakra-Nirupana*, traduzidos por Arthur Avalon em *The Serpent Power*.

movimento pode ser acompanhado por espasmos com tremores ou pela sensação de um intenso calor. Há relatos da Kundalini, no entanto, que envolvem uma atividade igualmente intensa que vai da cabeça para baixo ou do centro do corpo para fora. Às vezes, os sintomas da Kundalini acontecem numa questão de segundos, desaparecem e depois passam a ocorrer em intervalos de horas ou anos. Em outros casos, os sintomas podem durar semanas, meses ou anos.

A Kundalini, em geral, é uma experiência única e poderosa que provoca uma profunda mudança na consciência, que pode estar atrelada a um maior estado de alerta, intuições repentinas, visões, vozes, leveza, sensação de pureza no corpo ou uma bem-aventurança transcendental. Há algumas evidências de que a Kundalini causa um movimento ondulatório do líquido cefalorraquidiano, estimulando os centros de prazer do cérebro e nos proporcionando o "estado de bem-aventurança" que os místicos tanto descrevem.

A experiência da Kundalini, no entanto, nem sempre é agradável. Muitas pessoas têm uma imensa dificuldade em seguir com suas vidas mundanas enquanto a Kundalini se chacoalha pelos chakras do corpo. Enquanto a Kundalini abre caminho nos seus bloqueios, talvez você tenha dificuldade para dormir ou passe a não gostar das energias associadas aos chakras inferiores, como a alimentação e o sexo (porém, algumas pessoas se tornam bastante sexuais após um despertar da Kundalini). Também pode haver uma depressão profunda ou medo quando você enxerga sua vida pelos olhos dessa deusa serpente. Apesar de nem sempre ser delicada, ela é uma força de cura enquanto os véus da ilusão são afastados da sua realidade normal. Para aqueles que passam por um despertar da Kundalini espontâneo e não têm nenhum professor espiritual para orientá-los, há redes que podem lhes dar referências de terapeutas experientes com esse tipo de energia espiritual, que não acham necessariamente que isso se trata de alguma loucura ou psicose.[34]

A serpente é um símbolo arquetípico no mundo e representa iluminação, imortalidade e um caminho para os deuses. No Gênesis, a serpente fez Adão e Eva provarem o fruto da Árvore do Conhecimento. Isso simboliza o início da Kundalini, criando um desejo incessante pelo entendimento, mas fundamentado no mundo material (a maçã). No Egito, os faraós usavam coroas com símbolos de serpentes em cima do terceiro olho para representar seu aspecto divino. Isso representava uma Kundalini que já tinha ascendido? Até hoje, a serpente dupla se enrosca no bastão da cura, formando o símbolo moderno da medicina, o caduceu (ver Figura 1.11, página 51). O caduceu imita nitidamente o movimento de *ida* e *pingala*, os nadis centrais que se cruzam nos chakras, cercando o *sushumna* (ver Figura 1.6, página 35). As serpentes que se entrelaçam também

---

34. Spiritual Emergence Network, administrada pelo California Institute of Integral Studies (415) 648-2610, ou Kundalini Research Network, P.O. Box 45102, 2483 Younge St., Toronto, Ontário, Canadá, M4P 3E3.

simbolizam o padrão de dupla hélice do nosso DNA — que transmite as informações básicas sobre a vida.

A Kundalini é um conceito universal de uma força iluminadora muito poderosa. Também é uma força muito complicada e imprevisível; ela pode carregar muita dor, confusão e, com frequência, é interpretada pelo mundo como insanidade. Ela pode acompanhar os aspectos mais positivos listados anteriormente ou não. Como se estivesse abrindo as celas de uma cadeia, a Kundalini liberta tudo que estava preso dentro dos chakras. Talvez sejam intuições e experiências mais intensas ou traumas e abusos antigos que fizeram o chakra se fechar da primeira vez.

A Kundalini produz um estado profundo de consciência que pode dificultar a sua convivência num mundo tão predominantemente "não iluminado". Ela talvez não se harmonize com nosso paradigma atual nem se coadune com as circunstâncias das nossas vidas e com o estado físico de pureza que há dentro do corpo. Essas discrepâncias podem causar um grande desconforto, mas nem sempre devem ser evitadas. A Kundalini é basicamente uma força de cura, e a dor só é sentida quando ela encontra alguma tensão ou impureza que ainda não estamos prontos para largar. Aprender a abrir os chakras possibilita um caminho mais livre para a Kundalini, que tende menos a ser sofrido.

Figura 1.11
O caduceu, o símbolo moderno da cura, percorre o caminho dos chakras e nadis, indo da base às duas asas no topo.

Teoricamente, a Kundalini produz uma força que ajuda a abrir o chakra da coroa, localizado no topo da cabeça. Como os bloqueios nos chakras prendem nossa energia da coluna, esse chakra costuma ser o mais difícil de se alcançar. Classicamente, o chakra da coroa é considerado o assento da iluminação, mas, a meu ver, são a presença e a conexão de todos os chakras juntos, recebendo uma atenção consciente, que levam à iluminação. Para muitas pessoas, os momentos de mais iluminação acontecem quando a consciência do chakra superior desce a ponto de ser reconhecida de maneira tangível, e não o contrário.

A elevação da energia para os chakras superiores ocorre de maneira natural e espontânea quando relaxamos profundamente e prestamos atenção a todos os chakras. Tentar fazer a energia subir à força costuma causar tensões, entorpecimento e uma fácil irritação com todos ao nosso redor que não estão fazendo a mesma coisa.

Essa irritação leva a uma alienação, que costumo observar como um sintoma da falta de iluminação. (Muitas pessoas me abordam em conferências para me contar animadamente suas experiências de iluminação com o sétimo chakra sem nem perceber que interromperam rudemente uma conversa ou que estão vivendo em corpos que parecem bastante negligenciados.)

É impossível falar dos chakras sem mencionar a Kundalini, mas o foco deste livro não é o despertar dela. A Kundalini não é necessariamente a maneira mais fácil de alcançar a realização, assim como derrubar um muro com seu carro não é a maneira mais fácil de chegar à casa na rua ao lado. Há momentos em que uma imensa força é necessária para superar um bloqueio particularmente persistente, mas prefiro métodos naturais, seguros e agradáveis. Quando escolhemos o trajeto mais bonito, podemos aproveitar tanto a jornada quanto o destino.

Este livro não apoia nem condena os discípulos que desejam despertar a Kundalini. A droga LSD é uma maneira rápida de ter vislumbres dos mundos mais elevados da superconsciência sem que você permaneça necessariamente neles, mas pode causar alguma mudança permanente numa direção positiva. A Kundalini é menos previsível, costuma ser mais profunda e muito mais difícil de se obter. Porém, a Kundalini não é o resultado de uma droga, mas uma reorganização da sua própria energia vital. É uma experiência única e valiosa para qualquer um que esteja buscando genuinamente a consciência mais elevada.

A dor que encontramos vem da nossa própria resistência e das impurezas que a Kundalini precisa destruir antes que possa alcançar seu objetivo.

Há muitas pesquisas sendo realizadas atualmente sobre a Kundalini, e várias teorias já foram elaboradas sobre o que ela realmente é e o que a desperta. As teorias a seguir são as mais pertinentes a este livro.

52

- **A Kundalini desperta por causa de um guru.** Toda interação que temos com outras pessoas acontece no nível de algum chakra (ver Figura 1.12, página 54). Se interagimos com pessoas nas quais os chakras inferiores predominam, nossos centros reagem e podemos ser puxados para baixo. Da mesma maneira, uma interação que estimula os chakras superiores, como o contato com um guru que despertou sua própria Kundalini, pode causar um novo influxo de energia que desperta o discípulo. Quando a Kundalini é despertada por um guru, a experiência é chamada de *Shaktipat*. Ela desperta os centros e faz a energia da Kundalini fluir, deixando o recipiente livre para sentir seus efeitos maravilhosos e para lidar com as consequências na sua vida e no seu corpo.

- **A Kundalini é sexual.** Às vezes, a prática do Tantra inclui práticas sexuais do yoga que são mais complexas, a fim de despertar a Kundalini e se alcançar a transcendência. Essas técnicas vão desde um orgasmo prolongado à abstinência total. Alguns dizem que Kundalini e sexualidade são duas coisas mutuamente excludentes, já outros acham que ambos estão intrinsecamente conectados. Discutiremos isso mais a fundo no capítulo sobre o chakra dois.

- **A Kundalini é química.** O sexto chakra costuma ser associado à glândula pineal. Sabe-se que a melatonina, uma substância química produzida por essa glândula, aumenta a habilidade psíquica e a lembrança dos sonhos e provoca visões e efeitos alucinógenos.[35] Alguns acham que as visões induzidas pela Kundalini são um ciclo dos neurotransmissores. Em alguns casos, a Kundalini pode ser provocada por drogas como café, maconha ou alucinógenos.

- **A Kundalini resulta da sincronização do ritmo vibracional do corpo.**[36] As ondulações da coluna estabelecem ritmos que sincronizam com o batimento cardíaco, as ondas cerebrais e os padrões respiratórios, estimulando vários centros do cérebro, que podem ser despertados pela meditação, pela frequência respiratória ou por acaso, como no exemplo de um despertar espontâneo. Isso será discutido mais a fundo quando explorarmos as vibrações no domínio do quinto chakra.

- **A Kundalini é naturalmente produzida quando há um canal desbloqueado e desobstruído que conecta todos os chakras.** Essa última teoria é minha, e acredito que seja um acréscimo, e não uma contradição, em relação às teorias apresentadas acima. Se os chakras são considerados engrenagens, a Kundalini é o movimento em espiral que a energia adota

---

35. Philip Lansky, "Neurochemistry and the Awakening of the Kundalini", *Kundalini, Evolution, and Enlightenment*. Ed. John White. Anchor Books, 1979, p. 296.
36. Lee Sannella, *A Experiência da Kundalini*. São Paulo, Cultrix, 1987. Ver também Itzhak Bentov, *Micromotion of the Body as a Factor in the Development of the Nervous System*, p. 77.

ao se mover por elas. Na verdade, os chakras podem inibir a Kundalini e desacelerá-la para que seja canalizada e impedida de consumir o organismo mortal em que desperta. No nosso estado atual de existência, os chakras não são bloqueios, mas degraus; às vezes, porém, os padrões não resolvidos dos chakras podem bloquear a força vital desnecessariamente. Entendendo a fundo nosso sistema de chakras pessoal, talvez possamos usar a energia da Kundalini de uma maneira segura e previsível.

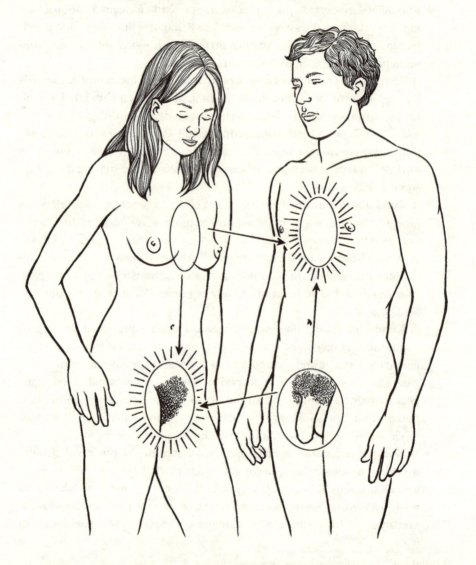

Figura 1.12
Enquanto ele pode agir a partir do nível físico/sexual de um chakra inferior, chamando a atenção dela para essa área, ela, por sua vez, pode estimular o chakra cardíaco dele emanando desse nível.

TABELA DE CORRESPONDÊNCIAS

CHAKRA	UM	DOIS	TRÊS	QUATRO	CINCO	SEIS	SETE
Nome em sânscrito	*Muladhara*	*Svadhisthana*	*Manipura*	*Anahata*	*Vishuddha*	*Ajna*	*Sahasrara*
Significado	suporte da raiz	doçura	pedra lustrosa	não produzido	purificação	centro de comando	mil vezes
Localização	perínec	sacro	plexo solar	coração	garganta	testa	topo da cabeça
Elemento	terra	água	fogo	ar	som, éter	luz	pensamento
Estado da energia	sólido	líquido	plasma	gás	vibração	luminescência	consciência
Função psicológica	sobrevivência	desejo	força de vontade	amor	comunicação	intuição	compreensão
Resulta em:	aterramento	sexualidade	poder	paz	criatividade	imaginação	bem-aventurança
Identidade	física	emocional	do ego	social	criativa	arquetípica	universal
Orientação para o eu	autopreservação	autossatisfação	autodefinição	autoaceitação	autoexpressão	autorreflexão	autoconhecimento
Demônio	medo	culpa	vergonha	tristeza	mentiras	ilusão	apego
Fase do desenvolvimento	útero a 1 ano	6 meses a 2 anos	1 ano e meio a 3 anos e meio	3 anos e meio a 7 anos	7 a 12 anos	puberdade	ao longo da vida
Glândulas	adrenais	gônadas	pâncreas, adrenais	timo	tireoide, paratireoide	pineal	pituitária
Outras partes do corpo	pernas, pés, ossos, intestino grosso	útero, genitais, rins, bexiga, lombar	sistema digestivo, fígado, vesícula	pulmões, coração, sistema circulatório, braços, mãos	garganta, ouvidos, boca, ombros, pescoço	olhos, base do crânio, testa	sistema nervoso central, córtex cerebral

CHAKRA	UM	DOIS	TRÊS	QUATRO	CINCO	SEIS	SETE
Mau funcionamento	obesidade, anorexia, dor ciática, prisão de ventre	problemas sexuais e urinários	problemas digestivos, fadiga crônica, hipertensão	asma, doenças coronarianas e pulmonares	dor de garganta, dores no pescoço e nos ombros, problemas de tireoide	problemas de visão, dores de cabeça, pesadelos	depressão, alienação, confusão
Cor	vermelho	laranja	amarelo	verde	azul-claro	índigo	violeta, branco
Som semente	*lam*	*vam*	*ram*	*yam*	*ham*	*om*	nenhum
Som de vogal	*ou* como em "roubo"	*u* como em "útil"	*á* como em "vá"	*ei* como em "peito"	*i* como em "bicho"	*mmmm*	*ng* como em "shopping"
Sefirot	malkuth	yesod	hod, netzach	tiphareth	geburah, chesed	binah, chokmah	kether
Planetas	terra, saturno	lua	marte (também o sol)	vênus	mercúrio	júpiter, netuno	urano
Metais	chumbo	estanho	ferro	cobre	mercúrio	prata	ouro
Alimentos	proteína	líquido	alimentos ricos em amido	verduras e legumes	frutas	enteógenos	jejum
Pedras preciosas	rubi, granada, hematita	coral, cornalina, zircônia amarela	âmbar, topázio e apatita	esmeralda, turmalina, jade	turquesa	lazurita, quartzo	diamante, ametista
Incenso	cedro	damiana	gengibre, aspérula	lavanda	olíbano, benjoim	artemísia	mirra, centelha asiática
Caminho do yoga	*hatha*	tantra	karma	*bhakti*	mantra	yantra	*jnana*
Direitos	de ter	de sentir	de agir	de amar	de falar e ser escutado	de ver	de conhecer
Gunas	tamas	tamas	rajas	rajas / *sattva*	rajas / *sattva*	*sattva*	*sattva*

CONCLUSÕES INTRODUTÓRIAS

Neste momento, algumas das teorias e ideias básicas deste livro precisam ser apresentadas. Boa parte delas corresponde aos sistemas padrões — caso alguém encontre concordância o bastante entre eles para especificar quais eles são —, mas muitas coisas diferem. As teorias nas páginas a seguir são o resultado das conexões que fiz entre as crenças do passado, do presente e do futuro projetado a respeito das informações pesquisadas sobre o Sistema dos Chakras. Também incluí nessas conexões vários outros sistemas metafísicos e psicológicos.

O objetivo é apresentá-lo como teoria, não como dogma; o que se expõe é uma ideia, não uma religião. Espero que seja valioso para a expansão da consciência das pessoas, independentemente de suas orientações religiosas ou filosóficas. As teses são as seguintes:

- Há sete chakras principais e vários chakras menores no corpo sutil. Eles funcionam como portais para dimensões que vão da matéria à consciência.
- No ser humano, esses sete planos correspondem aos níveis arquetípicos da consciência e a vários atributos físicos.
- Os chakras são criados pela interpenetração de duas grandes correntes verticais.
- No nosso nível atual de desenvolvimento, os chakras inferiores têm o mesmo valor e a mesma importância para os seres humanos que os chakras superiores.
- O Sistema dos Chakras descreve um padrão de evolução, e a raça humana atualmente está em transição do terceiro nível para o quarto.
- Os chakras também correspondem a cores, sons, divindades, dimensões e outros fenômenos sutis.
- O Sistema tem um valor imenso para o amadurecimento pessoal, diagnósticos e curas.
- Esses sete níveis são proporcionais ao possível número de planos, assim como as sete cores do arco-íris e o espectro das ondas eletromagnéticas. Os sete chakras básicos são meramente as vibrações que percebemos com nosso "equipamento" atual, da mesma maneira como as cores do arco-íris são tudo que conseguimos enxergar a olho nu.
- Os chakras interagem uns com os outros constantemente e só podem ser separados intelectualmente.
- Os chakras podem ser abertos por meio de vários exercícios físicos, tarefas, meditações, métodos de cura, experiências de vida e compreensão geral, levando a estados mais profundos da consciência.

EXERCÍCIOS PRELIMINARES

ALINHAMENTO

Para que os chakras funcionem bem, eles precisam estar alinhados entre si. O alinhamento mais direto é com a coluna relativamente reta (a coluna reta demais fica rígida e tensa, bloqueando a abertura dos chakras).

Fique de pé com os pés separados na largura dos ombros e estenda os braços acima da cabeça. Estique o corpo inteiro, expandindo cada chakra. Sinta como essa posição mais alongada estimula seus chakras a se alinharem.

Quando voltar a ficar de pé normalmente, tente manter essa sensação de altura e alinhar seu corpo de maneira que o centro de cada parte principal (pelve, plexo solar, peito, garganta, cabeça) esteja diretamente alinhado com o eixo central do seu corpo. Permita que seus pés se conectem solidamente com o piso e sinta o centro principal (*sushumna*) que une todos os chakras.

Pratique o mesmo alinhamento sentado, seja numa cadeira ou de pernas cruzadas no chão. Tente se encurvar e depois endireitar a coluna, sentindo a diferença na energia do seu corpo e na clareza da sua mente.

ESTABELECENDO AS CORRENTES

A CORRENTE MANIFESTANTE

Fique de pé ou sentado confortavelmente, de coluna ereta, com os pés firmes no chão, sem sapatos. Sintonize-se com o eixo vertical do seu corpo. Permita-se encontrar uma posição confortável de equilíbrio em que o eixo vertical se mantém centralizado com naturalidade. Respire lenta e profundamente.

Mentalmente, atravesse o topo da sua cabeça e se permita vivenciar a vastidão infinita do céu e do espaço acima de você. Respire entrando nessa vastidão e se imagine a absorvendo pelo topo da cabeça, puxando-a para dentro dela e deixando-a escorrer pelo seu rosto, pelas orelhas, pela parte de trás da cabeça, pelos ombros e braços.

Deixe sua cabeça se preencher outra vez com essa energia "cósmica", e agora deixe-a descer pelo seu pescoço e seu peito, enchendo-o quando você inspira... e expira... inspira... e expira. Quando o peito se encher, deixe sua barriga relaxar, permitindo que essa energia preencha seu plexo solar, seu abdômen, sua genitália e depois desça até suas nádegas, suas pernas e seus pés, até sair. Deixe-a entrar bem a fundo na Terra.

Volte para o topo da cabeça e repita. Ao reiniciar o processo, você pode preferir pensar nessa energia de uma forma mais concreta, como uma luz, uma cor particular, a forma de alguma divindade, uma coluna de bolhas, um fluxo de vento ou apenas movimento. Repita o processo até sentir que sua imagem aparece com facilidade e flui tranquilamente do topo da sua cabeça até a Terra debaixo dos seus pés.

A CORRENTE LIBERTADORA

Depois que o exercício acima lhe parecer natural, você pode começar a trabalhar com a corrente ascendente da mesma maneira.

Imagine uma energia vindo da Terra (vermelha, marrom ou verde; densa e vibrante) subindo pelos seus pés e pernas até seu primeiro chakra, preenchendo-o e depois fluindo para sua genitália, seu abdômen e seu plexo solar. Em seguida, ela preenche também seu coração e seu peito, seu pescoço e seus ombros, seu rosto e sua cabeça antes de sair pelo topo da própria cabeça, liberando para fora e para cima toda tensão que encontra. Trabalhe com essa corrente até que ela também flua com naturalidade.

Quando as duas correntes passarem a ser naturais, tente trabalhar com ambas ao mesmo tempo. Veja-as se misturando e se unindo no nível de cada chakra (se quiser usar cores, veja as meditações do fim do Capítulo 7, "Chakra seis").

Ao longo do dia, perceba essas duas correntes percorrendo seu corpo. Observe qual delas é mais forte e em quais momentos do dia ou durante quais atividades isso acontece. Talvez seu corpo precise desenvolver mais alguma delas para equilibrar suas energias. Perceba se alguma corrente se prende a um bloqueio de tensão em particular. Brinque com as duas correntes e veja qual delas o atravessa com mais eficácia.

Parte dois

JORNADA PELOS CHAKRAS

CHAKRA UM

TERRA
RAÍZES
ATERRAMENTO
SOBREVIVÊNCIA
CORPO
ALIMENTO
MATÉRIA
COMEÇO

Capítulo 2
CHAKRA UM: TERRA

MEDITAÇÃO INICIAL

Você está prestes a fazer uma jornada. É uma jornada pelas camadas do seu próprio eu. É uma jornada pela sua vida, pelos mundos no seu interior e ao seu redor. Ela começa aqui, no seu próprio corpo. Ela começa agora, onde quer que você esteja.

Fique confortável, pois a jornada não é curta. Ela pode demorar meses, anos ou vidas, mas você já decidiu fazê-la. Você começou muito, muito tempo atrás.

Você recebeu um veículo para fazer essa jornada: o seu corpo. Ele está equipado com tudo que possa ser necessário. Um dos seus desafios ao longo da jornada será manter seu veículo nutrido, feliz e em um bom estado. Ele é o único que você receberá.

Então, comecemos nossa jornada explorando nosso veículo. Pare um instante e sinta seu corpo. Sinta-o inspirando... e expirando.... sinta seu coração batendo por dentro, a umidade dentro da sua boca, o alimento na sua barriga, a sensação do tecido na sua pele. Explore o espaço que seu corpo ocupa — altura, largura, peso. Encontre as diferentes partes dele: a anterior, a posterior, o topo, a base, os lados. Comece a dialogar com seu corpo para aprender a língua dele. Veja se ele está cansado ou tenso. Escute a resposta. O que ele sente a respeito de fazer essa jornada?

Você recebeu um veículo para essa jornada, mas ele não é algo que você tem — é algo que você é. Você é seu corpo. Você é um corpo vivendo uma vida num mundo físico — que se levanta pela manhã, se alimenta, vai trabalhar, toca as coisas, dorme e toma banho. Sinta seu corpo vivenciando essas rotinas diárias. Perceba o número de interações que ele tem com o mundo exterior num único dia — perceba a interação das mãos encostando em portas, volantes, outras mãos, papéis, louça, crianças, alimentos, seu parceiro. Pense em como seu corpo cresceu, aprendeu e mudou ao longo dos anos. O que ele se tornou para você? Você já agradeceu a ele alguma vez por cuidar de você próprio?

Como é o mundo com que seu corpo interage? Sinta as texturas, os cheiros, as cores e os sons ao seu redor. Seja seu corpo sentindo essas coisas, todas as sensações que talvez sua mente não perceba, mas que seu corpo sente. Sinta a dureza da terra na madeira, no cimento, no metal. Sinta suas linhas retas, sua solidez, sua permanência. Sinta a firmeza amena da Terra em seu estado natural — com suas árvores, gramados, lagos, riachos e montanhas. Sinta sua suavidade, sua proteção e sua abundância. Sinta a riqueza deste planeta com sua infinidade de formas. Sinta sua imensidão, sua solidez e como ele o sustenta enquanto você está sentado em seu lugar nele, lendo este livro.

Este planeta também é um veículo que nos transporta pelo tempo e pelo espaço. Sinta a Terra como uma entidade central unificada — um corpo vivo, assim como você — com uma infinidade de células trabalhando juntas como um todo. Você é uma célula deste grande corpo, parte da Mãe Terra, um de Seus filhos.

Iniciamos nossa jornada aqui, neste grande corpo da Terra. Nossa longa subida começa com uma descida. Descemos dentro desse corpo, assim como descemos dentro dos nossos próprios corpos — na nossa carne, nas nossas entranhas, nas nossas pernas e pés — introduzindo nossas raízes bem a fundo na Terra, que nos sustenta e nutre. Nós nos movemos até o fundo das rochas e do solo e chegamos às suas entranhas de lava incandescente, fervendo nas profundezas, e à origem da sua vida, seu movimento e seu poder.

Quando chegamos tão a fundo, alcançamos a base da nossa coluna e encontramos uma bola de energia vermelha e reluzente, brilhando como o núcleo da Terra. Sinta essa energia fundida escorrendo pelas suas pernas e seus joelhos e entrando nos seus pés. Sinta-a escorrer pelos seus pés e entrando no chão abaixo de você e descendo até a Terra, infiltrando-se entre rochas e raízes, encontrando nutrição, suporte e estabilidade. Sinta esse fio de energia como uma âncora que o acalma e o aterra.

Você está aqui. Você está conectado. Você é sólido, mas é derretido por dentro. No fundo das suas raízes, você encontra seus passados, suas lembranças, seu eu primitivo. Sua conexão é simples, direta. Você se lembra de seu legado, do seu antigo eu como filho da Terra. Ela é sua professora.

Que matéria é essa que vem da Terra? Pense na cadeira em que você está sentado — na árvore que ela era, no algodão no campo, no tecido no tear, nos trabalhadores que a transportaram, venderam e se sentaram nela antes. Pense nas coisas que você tem — na complexidade e na abundância de cada uma delas.

Pense na abundância financeira que você tem. Não importa se ela é grande ou pequena — pense nela como um presente da Terra. Como ela chega até você? O que seu corpo faz para obtê-la? Para que você a usa? Pense nesse dinheiro como um fluxo de vida que entra em você e depois sai, passando pelas suas mãos, seus pés, seu coração e sua mente. Enquanto ele flui por você, sinta-se numa interação constante com a Terra. Deixe a sensação de abundância subir da Terra e entrar nos seus pés, suas pernas, sua pelve, seu estômago, seu coração e suas mãos. Sinta a expressão dela na sua garganta, sua visão reconhecê-la e a marca que ela deixa na sua mente. Respire fundo e a deixe descer outra vez, passando pelo seu corpo, sua cabeça, seu pescoço, seus ombros, seus braços, seu peito, sua barriga, sua genitália, suas pernas e seus pés, depois entrando na Terra, descendo para debaixo da superfície dela, encontrando estabilidade, encontrando sustento, encontrando paz.

Seu corpo é a jornada, e é onde você começa. É sua conexão com o mundo físico, seu alicerce, o lar da sua dança. Você é o lugar a partir do qual todas as ações e toda a compreensão surgirão e para o qual você retornará. É em você que a verdade é testada. Você é o solo em que todas as coisas repousam. Você é a Terra em que todas as coisas brotam. Você está aqui, você é sólido, você está vivo.

Todas as coisas começam em você.

CHAKRA UM — SÍMBOLOS E CORRESPONDÊNCIAS

Nome em sânscrito	*Muladhara*
Significado	sustento da raiz
Local	períneo, base da coluna, plexo coccígeo
Elemento	terra
Função	sobrevivência, aterramento
Estado interno	imobilidade, segurança, estabilidade
Direitos	direito de estar aqui, direito de ter
Manifestação externa	solidez
Glândulas	adrenais
Outras partes do corpo	pernas, pés, ossos, intestino grosso, dentes
Mau funcionamento	problemas de peso, hemorroidas, prisão de ventre, dor ciática, artrite degenerativa, problemas nos joelhos
Cor	vermelha
Sentido	olfato
Som semente	*lam*
Som de vogal	ou, como em "roubo"
Pétalas	quatro — vam, sam, sam, sam
Naipe do tarô	pentáculos
Sefirá	Malkuth
Corpos celestes	Saturno, Terra
Metal	chumbo
Alimento	proteínas, carnes
Verbo correspondente	eu tenho
Caminho do yoga	hatha yoga
Ervas para incenso	cedro
Minerais	magnetita, rubi, granada, jaspe-sanguíneo

Guna	tamas
Animais	elefante, boi, touro
Símbolos do lótus	quatro pétalas vermelhas, quadrado amarelo, triângulo apontado para baixo, linga de Shiva, com Kundalini ao redor dando três voltas e meia, elefante branco, oito flechas apontadas para fora. Acima do *bija* (sílaba semente) há Brahma criança e Shakti Dakini.
Divindades hindus	Brahma, Dakini, Ganesha, Kubera, Uma, Lakshmi, Prisni
Outros panteões	Gaia, Deméter/Perséfone, Erda, Eresquigal, Anat, Ceridwen, Geb, Hades, Pwyll, Dumuzi, Tamuz, Atlas
Arcanjo	Auriel
Principal força de ação	gravidade

MULADHARA — O CHAKRA RAIZ

Pelo energismo da consciência, Brahman se agrega;
disso nasce a matéria e, da matéria, nascem a Vida, a Mente e os Mundos.

Mundaka Upanishad 1.1.8[37]

Nossa jornada de subida pela coluna vertebral se inicia na base dela, no lar do primeiro chakra, que é o fundamento de todo o nosso sistema e o alicerce em que todos os outros chakras se apoiam. Assim, ele é crucial; relaciona-se ao elemento *terra* e a todas as coisas sólidas e terrestres como nossos corpos, nossa saúde, nossa sobrevivência, nossa existência material e monetária e nossa capacidade de concentração e de manifestar nossas necessidades. É a manifestação da consciência em sua forma final — sólida e tangível. É nossa necessidade de nos mantermos vivos e saudáveis e também a aceitação da limitação e da disciplina, tão essenciais para a manifestação.

Nesse sistema, a terra representa forma e solidez, nosso estado material mais condensado e a extremidade "inferior" do nosso espectro de chakras. Esse estado é visualizado como um vermelho escuro e vibrante, a cor do princípio, e a cor de maior comprimento de onda e de menor vibração no espectro visível.

---

37. Algumas pessoas dizem que a glândula associada ao primeiro chakra são as gônadas, pois elas estão mais próximas do chakra um. Porém, são as glândulas adrenais que são ativadas na reação de "fuga ou luta", quando a sobrevivência é ameaçada. As adrenais também estão relacionadas ao terceiro chakra por encherem o corpo de energia.

O nome em sânscrito para esse chakra é *Muladhara*, que significa "suporte da raiz". O nervo ciático, que desce pelas pernas a partir do plexo sacral, é o maior nervo periférico do corpo (da espessura do seu polegar) e funciona como uma raiz do sistema nervoso (ver Figura 2.1, abaixo). As pernas e os pés, que possibilitam a locomoção, permitem-nos realizar as tarefas necessárias para obter nosso sustento vital da terra e de seu ambiente. Nossas pernas pisam no chão embaixo de nós e conectam nosso sistema nervoso à terra, o elemento do nosso primeiro chakra. Então, nós reagimos de maneira cinestésica à gravidade, à força subjacente da terra que nos puxa constantemente para baixo. Essa força nos mantém conectados ao nosso planeta e enraizados na existência material.

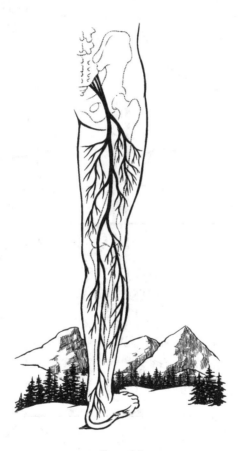

Figura 2.1
Nervo ciático como uma raiz.

O centro é retratado como um lótus de cinco pétalas, com um quadrado em seu interior (ver Figura 2.2, página 68). Isso pode ser interpretado como as quatro direções e a base firme do mundo material, que muitos sistemas representam

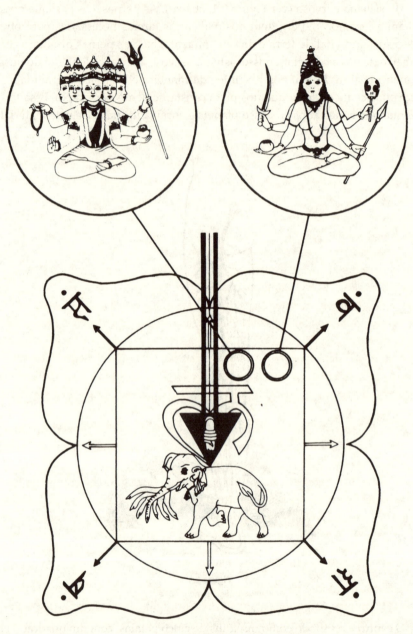

Figura 2.2
Chakra Mūlādhāra

como um quadrado. Como o primeiro chakra é associado a Malkuth, a base esférica da Árvore da Vida cabalística, essas quatro pétalas também refletem os quatro elementos do reino material.

Dentro do quadrado há um pequeno triângulo apontado para baixo em uma coluna energética que representa o *sushumna*. Isso simboliza a força descendente do chakra, orientada para baixo. Dentro do triângulo, há a serpente Kundalini enroscada no linga de Shiva, apontado para cima. Esse chakra é o lar e o lugar de repouso da Kundalini. Abaixo do triângulo, há um elefante de sete trombas chamado de *Airavata*, representando o aspecto pesado e material desse chakra e os sete caminhos para sair dele, que correspondem aos sete chakras. Também podemos associar a esse centro o deus com cabeça de elefante, *Ganesha*, Senhor dos Obstáculos, pois ele está aterrado, de barriga cheia e feliz com sua fisicalidade. Outras divindades retratadas no quadrado são o *Brahma Criança* com cinco rostos, para afastar os medos, e a *Dakini* fêmea, a manifestação de Shakti neste nível, com lança, espada, cálice e crânio. No centro do quadrado há o símbolo do som semente, que dizem conter a essência do chakra, que é *lam*. Essas imagens e sons são símbolos que podem ser usados na meditação sobre esse chakra.

No corpo, o primeiro chakra localiza-se na base da coluna ou, mais precisamente, no períneo, que fica entre o ânus e a genitália. Ele corresponde à seção da coluna chamada cóccix e também aos gânglios espinais do cóccix e às vértebras lombares inferiores, de onde brotam esses gânglios (ver Figura 2.3, página 70). Mantendo a relação com a matéria sólida, esse chakra se relaciona com a parte sólida do corpo, especialmente os ossos, o intestino grosso (por onde passam as substâncias sólidas) e o corpo da carne como um todo. Há chakras menores nos joelhos e nos pés que transmitem as sensações do chão para a nossa coluna vertebral com informações relacionadas à atividade motora. Eles são *subchakras* do primeiro e do segundo chakra — saídas de aterramento do corpo como um todo.

Descrevemos os chakras como vórtices energéticos. No nível do primeiro chakra, nosso vórtice é mais denso do que em qualquer outro nível de chakra. Ele é *tamas* em sua essência: em repouso, inerte.

Se você tivesse de atravessar um rio com uma fortíssima corrente, seria difícil andar com a força da água fluindo rapidamente para cima de você. Se houvesse várias dessas forças vindo de todas as direções, voltadas para um ponto central, você não seria capaz de chegar ao outro lado. O encontro dessas forças produz um campo tão denso que parece sólido. A densidade do chakra um é desse nível.

Essa solidez é válida para o corpo, que não consegue atravessar o rio, mas não para as atividades não materiais da nossa inteligência. Sabemos que os átomos são, em grande parte, espaço vazio. Conseguimos enxergar o que está do outro lado do vidro, apesar de ele ser sólido; conseguimos escutar pelas paredes e podemos usar nossa inteligência para criar aparatos que nos permitam descartar a ilusão de que a matéria é uma entidade sólida.

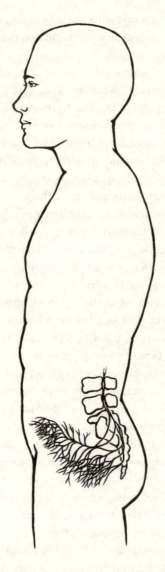

Figura 2.3
Gânglios espinais do cóccix e vértebras inferiores da lombar.

No entanto, é essa matéria sólida que nos propicia a base da nossa realidade consensual. É essa matéria que é nossa constante e, sem sua solidez relativamente imutável, nossas vidas seriam bem difíceis. Imagine se, toda vez que você voltasse para casa, ela estivesse com uma forma ou num local diferente. Imagine se seus filhos mudassem de um dia para o outro a ponto de você não conseguir mais reconhecê-los. Que confusão não seria!

No nosso nível atual de evolução, a matéria é uma realidade inegável e uma necessidade. Não podemos nos separar dela, pois somos feitos dela. Sem um corpo, nós morremos, e negar nosso corpo é morrer prematuramente. Da mesma maneira, não podemos negar nossa conexão com a Terra em que vivemos nem o papel vital que ela tem na garantia do nosso futuro. Não prestar atenção à nossa própria base é construir num terreno instável. O propósito desse chakra é solidificar esse terreno.

A consciência no chakra *Muladhara* volta-se principalmente para a sobrevivência física. É nossa reação instintiva de lutar ou fugir. Ignorar esse chakra ou seu elemento terra é ameaçar nossa própria sobrevivência, tanto pessoal quanto coletiva. Se não equilibrarmos esse chakra antes de progredir para os próximos, nosso crescimento não terá raízes nem base e carecerá da estabilidade necessária para o verdadeiro crescimento.

Quando nossa sobrevivência é ameaçada, nós sentimos medo. O medo é um demônio do primeiro chakra — ele contrapõe-se à sensação de segurança e proteção que esse chakra idealmente proporciona. Níveis inadequados de medo podem ser um sinal de que a base do primeiro chakra está danificada. Enfrentar nosso medo pode ajudar a despertar esse chakra.

Em várias filosofias espirituais existe a crença de que estamos "presos" nos corpos físicos, aguardando a libertação dessa prisão. Essa crença ampara a depreciação do corpo e perpetua uma divisão entre corpo e mente, negando acesso à imensa beleza e inteligência que nossos corpos armazenam em seus trilhões de células.

Se enxergarmos o mundo físico assim, veremos que ele não passa de uma armadilha e se relaciona rapidamente com qualquer pessoa que compreenda o papel que desempenha na estrutura maior. À medida que subirmos pela coluna vertebral, entenderemos mais os outros níveis e manifestações. Também reconheceremos a santidade e a segurança que substância e matéria proporcionam.

ATERRAMENTO

A corrente libertadora, que sempre se move na direção da consciência superior, é o caminho mais comumente associado ao Sistema dos Chakras. Até recentemente, falava-se menos sobre o envio da nossa energia para baixo, para dentro da Terra, com a corrente de manifestação. Isso costuma ser visto como algo menos espiritual e, por conseguinte, menos merecedor do nosso tempo e da nossa atenção. São muitíssimos os caminhos espirituais que ignoram a importância do *aterramento*.

O aterramento é um processo de contato dinâmico com a Terra, com seus limites, extremidades e fronteiras. Ele possibilita que nos tornemos reais de uma maneira sólida — com presença aqui e agora — e vivos de uma maneira dinâmica, com a vitalidade que vem da Terra. Apesar de nossos pés tocarem mecanicamente no chão a cada passo, esse contato é inútil se perdermos as sensações das nossas pernas e pés. O aterramento inclui a abertura dos chakras inferiores, a fusão com a gravidade e uma descida até o fundo do veículo do corpo.

Sem o aterramento nós ficamos instáveis: nós nos sentimos descentrados, perdemos as estribeiras, somos arrebatados ou devaneamos num mundo de fantasias. Ficamos desprovidos da habilidade de conter, de ter, de manter. A excitação natural se dissipa e se dilui, perdendo a eficácia. Quando perdemos o chão, nossa atenção se afasta do momento presente e parece que não estamos aqui por completo. Nesses estados, nos sentimos impotentes e, como num círculo vicioso, talvez não desejemos mais estar aqui.

Nosso chão ancora as raízes que dão nome a esse chakra. Por meio delas, obtemos nutrição, poder, estabilidade e crescimento. Sem essa conexão nós nos separamos da natureza e da nossa origem biológica. E, isolados da nossa origem, perdemos nosso caminho. Muitas pessoas não conseguiram encontrar o verdadeiro caminho da vida delas por ainda não terem encontrado o próprio chão. Às vezes, ocupam-se olhando para cima, e não para baixo, onde os pés e o caminho se encontram.

Nossas raízes são constituídas pelos nossos instintos — as sensações instintivas que são programadas a partir das nossas lembranças do passado, do nosso legado racial e cultural e da estrutura indestrutível do nosso ser. C. J. Jung descreve essa base instintiva como o domínio do inconsciente coletivo — um domínio vasto e poderoso de instintos herdados e tendências evolutivas. Quando retomamos essas raízes, fortalecemos quem somos e nos valemos da vasta sabedoria desse domínio instintivo.

Quando estamos aterrados, nos mantemos humildes e próximos da Terra. Vivemos com simplicidade, em um estado de graça. Conseguimos acolher a quietude, a solidez e a clareza, afastando os estresses da vida cotidiana e aumentando a energia da nossa força vital básica.

Não podemos cair quando apoiados no chão, o que nos dá uma sensação de segurança. É pelo aterramento que nossa consciência completa a corrente manifestante. É no primeiro chakra que as ideias se concretizam. Da imensa diversidade da imaginação às complicadas exigências do mundo físico, o plano terrestre é onde testamos nossas crenças. Aquilo que está aterrado e tem substância e valor encontrará uma maneira de se manifestar. Aquilo que tem raízes perdurará.

No mundo urbano de hoje, poucas pessoas estão naturalmente aterradas. Nossa língua e nossos valores culturais refletem a superioridade do que está em cima à custa do que está embaixo, isto é, ter alguém em elevada consideração, estar com tudo em cima, colocar alguém num pedestal. O trabalho intelectual é mais bem-recompensado econômica e socialmente do que o trabalho físico. Processos corporais naturais como eliminação de excrementos, sexualidade, nascimento, amamentação e nudez são considerados sujos e devem ser feitos somente entre quatro paredes e, muitas vezes, são associados a uma grande culpa. O controle da nossa saúde é posto nas mãos de uma elite, o que nos tira a possibilidade de sentir o nosso potencial inato de cura. As estruturas de poder dos negócios, do governo e da religião organizada constituem uma hierarquia que flui de cima para baixo, controlando e muitas vezes esmagando o que está por baixo a fim de servir à "causa superior" daquilo que está por cima.

Quando perdemos o contato com o nosso chão, perdemos a sensação de uma conexão complexa com toda a vida. Somos governados por uma parte, não pelo todo, e essa parte é isolada, fragmentada e perde o contato com o resto. Se ignoramos nosso chão, não surpreende que estejamos diante de uma crise no sistema de saúde e de uma destruição ecológica.

Em uma cultura alienada e "desaterrada", na qual a maioria dos valores não favorece o corpo nem seus prazeres, nós passamos a ter dor. Nossos corpos doem depois de um dia no computador ou de um dia dirigindo. O estresse da competitividade e de uma vida acelerada não nos dá oportunidade de descanso e recuperação, nem para processar as mágoas e nos livrarmos delas. Quando a dor se desenvolve, ironicamente resistimos mais ao aterramento, pois aterrar é "ter contato", e ter contato significa sentir essa dor. No entanto, esse é o primeiro passo para nos completarmos a fim de começar a nos curar.

À medida que nos tornamos mais mecanizados e urbanizados, nosso contato com a Terra e a natureza se torna mais tênue, assim como nossa saúde e autoestima. Nosso poder é transferido para o tronco, onde também é tênue e precisa ser constantemente protegido. Por nos enxergarmos como algo separado, o poder se torna um ato de manipulação, e não de conexão. Perdemos o contato com nossa natureza animal e também nosso poder instintivo, nossa graça e nossa paz. Quando temos um senso de *self* [eu] que vem do corpo, nossa necessidade de afirmação pela vida do ego inflado diminui. A terra é nosso lar — é familiar, é segura, é proteção. Ela tem um poder próprio.

Aterramento significa limitação. A energia mental dos chakras interiores é ilimitada, mas os chakras inferiores têm um escopo bem mais estreito. A linguagem limita e, portanto, especifica nossos pensamentos. Porém, eu poderia listar mil coisas que não caberiam dentro de uma casa grande, pois o mundo físico tem ainda mais limitações. Ao descermos pelos chakras, cada passo que damos fica mais simples, mais definitivo e mais restrito.

Embora isso seja assustador para algumas pessoas, essa limitação é um princípio criativo essencial. Se não limitássemos nossas atividades, não conseguiríamos fazer nada. Se eu não limitasse meus pensamentos enquanto digito

73

este manuscrito, seria impossível escrever. A limitação está longe de ser algo negativo — ela cria um recipiente que permite que a energia se acumule e se consolide. *Para manifestar, precisamos estar dispostos a aceitar as limitações.* O aterramento é uma aceitação harmoniosa das limitações naturais. Ele é tão crucial para o desenvolvimento da consciência quanto qualquer meditação ou elevação de energia. Nas palavras do imortal *I Ching*:

> *A limitação tem sucesso... as possibilidades ilimitadas não condizem com o homem; se elas existissem, a vida dele apenas se dissolveria no ilimitado. Para se fortalecer, a vida de um homem precisa de limitações estabelecidas pelo dever e aceitas voluntariamente.*

Hexagrama 60: versão de Wilhelm Baynes

O aterramento é uma força simplificadora. Estamos levando nossa consciência para dentro do corpo, que, para todos os efeitos, existe em um único espaço e em um único tempo — no aqui e no agora. Nossos pensamentos, em contrapartida, são muito mais versáteis e se estendem para fora do espaço e do tempo. Podemos imaginar que estamos nas montanhas durante as próximas férias de verão e talvez até mesmo sentir o calor do Sol, mas nosso corpo continua onde estamos — na nossa escrivaninha, com neve lá fora e uma pilha de boletos na nossa frente. Se passarmos tempo demais nas nossas fantasias, pode ser que nunca trabalhemos o suficiente para ter direito a essas férias. Então, é hora de voltar para o plano terrestre, fazer o aterramento e cuidar da sua própria sobrevivência.

O corpo humano é um instrumento belamente sintonizado, capaz de receber e transmitir uma imensa variedade de energias. Assim como qualquer receptor estéreo, precisamos ligá-lo na tomada para poder receber as várias frequências. O aterramento é o processo de nos ligarmos na Terra e no mundo à nossa volta, completando o circuito que nos transforma em um canal para a imensa diversidade de energias vitais ao nosso redor.

Assim como um para-raios protege o prédio enviando o excesso de voltagem para o chão, nosso aterramento impede que o corpo se "sobrecarregue" com as tensões da vida cotidiana. Por meio do aterramento enviamos o impacto das vibrações estressantes para um corpo maior, capaz de lidar com ele. Uma criancinha, por exemplo, esconde a cabeça no ombro da mãe ao escutar um barulho forte. De certa maneira, ela está aterrando aquela vibração no corpo da mãe.

Medidas mostram que, quando o corpo humano está pisando no solo, ele também está eletricamente aterrado. Há um campo eletrostático ao redor da Terra, com uma frequência ressonante de cerca de 7,5 ciclos por segundo.[38] O falecido Itzhak

---

38. Itzhak Bentov, *À espreita do pêndulo cósmico*. São Paulo, Pensamento, 1990.

Bentov falava de um micromovimento do corpo — a vibração constante do coração, das células e dos fluidos corporais. Ele determinou que esse micromovimento vibra em uma frequência de 6,8 a 7,5 ciclos por segundo. Assim, a frequência natural do corpo ressoa com a ionosfera da Terra. Quando nos conectamos fisicamente a esse enorme corpo, como caminhando ou nos deitando na Terra, nossos próprios corpos entram nessa ressonância mais profundamente.

O aterramento é uma maneira de lidar com o estresse. O canal descendente nos dá um circuito de saída e nos protege da sobrecarga psíquica. O mundo físico é seguro e estável. Sempre podemos voltar para nossa poltrona preferida, uma boa refeição e um ambiente familiar quando precisamos nos sentir calmos e seguros. Essa estabilidade facilita o nosso trabalho em planos mais elevados. Quando o corpo se sente seguro, bem alimentado e saudável, nossa consciência consegue fluir para outros níveis.

Os chakras filtram a energia do ambiente. O padrão giratório deles vibra em uma certa frequência, permitindo que apenas vibrações correspondentes entrem no núcleo interno da consciência. O resto recua para o fundo e logo é completamente esquecido pela mente consciente (mas a mente subconsciente muitas vezes se lembra muito bem). Quando há um excesso de energia abrasiva nos nossos arredores, os chakras fecham-se para proteger o corpo sutil dessa invasão cáustica. É difícil para os chakras sobrecarregados se abrirem. O aterramento é uma maneira de descarregar essa tensão excessiva.

O aterramento traz clareza por meio da imobilidade. Toda ação causa uma reação. Se conseguimos "imobilizar" nossas reações em algum momento de um círculo vicioso, nós "saímos do mundo do karma" e conseguimos interromper esse círculo. É como deixar a água suja dentro de um copo por tempo o suficiente para que a lama se acomode no fundo, limpando a água.

Muitas pessoas têm dificuldades porque os chakras superiores delas são abertos demais e os inferiores não têm estabilidade suficiente para sustentar a enxurrada de energia psíquica que elas captam ao redor. Quando isso chega a extremos, pode haver sérios distúrbios mentais como psicoses. Um indivíduo psicótico perdeu o contato com seu chão e com a realidade consensual. Pelas técnicas de aterramento, a sobrecarga psíquica pode ser descarregada, dando aos pacientes uma estabilidade condizente com sua sensitividade. Até mesmo o toque físico é capaz de aterrar alguém que esteja sentindo uma dor intensa. Também é útil fazer exercícios físicos ou criar algo com as mãos, assim como quaisquer outros exercícios de aterramento descritos no fim deste capítulo ou em *Jornadas de cura*.

O aterramento é como focar a lente de uma câmera com o objetivo de fazer duas imagens se fundirem. Quando nosso corpo astral se conecta firmemente com nosso corpo físico, nossos sentidos no corpo físico se tornam mais aguçados e nítidos. Se outra pessoa nos olha quando estamos muito aterrados, ela percebe uma certa clareza dinâmica em nós — uma presença nos olhos e no corpo —, quer ela já tenha visto uma aura alguma vez ou não.

Nesse estado de "aterramento", as decisões são tomadas com mais facilidade, as preocupações com o futuro são abordadas com mais tranquilidade e o momento atual passa a ser luminoso e desafiador. Não é um estado prejudicial para a expansão da consciência — pelo contrário, ele a aumenta.

O aterramento forma uma base. Uma pessoa que deseja estudar medicina se "aterra" nas ciências físicas durante a graduação. Quando alguém vai abrir um novo negócio, primeiramente ele obtém seu "aterramento" com alguém mais experiente na área e encontra auxílio financeiro. Nossos primeiros chakras são a base que sustenta tudo que fazemos. Nossos corpos são um microcosmo do mundo que criamos ao nosso redor. O trabalho que fazemos e as bases que construímos são extremamente importantes para o sucesso de tudo que vem depois.

Para muitas pessoas, o próprio trabalho é uma atividade de aterramento. Além de nos proporcionar nossa ferramenta básica de sobrevivência — o dinheiro —, a rotina de ter um emprego com horários regulares propicia uma estrutura que sustenta a vida ao redor. Essa rotina, embora às vezes enfadonha, pode ser benéfica com suas limitações. Ela constrói uma base. Com foco e repetição, a energia se adensa o suficiente para se manifestar. Se nos envolvemos com mudanças constantes, somos como uma pedra que rola e não cria musgo. Nos mantemos no nível de sobrevivência porque construímos novas bases constantemente. É somente com foco e repetição que nos tornamos especialistas em alguma área, levando a uma maior manifestação dos objetivos, sejam eles físicos ou ideológicos.

Os chakras, todavia, precisam estar equilibrados. Apesar de ser necessário alcançar a estabilidade do aterramento, um apego indevido a essa segurança pode ser prejudicial. O mundo físico não é o objetivo; ele é apenas uma ferramenta. Podemos dominar nossa consciência com a dependência de confortos materiais, assim a aquisição de um número cada vez maior deles se torna a base das vidas de muitas pessoas. É isso que é prejudicial ao crescimento da consciência, que faz da existência material uma armadilha. Mais uma vez, é só o *apego* indevido a essa segurança que se torna uma armadilha, não a satisfação básica dessa necessidade.

O aterramento não é monótono e sem graça — ele é dinâmico e vibrante. Geralmente é nossa tensão que nos torna letárgicos, e a tensão vem de uma alienação entre diferentes partes de nós mesmos. Quando elas são simplificadas e integradas, sentimos mais vitalidade.

Intelectualmente, as pessoas entendem com facilidade a necessidade do aterramento. Porém, a experiência não pode ser explicada com palavras. É uma habilidade cumulativa; uma sessão de meditações aterradoras pode ter algum efeito, mas é somente com o passar do tempo que benefícios reais podem ser alcançados. Como o aterramento é a base de tudo mais que fazemos, vale a pena realizá-lo com calma (veja os exercícios de aterramento no fim deste capítulo).

SOBREVIVÊNCIA

A consciência do primeiro chakra volta-se para a sobrevivência. É nosso programa de manutenção que protege a saúde dos nossos corpos e nossas necessidades mundanas do cotidiano. Aqui, nós funcionamos a partir de um nível instintivo que se preocupa com fome, medo, necessidade de descanso, calor e abrigo.

As necessidades de sobrevivência fazem despertar nossa consciência. São as ameaças à sobrevivência que estimulam as glândulas adrenais para que produzam a dose extra de energia necessária para a reação de luta ou fuga. Quando a energia do corpo aumenta, a consciência se aguça. O desafio de sobrevivência exige de nós soluções inovadoras e também rapidez em nossos pensamentos e ações. Nossa consciência concentra-se espontaneamente em determinada situação de uma maneira que é rara de ocorrer em outros momentos.

Para consolidar nossa energia no primeiro chakra, antes precisamos garantir que nossas necessidades de sobrevivência estejam satisfeitas de uma maneira saudável e direta, para que nossa consciência não seja dominada por elas. Ignorar essas demandas é ter de retroceder constantemente para a consciência da sobrevivência, o que nos impede de "sair do chão".

Nas raízes primitivas do nosso inconsciente coletivo há lembranças de uma época em que éramos mais ligados à Terra, ao céu, às estações e aos animais — uma ligação crucial para a nossa sobrevivência e que serviu de base para o desenvolvimento inicial da nossa inteligência. Nós também caçávamos, assim como os animais que comíamos; também éramos parte do mundo em que vivíamos. A sobrevivência era uma preocupação em tempo integral.

Atualmente, nossa situação é bem distinta. Hoje, nossa sobrevivência é indireta. Nosso alimento vem de uma loja, e nosso aquecimento, de um botão na parede. Não precisamos mais passar a noite em claro protegendo nossa comida de algum animal selvagem e esfomeado (a não ser que ele seja algum parente!). Não precisamos mais deixar a fogueira acesa por não sabermos reacendê-la. Em vez disso, nos preocupamos com o carro quebrado no caminho para o trabalho, com ter dinheiro o bastante para pagar as contas da casa ou com a possibilidade de ela ser roubada enquanto viajamos.

Ainda assim, o instinto de sobrevivência persiste. Perder um emprego, adoecer ou ser despejado de um apartamento pode levar nossos chakras a trabalharem mais. Quando isso acontece, sentimos pânico. As energias de sobrevivência enchem nosso sistema, mas talvez não saibamos o que fazer com elas. Talvez a resposta não seja lutar nem fugir, que é o que o nosso corpo nos prepara para fazer, mas retomar nossas raízes com mais consciência.

Quando *Muladhara* é ativado por circunstâncias urgentes ou perigosas, reagimos como um computador buscando informações em um disquete. O disquete do primeiro chakra armazena todas as informações sobre a nossa sobrevivência.

Então, o "sistema operacional" do corpo transfere essas informações para a atenção da mente consciente.

O corpo reage de imediato. A coluna entra em contato com a Terra pelas pernas; a adrenalina percorre a corrente sanguínea; o batimento cardíaco acelera, aumentando o fluxo sanguíneo; e os sentidos ficam bem mais apurados. Nossa consciência adormecida desperta. É o começo da consciência mais aguçada, em que a Kundalini, enroscada em *Muladhara*, poderá começar sua ascensão.

Quando as informações de sobrevivência não são necessárias de imediato, o chakra funciona de maneira automática. Ele confere rotineiramente os ambientes internos e externos para ver se tudo continua em ordem, possibilitando a continuação da existência do organismo. Quando há uma ameaça, a pré-programação do primeiro chakra toma o controle, e nossa consciência passa a ser dominada pelas necessidades do corpo.

Depois que o primeiro chakra assume, são pouquíssimas as coisas que podemos fazer para interferir nesse processo sem prejudicar o corpo. Se não descansarmos, nossa doença avançará até não termos escolha. Se nossa renda é ameaçada ou se somos despejados do nosso lar, nossa atenção é dominada por essas situações até que elas se resolvam. Tudo que podemos fazer é aceitar a força exercida pela situação e aprender a trabalhar com ela, assim como fazemos com a gravidade.

Aquele que sempre é acometido por problemas de saúde ou que lida com crises financeiras constantes está preso no nível do primeiro chakra. Algum conflito não resolvido, seja físico, circunstancial ou psicológico, está mantendo a consciência presa nesse nível. Normalmente há uma sensação de pânico e insegurança que talvez permeie outras áreas da vida, mesmo onde não é necessária. Enquanto essas situações não se resolverem, a pessoa terá dificuldade para elevar uma parte considerável da sua consciência aos níveis superiores. Os exercícios para lidar com esses problemas incluem o aterramento e o trabalho com o primeiro chakra, e alguns deles são listados no fim deste capítulo. Porém, antes é importante entender as ramificações da consciência no nível da raiz, isto é, *o direito de estar aqui*.

Se essa é sua experiência, pergunte-se: o que o impede de querer estar aqui? De quem você precisa pedir permissão para se cuidar? O que é o medo de se aterrar, de se estabilizar, de ser independente? Quem é responsável pela sua sobrevivência? Que percentagem dos seus pensamentos são devaneios nada realistas que não se fundamentam no mundo ao seu redor? Como sua sobrevivência foi garantida durante a infância? Por quem ela foi garantida e a que custo? Você está se conectando com seu corpo, escutando-o, cuidando das necessidades dele? Você tem o *direito* de estar aqui, de ocupar espaço, de ter o que é necessário para sua sobrevivência?

Um aspecto importante da capacidade de manter a sobrevivência em um nível confortável tem a ver com a capacidade de *ter* coisas — de conter, de manter, de magnetizar a materialidade para dentro da sua própria esfera. Ser e ter — esses são os direitos do primeiro chakra.

A capacidade de ter é uma habilidade adquirida. Alguns nascem ricos e são criados para esperar abundância em suas vidas, para comprar as melhores marcas na loja e pedir os pratos mais caros de um restaurante — isso é algo mais natural para aqueles que foram criados assim. É mais fácil para essas pessoas se manterem nesse nível mesmo quando suas finanças não condizem com ele. Esperar a prosperidade facilita a criação dela.

Já a maioria de nós não teve tanta sorte. Criados com o conceito de escassez, roemos as unhas na hora de comprar um vestido novo, entramos em pânico quando consideramos aceitar um emprego interessante que paga menos e ficamos nervosos quando temos um dia de folga. Nós nos viramos com aquilo que temos sempre que possível, em vez de arriscar extravagâncias. Não nos permitimos ter luxos e, se fazemos isso, costumamos sentir culpa ou preocupação. É uma incapacidade de "ter" — é um primeiro chakra programado sobre uma base de escassez, e não de abundância.

O desenvolvimento da habilidade de ter coisas começa pelo aumento da *autoestima*. Paradoxalmente, quando nos permitimos ter mais, nossa autoestima aumenta literal e figurativamente. É útil analisar objetivamente o que nos permitimos possuir em termos de dinheiro, amor, tempo para nós mesmos, descanso ou prazer. Uma professora que tive me disse uma vez que nunca conseguia comprar meias novas para si mesma — ela comprava um par para o marido e depois pegava um dos pares velhos dele para ela! É claro que ela tinha dinheiro o bastante, mas não conseguia comprá-las. Algumas pessoas acham fácil gastar dinheiro com extravagâncias, mas têm dificuldade de parar e relaxar. Já outras acham difícil aceitar amor ou prazer. Analisar atentamente o que nos permitimos ter é uma oportunidade de rir de nós mesmos — de enxergar as discrepâncias entre o que poderíamos ter e o que nos permitimos ter. Por algum motivo, cuidar de nós mesmos tem sido retratado como algo egoísta ou ruim. Porém, quando não fazemos isso, precisamos compensar em alguma outra área ou que alguma outra pessoa cuide de nós.

Para estarmos completamente presentes, precisamos ser assertivos, assumir o nosso lugar no mundo e garantir nossa sobrevivência. Precisamos elevar o bastante nossa capacidade de "ter" para que nossas necessidades condigam com ela. Se nosso inconsciente diz "não, eu não mereço", nossa mente consciente tem um obstáculo a mais para superar.

A base fundamental da nossa sobrevivência é a própria Terra. Infelizmente, ela também se encontra em um estado de sobrevivência no momento. A ameaça de um colapso ecológico, de um holocausto nuclear e da escassez de ar e água limpos afetam nossos próprios sentimentos de sobrevivência, quer seja de maneira consciente ou inconsciente. Entrar em uma nova era não significa deixar a antiga para trás, mas incorporá-la. Quando ignoramos a Terra, ela nos puxa de volta para o chão, para o aqui e o agora, a fim de equilibrarmos aquilo que está sendo ameaçado.

Culturalmente, isso deixa todos nós em um estado de sobrevivência. Quando nos sintonizamos com a Terra, quando temos um contato mais profundo com ela, é inevitável sentir o pânico planetário relacionado à nossa futura existência. Assim como uma ameaça à nossa sobrevivência pessoal aguça nossa consciência, as ameaças ecológicas aguçam a consciência planetária. Essa crise costuma fazer as pessoas despertarem.

Se queremos alcançar os níveis espirituais dos chakras superiores, precisamos enxergar o lado espiritual da nossa existência material. O planeta em que vivemos é um dos melhores exemplos de beleza, harmonia e espiritualidade que a matéria é capaz de expressar. Entendendo isso, somos mais capazes de desenvolver e expressar a beleza que há em nossa própria existência material.

O modo de sobrevivência é uma deixa para despertarmos — para aguçarmos nossa consciência e examinar nossa base: nosso chão, nosso corpo e a Terra. Esse é o propósito do primeiro chakra. É onde começamos e onde descansamos ao fim da jornada.

O CORPO

Neste corpo estão os rios sagrados, o Sol e a Lua,
bem como os locais de peregrinação.
Não encontrei nenhum outro templo tão bem-aventurado
quanto meu próprio corpo.

Saraha Doha

Assim como nossas casas são lares para os nossos corpos, nosso corpo é o lar do nosso espírito. Embora nossa atenção possa se afastar para lugares distantes, sempre retornamos ao mesmo conjunto de carne e ossos ao longo da vida. Esse conjunto pode mudar bastante com o passar do tempo, mas é o único lar que teremos na vida. Quando nosso corpo interage com o mundo, ele torna-se o nosso próprio microcosmo pessoal.

A tarefa de dominar o primeiro chakra é basicamente entender e curar o corpo. Aprender a aceitá-lo, senti-lo, elogiá-lo, amá-lo... esses são os desafios que nos aguardam aqui. A linguagem do primeiro chakra é a forma, e nosso corpo é a expressão física da nossa forma pessoal. Quando examinamos a forma — pelo olhar, toque, movimento ou sensação interna —, aprendemos a língua que nosso corpo fala e descobrimos partes ainda mais profundas de nós mesmos.

Cada chakra nos traz um certo nível de informação. O corpo é o *hardware* que recebe as informações e também a "cópia impressa" de todos os dados e programações que há dentro de nós. Nossas dores e alegrias estão gravadas na nossa carne e na postura dos nossos ossos. Nossos hábitos, necessidades, lembranças e talentos estão codificados nos nossos impulsos nervosos. Nossa ascendência está nos nossos genes, a química dos alimentos que ingerimos está nas nossas células e, enquanto nosso coração bate no nosso ritmo, nossos músculos refletem nossas atividades cotidianas.

Para entender o corpo, precisamos *ser* o corpo. Precisamos ser seus prazeres, medos, dores e alegrias. Enxergar o ser espiritual como algo separado é nos isolarmos do nosso chão, da nossa raiz, do nosso lar. Nós nos tornamos menos do que um todo, divididos, e ignoramos todas as informações que nossos corpos podem comunicar.

Não estou negando as filosofias que afirmam que "você é mais do que seu corpo", mas aperfeiçoando-as. Somos nossos corpos, e, com esse entendimento, nós nos tornamos mais do que isso. Nos aterramos aqui e passamos a ter contato com tudo que acontece interiormente. Sentimos por completo nossas partes espiritual e emocional, que têm o corpo como veículo.

Nosso corpo é composto de trilhões de células minúsculas que, milagrosamente, mantêm-se unidas em um todo. Como um campo gravitacional, o primeiro chakra atrai a matéria e a energia para si mesmo, enquanto vários níveis da consciência se organizam em um todo funcional. Aceitar o corpo é aceitar a estrutura integrante central que une nossas muitas partes divergentes e que é o recipiente da alma.

Nosso corpo expressa nossa vida. Se temos a sensação de que há um peso nos ombros, é nosso corpo nos dizendo que estamos carregando fardos demais. Se os joelhos não querem nos sustentar, é nosso corpo nos dizendo que não temos um suporte adequado na vida ou que talvez não tenhamos flexibilidade. Se sentimos uma dor crônica no estômago, há algo em nossas vidas que não conseguimos digerir.

Um exercício que costumo fazer com clientes que estão começando a trabalhar com o próprio corpo é escrever uma afirmação para cada parte dele, começando com as palavras "eu sou" ou "eu sinto". Se a pessoa está falando de dores no pescoço, ela escreve: "estou com dores". Se sente fraqueza nos joelhos: "eu me sinto fraca". Depois leio todas as afirmações do corpo como um todo sem definir de que parte cada uma se originou. Elas terminam refletindo como a pessoa se sente a respeito de si mesma como um todo naquele momento de sua vida.[39]

Legitimar o corpo é se identificar com ele. Se sinto dores no peito, admito que meu coração emocional está doendo. Para nos consolidarmos nesse nível, precisamos fazer as pazes *com* o nosso corpo para que possamos nos sentir em

---

39. Para uma descrição mais detalhada desse exercício, ver Judith e Vega, *Jornadas de cura*.

paz *no* nosso corpo. É pelo primeiro chakra que adquirimos identidade física, que nos proporciona solidez como seres humanos.

O autocuidado é essencial para o corpo. Descansar quando precisamos, uma boa alimentação, exercícios e fazer o corpo sentir prazer são coisas que ajudam a manter o primeiro chakra feliz. Massagens, banhos quentes, comidas gostosas e exercícios agradáveis são maneiras de cuidar de nós mesmos e de curar a divisão corpo-mente que resulta do paradigma de que a mente é superior à matéria. Não podemos ser integrados e completos se as duas polaridades são postas uma contra a outra. Em vez disso, por meio do corpo podemos ter uma experiência da mente *dentro* da matéria.

Comer — a ingestão de matéria sólida pelo corpo — é uma atividade do primeiro chakra. É algo que nos aterra e nos nutre, além de manter nossa estrutura física. Por meio do alimento absorvemos os frutos da Terra — o elemento do primeiro chakra. Se queremos estudar a parte material da nossa existência, precisamos analisar o que constitui o corpo material. O alimento que digerimos é a matéria que transformamos em energia, portanto, o que comemos a afeta. Comer alimentos nutritivos é o primeiro passo para estabelecermos uma base saudável no primeiro chakra.

Para algumas pessoas isso significa comer apenas os alimentos mais puros e frescos que vêm das fazendas locais. Para a maioria, isso não é nada prático, e a necessidade de tanta pureza nos deixaria esfomeados em um ambiente tipicamente urbano. O máximo que podemos desejar é ter a consciência do que comemos. Evitar alimentos ultraprocessados e ricos em açúcares refinados, e também "alimentos vazios" sem qualquer benefício nutricional, é um começo para todos que desejam aumentar a saúde do corpo e do primeiro chakra. É possível se alimentar mal comendo apenas coisas obtidas de lojas de produtos naturais. Os alimentos naturais nem sempre significam uma dieta equilibrada. O equilíbrio é ainda mais importante do que a pureza.

A complexidade das necessidades nutricionais humanas é grande demais para que abordemos esse tema aqui. Para beneficiar seu primeiro chakra, vale a pena ler algum livro sobre nutrição. É surpreendente o quanto as pessoas não pensam nisso como uma necessidade, quando comer é uma função tão básica nas nossas vidas. Quando usamos nossos corpos por noventa anos sem consultar o manual do usuário, é claro que eles terminam quebrando!

ALIMENTAÇÃO E OS CHAKRAS

Com a evolução inevitável da cultura e da consciência, é natural que nosso estado físico também mude. E, como ele muda, nossos hábitos alimentares também precisam mudar. No entanto, quem acha que pode encontrar a iluminação por meio dos alimentos encontra um caminho lento e árduo.

A dieta adequada para a expansão da consciência não pode ser prescrita de maneira geral para todos. A dieta que alguém escolhe deve se encaixar em suas necessidades, seus objetivos e seu corpo. Se você pesa 100 quilos e trabalha o dia inteiro em obras de construção, suas necessidades são diferentes das necessidades de uma secretária de 50 quilos que passa o dia sentada em um escritório. Em geral, recomenda-se uma dieta vegetariana para se desenvolver a sensibilidade e elevar a consciência para estados "superiores". No entanto, essa dieta não é para todos e pode ser prejudicial se não se mantém um equilíbrio nutricional.

Os alimentos têm características vibracionais básicas que estão além da sua constituição nutricional. A comida feita amorosamente por um parente é muito mais benéfica do que aquela preparada por alguém que odeia o trabalho em uma lanchonete de *fast-food*. Os diferentes tipos de comida têm características vibracionais distintas e, em termos gerais, podem ser associados aos vários níveis dos chakras:

CHAKRA UM: CARNES E PROTEÍNAS

A carne é provavelmente o alimento mais voltado para o aspecto físico que você pode ingerir. Ela demora mais para ser digerida do que a maior parte das outras comidas e, portanto, permanece mais tempo no sistema digestivo. Assim, ela ocupa energia na parte inferior do corpo, muitas vezes, limitando ou bloqueando uma energia que, caso contrário, poderia fluir para os chakras superiores. Carnes e proteínas são bons alimentos para o aterramento. Quando consumidas em excesso, no entanto, deixam o corpo lento e excessivamente *tamásico*. Por outro lado, se a pessoa se sente fraca, desorientada e distante do próprio corpo e do mundo físico, uma boa refeição com carne pode ajudá-la bastante a se aterrar.

Não é necessário comer carne para se aterrar. É a proteína que é mais importante para o tecido estrutural associado ao primeiro chakra. Uma dieta vegetariana com proteínas adequadas pode ter "alimentos de base" o suficiente para manter o primeiro chakra satisfeito. Então, é importante ingerir alimentos como tofu, leguminosas, oleaginosas, ovos e laticínios.[40]

CHAKRA DOIS: LÍQUIDOS

O chakra dois é associado à água e, por conseguinte, aos líquidos. Os líquidos passam pelo corpo mais rapidamente do que os sólidos, ajudam na limpeza do organismo e impedem que os rins se sobrecarreguem com as toxinas. Sucos e

---

40. Os veganos, que evitam ovos e laticínios por serem produtos de origem animal, negam que esses alimentos sejam necessários. O argumento aqui não é se uma pessoa pode sobreviver sem eles, mas se tal dieta beneficia o aterramento. Uma dieta vegana, quando adotada por um período prolongado, não favorece o aterramento, embora seja ótima para a purificação. (N.T.)

infusões podem ajudar nesse processo de limpeza. Precisamos tomar líquidos o bastante para nos manter saudáveis.

CHAKRA TRÊS: ALIMENTOS RICOS EM AMIDO

Os alimentos ricos em amido são convertidos em energia com facilidade e são associados ao elemento de fogo do terceiro chakra. O amido que vem dos grãos integrais, e não de farinhas processadas, é assimilado pelo corpo de maneira mais lenta e completa. Já alimentos de absorção mais rápida, como açúcares simples ou estimulantes, também proporcionam energia, mas o uso prolongado deles exaure a saúde do terceiro chakra em geral. O vício em "alimentos energéticos" revela um desequilíbrio do terceiro chakra. O vício em açúcar pode indicar (e também ser a causa de) um desequilíbrio no terceiro chakra.

CHAKRA QUATRO: LEGUMES E VERDURAS

Os legumes e as verduras são um produto da fotossíntese, algo que nossos corpos são incapazes de criar. Eles captam a energia vital da luz do Sol e o equilíbrio entre terra, ar, fogo (Sol) e água. Os legumes e as verduras resultam de processos cósmicos e terrestres em um equilíbrio natural, refletindo a natureza equilibrada do chakra cardíaco. No sistema chinês, eles não são nem o *yin* nem o *yang*, o que também representa o equilíbrio e a neutralidade características desse chakra.

CHAKRA CINCO: FRUTAS

As frutas encontram-se no topo da cadeia alimentar porque, quando maduras, caem no chão e não requerem que plantas e animais sejam mortos para que sejam colhidas. Elas são ricas em vitamina C e em açúcares naturais. São os alimentos sólidos que percorrem o sistema com mais rapidez, deixando a energia livre para subir até os chakras superiores.

CHAKRAS SEIS E SETE

É mais difícil recomendar alimentos para esses chakras superiores — eles não são associados a processos corporais, mas a estados mentais. Certas substâncias que alteram a mente, como maconha ou drogas psicodélicas, afetam esses centros, às vezes os beneficiando, às vezes não. Em relação aos alimentos, o jejum é mais relevante para os chakras superiores.

Observação: é importante deixar claro que a mera ingestão de carne não aterra ninguém automaticamente, assim como uma dieta somente de legumes e verduras não abre um chakra cardíaco que esteja fechado. O objetivo é obter um equilíbrio entre os chakras, e uma dieta equilibrada ajuda nisso. As listas anteriores foram apresentadas como meras orientações para corrigir desequilíbrios existentes. Uma pessoa que come poucos legumes e verduras não atrai os aspectos vibracionais do chakra cardíaco com sua dieta. Uma pessoa que ingere pouca proteína pode se sentir aérea e desaterrada.

O combustível do corpo é a energia, não o alimento. Por mais que maior parte dessa energia seja obtida pela alimentação, percebemos que a energia dos outros chakras, como o amor, o poder ou os estados mais elevados da consciência, costuma diminuir nossa necessidade de alimentos.

MATÉRIA

O mundo material pode não passar de uma ilusão —
mas, ah... que ilusão bem ordenada e encantadora!

Anodea Judith

Descrevemos cada um dos chakras como uma espécie de vórtice — uma intersecção rodopiante de forças. Estas começam como um movimento retilíneo (como vetores lineares) que se desloca pelo vazio sem atrito. No contexto do Sistema dos Chakras, nós as descrevemos como o movimento descendente da manifestação e o movimento ascendente da libertação, assim como condensação e expansão. Uma delas é centrípeta — move-se para dentro, para um centro e para si mesma —, e a outra, centrífuga — afasta-se do centro. Quando ambas se encontram, elas se deparam como oposição e polaridade e assumem movimentos circulares secundários, ou vórtices, que criam os chakras.

Pense em uma bola girando amarrada a uma corda. A corda representa a limitação — uma força centrípeta semelhante à gravidade. Se você encurta a corda enquanto a gira, a órbita fica mais rápida e menor — mais próxima do centro. O campo criado pela bola que gira começa a parecer mais denso até dar a sensação de que é sólido, como uma hélice em movimento. Encurtar a corda é aumentar o campo gravitacional. Quanto maior a massa do corpo, mais forte o seu campo de gravidade e mais ele atrai outros corpos.

A materialização ocorre quando há forças o suficiente, de natureza e direção semelhantes, para se alcançar uma massa crítica, resultando na manifestação. Isso pode ser observado em todo tipo de coisa — de riachos que desembocam no mar a pessoas semelhantes que se unem em prol de uma causa comum. Quando o foco da energia aumenta, a manifestação torna-se mais marcada e atrai mais energia para si mesma — um vórtice de reações positivas. O centro desse foco é análogo ao que os hindus chamam de *bindu*, um ponto de origem sem dimensões que age como uma semente para a manifestação.

Na base da coluna dos chakras, as forças que descem do topo passaram por seis níveis, ganhando densidade a cada um, então são mais sólidas no primeiro chakra. Já as forças ascendentes de dispersão estão relativamente subdesenvolvidas nele. Com uma grande ênfase no interior e pouco movimento para o exterior, temos muitas forças centrípetas em um mesmo lugar que criam o mundo material que observamos ao nosso redor.

Assim, a materialização *é uma coesão de similaridades criada pela atração exercida pelo centro*. Essa estrutura central atrai para si mesma as formas que reagem a essa força coesiva em particular. Dinheiro atrai dinheiro — quanto mais temos, mais fácil é criá-lo —, especialmente quando se alcança uma massa crítica. Quadrados atraem quadrados porque eles se encaixam na estrutura central, como no projeto de uma casa ou em uma planta ortogonal.

A gravitação é um princípio básico do primeiro chakra, pois condensa a consciência e a energia e as materializa. Quer estejamos falando de massa ou de dinheiro, quanto mais temos uma certa coisa, mais fácil é atrair mais dela. Esse princípio pode nos aterrar, nos dando segurança e manifestação, ou nos encurralar, mantendo nossa consciência presa às formas limitadas. À medida que algo se torna maior e mais denso, também se torna mais inerte e tamásico, portanto, menos capaz de mudar. Se você tem uma casa grande com muitos objetos pessoais, é mais difícil se mudar.

O plano físico parece relativamente sólido e imutável. Na realidade, no entanto, os átomos que constituem nossa percepção de solidez são compostos quase inteiramente de espaço vazio! Se aumentássemos um dos menores átomos cem bilhões de vezes, sua altura e sua largura passariam a ser do tamanho de um campo de futebol americano; assim, o núcleo do átomo seria aproximadamente do tamanho de uma semente de tomate e poderíamos mexer nele. Os elétrons, que se deslocam em torno do núcleo, são ainda menores e ficariam do tamanho de um vírus. Imagine esses elétrons/vírus ocupando um espaço do tamanho de um campo de futebol americano com uma semente de tomate no centro. Entre o núcleo e os elétrons não há nada além do espaço vazio em que eles se deslocam, mas, mesmo assim, nós temos a ilusão da solidez.

Na verdade, os elétrons (e fótons) são descritos pelos físicos como campos energéticos difusos e só "existem" como partículas discretas quando observados com o aparato adequado. É a própria consciência, no ato da observação, que faz o campo difuso colapsar e se transformar em partículas discretas. Nas palavras de Albert Einstein:

> *Assim, podemos pensar que a matéria é constituída pelas regiões do espaço em que o campo é extremamente intenso... Nesse novo tipo de física, não há espaço para campo e matéria, pois o campo é a única realidade.*[41]

---

41. Citação de M. Capek, *The Philosophical Impact of Contemporary Physics*, p. 319.

Einstein provou que a matéria é energia condensada. Quando a energia se torna altamente concentrada, ela deforma a estrutura do espaço-tempo, criando o que os físicos chamam de poço gravitacional. Quanto maior a massa do objeto, mais profundo o poço e maior a força com que ele atrai os objetos para si.

Os hindus dizem que o mundo material é composto de *maya*, ou ilusão. Neste século, as pesquisas da física conseguiram erguer o véu da ilusão que sustenta a solidez da matéria. Com imensos aceleradores de partículas, os físicos conseguiram investigar o mundo subatômico e descobrir verdades que abalaram nossas percepções newtonianas do mundo físico (até mesmo a aparente solidez das partículas do núcleo do átomo é uma ilusão, pois elas são compostas de entidades pontuais chamadas quarks, do tamanho de um elétron). Estranhamente, essas descobertas, apesar de terem posto em xeque a ciência anterior, têm a ver com muitas crenças das religiões orientais. Agora, tanto religião quanto ciência indicam que o universo é uma interação dinâmica entre aspectos variados da energia e da consciência. Se há um campo unificante por trás do mundo que vivenciamos, ele é a própria consciência com a qual o percebemos.[42]

EXERCÍCIOS DO CHAKRA UM

MEDITAÇÃO PARA ATERRAMENTO

Encontre uma cadeira confortável e se sente de coluna ereta, com os dois pés firmes no chão. Respire fundo. Sinta seu corpo se expandir e se contrair enquanto respira. Sinta suas pernas, seus pés, o chão em que eles tocam. Sinta a solidez desse contato. Sinta a cadeira embaixo de você. Sinta o peso do seu corpo nela e como a força gravitacional o puxa naturalmente para baixo, de maneira fácil e tranquilizadora.

Leve sua atenção para os seus pés. Muito sutilmente, pressione os pés no chão e sinta suas pernas interagirem com o plano terrestre. Não deixe essa pressão se transformar em tensão a ponto de os músculos das suas pernas se enrijecerem — sinta uma corrente energética sutil saindo do seu primeiro chakra e entrando na Terra. Tente mantê-la ativa enquanto começamos a aterrar o tronco.

Enquanto se sintoniza com o peso do seu corpo, aos poucos você se conscientiza do centro de gravidade na base da sua coluna. Sinta como seu corpo está se sustentando nesse ponto e se concentre nele como se ele fosse uma

---

42. Para uma discussão mais profunda sobre misticismo oriental e ciência ocidental, ver Fritjof Capra, *The Tao of Physics*.

âncora que o mantém preso ao chão. Quando você se sentir ancorado a esse ponto, pode começar a integrar o restante do seu corpo ao seu aterramento.

Sintonize-se com seu tronco e se concentre no canal central do seu corpo. Não se trata da coluna, que está mais perto da parte de trás do corpo, mas da parte do nosso núcleo central que está alinhada por cima do nosso centro de gravidade.

Pare um instante para alinhar o topo da sua cabeça, sua garganta, coração, estômago e abdômen — todos os outros chakras — com o chakra de base em que eles se sustentam. Respire fundo e permita que esse alinhamento se assente suavemente e se equilibre por cima do primeiro chakra.

Agora estabelecemos uma coluna vertical de energia. Imagine-a como uma grande corda — de preferência, vermelha — que sai do topo da sua cabeça, desce pelo centro do seu corpo e entra no chão, passando diretamente pelo espaço vazio entre seu assento e o chão. Pare um instante para conferir que essa corda passa pela âncora do seu primeiro chakra, chega ao chão e entra nele. Se puder, visualize-a indo até o centro da Terra — com o campo gravitacional da Terra a atraindo para seu núcleo.

Depois disso, pare um instante para conferir se todas as partes estão funcionando — os pés pressionando suavemente o chão, os chakras alinhados um em cima do outro, a coluna vermelha de energia que nos puxa para baixo, a sensação harmoniosa da gravidade nos enraizando, ancorando nossos corpos físico e sutil juntos.

Aos poucos, deixe seu tronco se balançar para frente e para trás, de um lado para o outro, e depois o deixe fazer um movimento circular em torno do primeiro chakra. Perceba como o ponto na base da sua coluna não se move — é o corpo que se move em torno dele. Queremos nos manter aterrados mesmo em movimento, e isso permite que o corpo pratique essa habilidade.

Permita que o excesso de tensão seja drenado para dentro do chão, ainda deixando os pés levemente pressionados no chão. E então, fique parado de novo.

POSTURAS DE YOGA

Os seguintes exercícios do hatha yoga estimulam e liberam a energia do chakra *Muladhara*:

— *Joelhos no peito* (**Apanasana**)
Na versão mais simples dessa postura, você deve se deitar de costas com os joelhos dobrados e deixar os pés no chão, a aproximadamente meio metro das nádegas.

Deixando um pé no chão, dobre o outro joelho na direção do peito e ponha os braços ao redor da canela, logo abaixo do joelho (ver Figura 2.4, abaixo).

Respire fundo e, ao expirar, permita-se apertar ainda mais o joelho. Imagine o chakra raiz na base da sua coluna se abrindo e se expandindo. Permita que sua virilha relaxe profundamente e sinta o primeiro chakra se expandindo até o ponto de encontro da sua perna com o tronco. Mantenha os ombros relaxados e a coluna inteira no chão.

Repita para o outro lado.

Depois de fazer com as duas pernas, você pode abraçar ambas de uma vez só e dobrá-las perto do peito.

— *Postura da ponte* (**Setu Bhandasana**)
Nessa postura, suas pernas estão em firme contato com o chão e, ao mesmo tempo, fazem contato dinâmico com a coluna.

Comece deitado de costas com os braços estendidos ao lado do corpo, com as palmas das mãos viradas para baixo. Dobre os joelhos e deixe os pés paralelos, na largura do seu quadril, para que as pontas dos seus dedos alcancem seus calcanhares.

Faça pressão com os pés (sem erguer o corpo) e sinta a energia da Terra deixar suas pernas mais sólidas.

Figura 2.4
Joelho no peito.

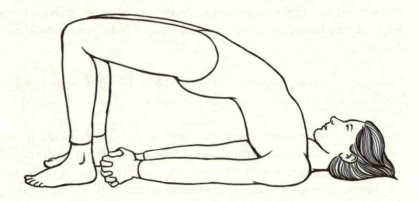

Figura 2.5
Postura da ponte.

Em seguida, pressione seus pés no chão com ainda mais firmeza para que sua coluna se erga vértebra por vértebra, assim como você ergueria uma pérola de cada vez com um colar de pérolas, até se sustentar nos seus pés e nas vértebras superiores (se possível, entrelace as mãos debaixo das costas, pressionando o peito para cima e os ombros um na direção do outro). Em princípio, a linha que vai dos seus joelhos até seus ombros deve formar um plano reto (ver Figura 2.5, acima).

Sinta a sustentação de suas pernas e de seus pés nessa posição. Sinta a coluna conectada e energizada por essa sustentação. Respire fundo e se mantenha na postura por pelo menos três respirações completas.

Desça a coluna de novo até o chão, uma vértebra de cada vez, e por fim relaxe as nádegas, os pés e as pernas. Você pode deixar os joelhos dobrados, preparando-se para repetir a postura ou estender as pernas no chão e sentir o relaxamento chegar aos seus chakras inferiores.

— *Postura do meio gafanhoto e do gafanhoto*
Deite-se de bruços no chão, com os braços embaixo do corpo e as palmas das mãos encostando na frente das suas coxas.

Mantendo o joelho reto, aponte a perna direita para fora, ao longo do chão, estendendo-a o máximo possível. Enquanto continua fazendo pressão para *baixo*, na direção do pé direito, comece a erguer a perna direita alguns

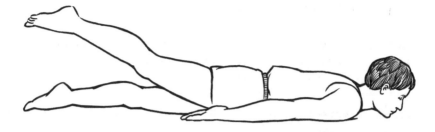

Figura 2.6
Meio gafanhoto.

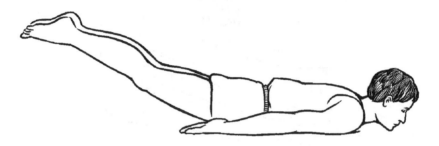

Figura 2.7
Gafanhoto.

centímetros (ver Figura 2.6, acima). Sinta o primeiro chakra trabalhando para que a postura aconteça.

Após alguns instantes (dependendo da sua força), abaixe a perna e repita do outro lado.

Se achou fácil, faça a postura completa do gafanhoto: erga ambas as pernas ao mesmo tempo da maneira descrita acima (ver Figura 2.7, acima).

— *Postura da cabeça nos joelhos* (Janu Sirsasana)
Sente-se com a coluna ereta e deixe as pernas estendidas na sua frente (*dandasana*). Dobre o joelho direito e encoste o pé direito na sua virilha.

Afaste a pelve da virilha, erga o peito e vire o esterno bem para cima da sua perna esquerda estendida. Inspire (ver Figura 2.8, página 92).

Ao expirar, dobre os quadris e o tronco para baixo e estenda os braços para a frente, tentando alcançar seu pé esquerdo e mantendo as costas retas o quanto for possível. Isso alonga os tendões da perna e a parte posterior do joelho, além de estender a coluna.

Vá ao limite entre conforto e rigidez, pare nele e respire fundo, entrando um pouco mais na postura a cada expiração. Permaneça por quinze a vinte segundos ou pelo tempo que achar confortável.

Volte à postura sentada ao inspirar. Erga a coluna. Troque as pernas e repita para o outro lado.

Figura 2.8
Postura da cabeça nos joelhos.

— *Relaxamento profundo*
Essa prática do hatha yoga também é chamada de relaxamento consciente. Basicamente, você aterra e relaxa todas as partes do corpo, uma de cada vez. Sugiro gravar as instruções em fita cassete ou pedir para alguém as ler com uma voz suave e hipnótica. Mas também é fácil fazer isso no seu próprio ritmo, sem nenhuma orientação.

Deite-se de costas e fique confortável. Confira se você está bem aquecido, pois o corpo costuma relaxar tanto nesse exercício que esfria. Talvez seja bom pegar uma manta.

Comece a respirar fundo e mantenha a respiração em um ritmo confortável e constante ao longo de toda a meditação.

Erga a perna esquerda alguns centímetros. Prenda a respiração por alguns segundos e contraia cada músculo da perna. Depois, expirando fortemente pela boca, relaxe todos os músculos e deixe a perna cair no chão como um peso morto. Balance-a levemente, aterre-a e depois a esqueça. Repita com a perna direita: contraia, mantenha e depois relaxe.

Agora se concentre no seu braço direito, cerre o punho e contraia todos os músculos com o máximo de força possível. Relaxe. Agora contraia o braço esquerdo: erga... contraia... mantenha... relaxe.

Vire a cabeça de um lado para o outro, alongando todos os músculos do pescoço. Erga a cabeça um pouquinho, mantenha, contraia, relaxe.

Enrugue o nariz, pressione os lábios um no outro e feche os olhos com força. Contraia, mantenha, relaxe. Repita com a boca aberta, a língua para fora e o rosto estendido. Contraia, mantenha, relaxe.

Pense em cada parte do seu corpo, uma de cada vez, e veja se elas estão realmente relaxadas. Comece pelos dedos dos pés e continue pelos pés, tornozelos, pantur-rilhas, joelhos e coxas. Veja se suas nádegas estão relaxadas, depois sua barriga e seu peito, inspirando e expirando, inspirando e expirando, lenta e profunda-mente. Veja se seu pescoço está relaxado, sua boca, língua, bochechas, testa.

Agora, permita-se observar seu corpo tranquilamente, inspirando e expirando, inspirando e expirando, relaxando profundamente. Observe seus pensamentos e os deixe chegarem e partir naturalmente. Se quiser mudar algo no seu corpo, agora é o momento de dizer instruções ou afirmações em silêncio. Expresse-as de uma maneira positiva, como "serei forte" em vez de "não serei fraco".

Quando estiver pronto para voltar, comece a flexionar os dedos das mãos e dos pés e a mexer braços e pernas. Abra os olhos e volte revigorado para o mundo.

EXERCÍCIOS DE MOVIMENTO

Quase tudo que faz contato com a Terra proporciona aterramento. Mover a energia para os pés é o primeiro passo. O exercício de bioenergética a seguir é excelente para isso:

Fique em pé confortavelmente, com os braços ao lado do corpo. Fique na ponta dos pés e desça fazendo força nos seus calcanhares, dobrando os joe-lhos. Finja que está afundando no chão. Erguer e abaixar as mãos quando o corpo sobe e desce pode ajudar a enfatizar o fluxo descendente. Repita isso várias vezes, é um ótimo aquecimento.

— Postura básica de aterramento

Fique de pé e mantenha os pés na largura dos quadris ou um pouco mais afastados. Deixe seus pés levemente tortos, com os calcanhares mais abertos do que os dedos. Dobre os joelhos levemente por cima dos pés.

Pressione o chão como se você estivesse tentando afastar dois tapetes com os pés. Sinta a solidez e a força que isso traz para a parte inferior do seu corpo.

Continue nessa posição por alguns instantes e imagine-se mantendo-se firme numa situação difícil.

Se quiser ativar ainda mais suas pernas, inspire, dobre os joelhos e, depois, expire e os estenda lentamente, mas não por completo. Repita por vários minutos. Jamais "trave" os joelhos, pois isso interrompe o circuito do aterramento.

— O elefante

Esse exercício traz ainda mais energia para as pernas.

Com os pés paralelos na largura dos quadris ou mais afastados, dobre os joelhos levemente e encoste as palmas no chão. Mova as mãos para a frente se for difícil (ver Figura 2.9 A, página 95).

Inspire e dobre os joelhos a um ângulo de 45 graus. Expire e estenda os joelhos até eles ficarem quase retos, mas nunca travados (ver Figura 2.9 B, página 95).

Repita até sentir um tremor ou fluxo de energia nas suas pernas — normalmente, se o exercício é realizado corretamente, isso acontece em alguns minutos.

Levante-se aos poucos, com a coluna encurvada e a barriga relaxada, até ficar de pé. Lembre-se de continuar respirando completa e profundamente durante o exercício, e ponha para fora qualquer som que lhe pareça natural.

Flexione os joelhos algumas vezes, balance as pernas e fique de pé confortavelmente, sentindo os efeitos.

Repita com a frequência necessária.

— Pressão com os pés

Também um exercício de bioenergética.

Deite-se de costas e levante as pernas com os joelhos relativamente retos, não completamente.

Pressione as pernas no ar com os pés flexionados e os dedos apontados para a cabeça. Pressione seus calcanhares no ar (ver Figura 2.10, abaixo).

Se você encontrar um lugar que faz suas pernas vibrarem, permaneça nele e deixe a vibração continuar, energizando as pernas e os quadris.

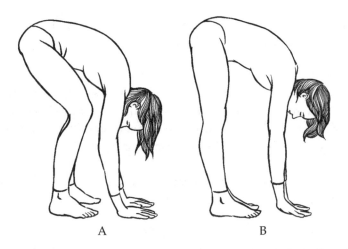

Figura 2.9
O elefante.

Figura 2.10
Pressão com os pés.

EXERCÍCIOS DE ATERRAMENTO DE BOM SENSO

— Bater os pés

Após sair da cama de manhã, é excelente fazer isso e depois realizar uma massagem no pé com um rolo massageador, uma bola de tênis ou um parceiro, quando possível.

Bata um pé várias vezes; depois o outro. Isso ajuda a abrir os chakras dos pés e a ter contato com a solidez embaixo de nós.

— Pular

Pular nos ajuda a fazer contato com o plano terrestre, tanto ao nos empurrarmos contra a gravidade quanto ao descermos. Esse exercício também ajuda a energizar as pernas. É melhor realizá-lo em uma superfície de terra e não em uma calçada ou piso duro, devido ao impacto nas pernas.

Finja que é criança e comece a pular, deixando tudo relaxar e se soltar bastante. A cada descida, dobre os joelhos e se afunde na Terra.

— Chutar

Chutar remove a tensão das pernas, contanto que o chute não seja em algo sólido.

Deite-se em uma cama e dê chutes com as pernas ritmicamente. Tente com os joelhos dobrados e com as pernas retas, sentindo os resultados nos dois casos.

— Fazer cooper

O cooper energiza os pés, as pernas e o tronco, acelera o metabolismo e aumenta o ritmo respiratório.

Faça cooper ao ar livre; é um ótimo exercício de aterramento.

— Andar de transporte público

É um exercício interessante de aterramento para um ambiente urbano.

Ande de ônibus ou de trem, de pé, sem se segurar em nada. Dobre os joelhos e mantenha o peso mais na parte inferior do corpo a fim de não perder o equilíbrio. Descubra onde fica seu centro de gravidade.

— Descansar

É muito raro ouvirmos falar dos benefícios extremos de simplesmente desacelerar, sentar-se numa poltrona, relaxar e não fazer nada.

— *Massagem*

Qualquer tipo de massagem ajuda a aliviar tensões e a reconectar a psique ao corpo. A massagem nos pés é especialmente benéfica para o aterramento.

— *Comer*

Muitas pessoas comem para se aterrar, pois funciona. Comer em demasia, no entanto, faz a pessoa perder o contato com o corpo e pode desaterrá-la.

— *Dormir*

Dormir é fazer o corpo descansar e ficar parado. É o aterramento ao fim de cada dia que nos regenera para o dia seguinte. Bons sonhos!

LEITURAS SUPLEMENTARES RECOMENDADAS SOBRE O CHAKRA UM

Judith, Anodea e Vega, Selene. *Jornadas de cura*. São Paulo: Pensamento, 1993.

Capra, Fritjof. *The Tao of Physics*. Nova York: Bantam Books, 1975.

Couch, Jean. *The Runner's Yoga Book*. Berkeley: Rodmell Press, 1992.

Haas, Elson. *Staying Healthy with Nutrition*. Berkeley: Celestial Arts, 1992.

Keleman, Stanley. *The Human Ground: Sexuality, Self, and Survival*. Berkeley: Center Press, 1975.

Keleman, Stanley. *O corpo diz sua mente*. São Paulo: Summus, 1996.

Myers, Norman (ed.). *Gaia: An Atlas of Planet Management*. Nova York: Anchor Books, 1984.

Sessions, George. *Ecologia profunda: dar prioridade à natureza na nossa vida*. Águas Santas: Edições Sempre-em-Pé, 2004.

CHAKRA DOIS

ÁGUA
MUDANÇA
POLARIDADES
MOVIMENTO
PRAZER
EMOÇÕES
SEXUALIDADE
CUIDADO
CLARISSENCIÊNCIA

Capítulo 3
CHAKRA DOIS: ÁGUA

MEDITAÇÃO INICIAL

Silenciosamente, deite-se em paz, vivo, na Terra. A Terra é sólida e está parada. Você está parado, mas, com o fluxo da respiração, há movimento no seu corpo. Há mudanças. De fora para dentro e de dentro para fora, o caminho entre os mundos é tecido em você. O caminho da mudança.

Quando seu peito sobe, o ar passa pelo seu nariz, garganta e pulmões. Ele flui regular e graciosamente, como ondas no litoral. Para frente e para trás... vazio e cheio... inspirando e expirando.

Por dentro, seu coração bate, seu sangue pulsa, um rio de vida conecta cada célula do seu corpo. O sangue flui para fora... o sangue flui para o centro outra vez. Suas células expandem e se contraem, sempre se reproduzindo e morrendo. Mexa um dedo. Os impulsos nervosos percorrem seus braços. Sua respiração continua... inspirando... expirando... inspirando... expirando.

No fundo da sua barriga, você percebe um brilho morno laranja que pulsa na sua pelve, no seu abdômen e na sua genitália. A pulsação da luz laranja se move como um riacho, descendo pelas suas pernas, subindo novamente pelas suas coxas, fluindo pela sua barriga e subindo pelas suas costas para nutri-lo por completo.

Você está vivo. Você é uma onda de movimento. Nada em você está realmente parado. Nada ao seu redor está parado. Tudo muda constantemente a cada momento. Cada som, cada raio de luz, cada respiração é uma oscilação, para frente e para trás, movendo-se constantemente, balançando, fluindo. Um fluxo de constante mudança que muda a cada momento, até o último. Quando você terminar esta meditação, tanto você quanto o mundo estarão diferentes.

Há um rio de mudanças dentro do seu corpo. Encontre os sutis fluxos internos de movimento e pensamento que se deslocam para cima, para baixo, ao redor de você e no seu interior. Encontre-os e vá atrás deles. Permita que eles adquiram impulso e remova os obstáculos, aliviando todas as tensões que encontrar. Intensifique o fluxo com movimentos para fora: balance-se na sua cadeira, para frente e para trás, criando um movimento rítmico. Deixe o ritmo aumentar até você sentir vontade de se levantar — mesmo com este livro nas mãos. Levante-se e se mova, balance-se de pé, gire os quadris, dobre os joelhos, mantendo o fluxo sempre regular e constante... lembrando-se das suas raízes. Você se balança para trás e para frente... para cima e para baixo... inspirando e expirando... expandindo, mas sempre voltando ao seu eu central outra vez.

Você se move com o fluxo da água: às vezes lento como um grande rio, às vezes rápido como a corrente de uma nascente, às vezes lânguido como um lago calmo, às vezes intenso como as ondas do mar. Erga o braço e imagine que água escorre por ele. Sinta-a, úmida, descer pelas suas costas, nádegas, seus dedos dos pés.

Pense na água que desce do céu, acaricia as montanhas e corre pelos riachos até chegar aos vários lagos. Imagine a água chovendo em você, acariciando seu corpo e correndo por riachos pela sua pelve e suas pernas, descendo para abrandar a Terra. Você é a chuva que cai naturalmente do céu para a Terra.

Você é muitas gotas quando os pensamentos caem da sua mente. Em movimentos minúsculos, as marés no seu interior aumentam e se movem, cada vez mais rápidas à medida que descem, formando cascata nos cumes da Terra, e depois serpenteiam lentamente pelos grandes vales dos seus campos férteis.

Até que, como uma unidade, você comece a fluir com as marés do mar, sendo atraído pela Lua com sua dança de luz e escuridão. Há uma abundância de vida nos oceanos vastos e profundos dentro de você. Sua intensidade chega ao lado de fora, derrama-se no litoral e volta para o seu interior. Você assimila todas as mudanças ao seu redor, absorvendo os movimentos à medida que sua vida flui... Inspirando... e expirando... você respira.

Das vastas profundezas do fluxo, você se estende. Você toca. Você encontra seu corpo. Sensações fluem nas suas mãos e pela sua pele. Sensações que só você conhece. Sua mão se move pelas curvas da carne e acompanha as linhas de movimento. Você se balança devido à sensualidade do seu toque. Dentro de você surgem emoções que se agitam, anseiam, fluem, borbulham. Elas se estendem e se tocam e ascendem, transformando-se em movimentos. As ondas mudam, a água flui por dentro e por fora.

Você está sozinho, mas há outros ao seu redor. Eles também fluem, mudam, tocam, anseiam. Seus movimentos fluem para se unir a eles, desejando se juntar, se fundir, se mover na direção de algo novo. Suas mãos anseiam pelo toque, pela aproximação dos oceanos, por sentir o fluxo das outras marés se misturando ao seu.

Sua barriga sobe e desce, seu sexo desperta, você anseia pelo toque e se estende. Você encontra o seu "outro" — que é diferente, mas igual. Explorando, vocês começam a se fundir. Os movimentos se intensificam no seu interior, exaltando-o, expressando-o, acariciando-o. Suas paixões se acumulam nas ondas do oceano, aquebrantam-se no litoral e satisfazem suas necessidades. As águas fluem, acalentam, limpam e curam, fluindo com cada anseio, cada movimento, cada respiração. Em êxtase com a união, você se funde, completo em si mesmo e completo mais uma vez com o outro. Você dança, sobe e desce... e repousa.

Você é a água — a essência de todas as formas, mas que é amorfa. Você é o ponto a partir do qual toda direção flui, e você é o fluxo. Você é aquele que sente, você é aquele que se move. Você é aquele que acolhe o outro.

100

Vamos fluir juntos e unir nossas almas nesta jornada pelo rio da vida? Vamos fluir juntos até o mar?

CHAKRA DOIS — SÍMBOLOS E CORRESPONDÊNCIAS

Nome em sânscrito	*Svadhisthana*
Significado	doçura
Local	baixo-ventre, genitália, útero
Elemento	água
Função	desejo, prazer, sexualidade, procriação
Estado interno	sentimentos
Estado externo	líquido
Glândulas	ovários, testículos
Outras partes do corpo	útero, genitália, rins, bexiga, sistema circulatório
Mau funcionamento	impotência, frigidez, problemas no útero, na bexiga ou nos rins, rigidez na lombar
Cor	laranja
Sentido	paladar
Som semente	*vam*
Som de vogal	*u*, como em "útil"
Guna	tamas
Naipe do tarô	cálices
Sefirá	Yesod
Corpo celeste	Lua
Metal	estanho
Alimento	líquidos
Verbo correspondente	eu sinto
Caminho do yoga	tantra yoga
Incenso	raiz de lírio, gardênia, damiana
Minerais	cornalina, pedra-da-lua, coral
Pétalas	seis
Animais	*makara*,[43] peixes, criaturas marítimas

---

43. *Makara* é uma criatura marítima mitológica hindu, geralmente representada como um animal semiterrestre na parte frontal (veado, crocodilo ou elefante) e aquático na parte traseira (usualmente, uma barbatana de peixe ou de foca, embora às vezes tenha uma cauda de pavão ou até um arranjo floral). Sua forma varia bastante de acordo com cada região da Ásia. (N.E.)

Divindades hindus	Indra, Varuna, Vishnu, Rakini (nome de Shakti no nível do *Svadisthana*)
Outros panteões	Diana, Iemanjá, Tiamat, Mari, Coventina, Poseidon, Lir, Ganímedes, Dionísio, Pã
Arcanjo	Gabriel
Força de ação principal	atração de opostos

MUDANÇA DE NÍVEIS

Costumamos pensar que, ao completarmos nosso estudo do um, saberemos tudo sobre o dois, pois dois é um mais um. Esquecemos que ainda é necessário estudar o "mais".[44]

A. Eddington

Começamos nossa jornada ascendente pelos chakras com uma descida — descemos para dentro da Terra, da imobilidade e da solidez. Entendemos nossos corpos, nosso aterramento e as coisas associadas ao um. Agora, podemos apresentar uma nova dimensão: aquela que se produz quando o um encontra o outro e se transforma em dois.

É aqui que nossa unidade inicial se torna uma dualidade. Nosso ponto se torna uma linha que lhe dá uma direção e divide os dois lados. Nós nos movemos do elemento da terra para o da água, no qual o sólido se torna líquido, a imobilidade se torna movimento, a forma se torna amorfa. Obtemos um nível de liberdade, mas também mais complexidade.

Nossa consciência sai da sensação de unidade para a percepção da diferença. Nossa compreensão do eu agora inclui a ciência do outro. Quando nos conectamos ao outro, surge o desejo e, por conseguinte, nossas emoções e sexualidade. Nós desejamos nos unir, superar nossa separação, nos estender e crescer. Todos esses são aspectos da consciência no segundo chakra — e tudo isso induz à *mudança*.

A mudança é um elemento fundamental da consciência. É ela que comanda nossa atenção e a desperta, fazendo-nos questionar. Um barulho repentino nos desperta do nosso sono. Mudanças na duração dos dias nos levaram a estudar o movimento da terra nos céus. Sem mudança, nossas mentes se tornam monótonas. Sem mudança, não há crescimento, movimento ou vida. *A consciência prospera na mudança.*

---

44. A. Eddington, "The Nature of Physics", citado pelo doutor Richard M. Restak em *The Brain, The Final Frontier*. Warner Books, 1979, p. 35.

Na filosofia chinesa, o *I Ching* ("Livro das mudanças") é um sistema de sabedoria e adivinhação baseado no conceito de que a mudança resulta de duas forças opostas, o yin e o yang. Elas representam, respectivamente, feminino e masculino, terra e céu, receptivo e criativo. A mudança é produzida pela interação constante entre essas forças, que flutuam em um estado de equilíbrio (ver Figura 3.1, abaixo).

Figura 3.1
Símbolo do yin-yang, mostrando como cada um deles se equilibra e está contido no outro.

A consciência no segundo chakra, assim como o I Ching, é estimulada pela dança das polaridades. Nos chakras superiores, alcançamos níveis da consciência que transcendem o dualismo, mas, no segundo, a dualidade é a força que motiva o movimento e a mudança. A dualidade, que surge da nossa unidade inicial, deseja voltar para a unidade. Assim, os opostos se atraem. As polaridades, com sua atração mútua, criam movimento. Se devemos começar na terra sólida e passar por toda essa transformação até a consciência infinita, é preciso que haja algum movimento que inicie o processo. Esse movimento é a essência do propósito do segundo chakra no Sistema dos Chakras. É o oposto da imobilidade do primeiro chakra. Enquanto o primeiro chakra deseja *se prender e criar estrutura*, o objetivo do segundo chakra é *liberar e criar fluxo*. O fluxo permite que uma coisa se conecte a outra energeticamente. É a diferença entre um ponto e uma linha.

O movimento existe em todas as partes conhecidas do cosmos e é uma característica essencial de toda a energia, matéria e consciência. Sem movimento, o universo é estático, fixo, e o tempo deixa de existir. Não há um campo em que a ilusão da matéria sólida possa ser criada e, assim, terminaríamos vivenciando o vazio. Citando Dion Fortune:

Foi o puro movimento no abstrato que deu origem ao Cosmos. Esse movimento termina originando os nós travados de forças opostas que são os átomos primordiais. É o movimento desses átomos que forma a base de toda a manifestação.[45]

Todos somos parte desse processo constante de movimento e nos deslocamos por muitas dimensões ao mesmo tempo. Nós nos movemos pelo espaço físico, pelos nossos sentimentos, pelo tempo (de um momento para o outro) e pela consciência (de um pensamento para o outro).

Nos movemos em um mundo em movimento, em constante mudança. O movimento é uma parte indispensável da força vital — a essência do que separa vida e morte, animado e inanimado. Pedras não se movem, mas pessoas, sim. Então, que possamos fluir pelo elemento da água nessa segunda roda da vida e descobrir como ela nos traz movimento, prazer, mudança e crescimento.

SVADHISTHANA — O CHAKRA DA ÁGUA

Podemos afirmar absolutamente que, no mundo, nenhuma grande conquista foi feita sem paixão.

Georg Wilhelm Friedrich Hegel[46]

O segundo chakra está localizado no baixo-ventre, entre o umbigo e a genitália, apesar de incluir toda a área do corpo entre esses dois pontos (ver Figura 3.2, página 105). Ele corresponde aos gânglios nervosos chamados de *plexo sacral*. Esse plexo está unido ao nervo ciático, é um centro de movimento do corpo e, por isso, costuma ser chamado de "assento da vida". (Alguns associam esse chakra ao ponto Hara das artes marciais, mas acho que ele se encontra entre o segundo e o terceiro chakras.)

Algumas pessoas afirmam que o segundo chakra fica em cima do baço. Isso o desalinharia em relação aos outros e, teoricamente, não vejo nenhuma evidência conclusiva de que a energia que alguns clarividentes percebem no baço seja um dos chakras principais. Na anatomia masculina, a genitália está bem próxima do primeiro chakra, e as diferenças entre os dois primeiros chakras são muito sutis, o que pode levar a uma certa confusão. Porém, na anatomia feminina, o útero certamente está no segundo chakra e é mais fácil percebê-lo como um centro separado do que o segundo chakra masculino.

---

45. Dion Fortune, *The Cosmic Doctrine*, p. 55.
46. Georg Wilhem Friedrich Hegel, citado por Jack Hofer em *Total Sensuality*. Nova York, Grosset & Dunlap, 1978, p. 87.

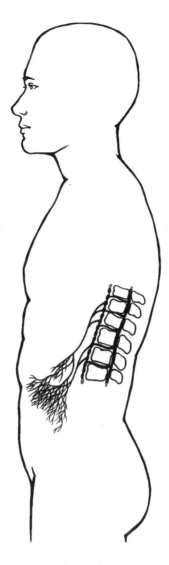

Figura 3.2
Plexo sacral e gânglios nervosos.

Talvez essas teorias (que vêm em grande parte dos teosofistas do início do século XX) se baseassem nos corpos masculinos e tenham sido influenciadas pelos valores sexualmente repressivos da época, subjugando o segundo chakra. O baço parece captar mudanças emocionais, mas não deve ser confundido com o segundo chakra do Sistema aqui apresentado.

A água é o elemento desse chakra, que corresponde, então, às funções corporais relacionadas a líquidos, como circulação de sangue, eliminação urinária, sexualidade e reprodução, e também às características da água, como fluidez, fluxo, ausência de forma e entrega.

Esse chakra é o centro da *sexualidade* e também das *emoções, sensações, prazer, movimento* e *cuidado*. Na Árvore da Vida, o segundo chakra corresponde a Yesod, a esfera de água e da Lua. O corpo celeste relacionado a ele é a Lua, que desloca a água dos oceanos para frente e para trás, em um movimento dual rítmico.

Em sânscrito, o chakra é chamado de *Svadhisthana*, que costuma ser traduzido "sua própria morada", da raiz *sva* que significa "sua própria".[47] Também encontramos nesse nome a raiz *svad*, que significa "ter um gosto doce" ou "sentir um gosto com prazer, desfrutar".[48] Quando a planta tem raízes profundas e é bem aguada, seu fruto é doce. Abrir o segundo chakra é tomar alegremente as doces águas do prazer.

O símbolo tântrico do *Svadhisthana* tem seis pétalas, geralmente de cor vermelha (carmim), mas também há mais dois lótus dentro do chakra (ver Figura 3.3, página 107). Na base do lótus central há uma lua crescente que contém um animal chamado *makara*, uma criatura semelhante a um jacaré com a cauda enrolada que lembra a Kundalini enroscada. Acredita-se que ele é a criatura das águas que representa os desejos e as paixões ardentes que devem ser controlados para que se possa avançar. Já eu penso nele como os instintos animais que espreitam das vastas profundezas do inconsciente pessoal.

Como mencionado no Capítulo 1, os chakras conectam-se por meio de um canal não físico no centro do corpo, chamado *sushumna*. Outros dois canais controlam as energias do yin e do yang, *ida* e *pingala*, contorcendo-se na forma do número oito ao redor de cada chakra e acompanhando o *sushumna* (ver Figura 1.6, página 35). Esses canais estão entre os milhares de canais de energia sutil chamados nadis, que significa "água corrente" em sânscrito.[49] *Ida* e *pingala* representam os aspectos lunar e solar, respectivamente.

Quanto ao cérebro, o estímulo específico desses canais, como a respiração alternando as narinas (*nadi shodhana*), ativa alternadamente os hemisférios direito e esquerdo do córtex (ver página 184 para instruções). Pesquisas mostram que essas duas metades do cérebro são responsáveis por tipos bem diferentes de pensamentos e que ambas são necessárias para um entendimento equilibrado. O lado direito do corpo é controlado pelo lado esquerdo do cérebro, responsável pela fala e pelo pensamento racional. Já o lado esquerdo do corpo é controlado pelo lado direito do cérebro, mais intuitivo e criativo.

---

47. Monier-Williams, *Sanskrit-English Dictionary*, p. 1.274.
48. *Ibidem*, p. 1.279.
49. *Ibidem*, p. 526.

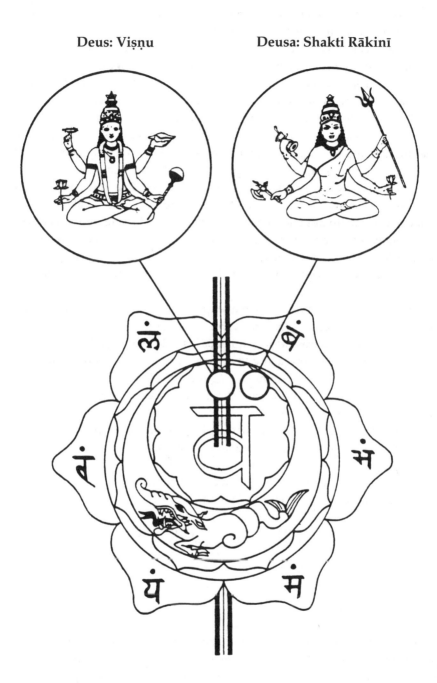

Figura 3.3
Chakra Svādhiṣṭhāna

Os dois nadis *ida* e *pingala* encontram-se no primeiro chakra e no sexto. O equilíbrio entre as duas metades do cérebro é uma condição necessária para a clarividência característica do sexto chakra. No segundo chakra, os nadis se cruzam por baixo e por cima, cercando-o dos dois lados (ver Figura 3.4, página 109). Para se beneficiar igualmente das duas energias, é importante reforçar a dança das dualidades sem ficar preso a extremos nem perder o centro.

O movimento e o fluxo ao longo desses nadis contribuem para o giro dos chakras (ver Figura 3.5, página 110). Quando a energia flui para cima até a narina direita por *pingala*, por exemplo, temos um fluxo direcional em torno de cada chakra que é complementado por seu oposto, uma energia descendente do outro lado do chakra, fluindo por *ida*. Os dois movimentos, que giram em direções opostas em torno de cada lado do centro, fazem os chakras girarem também. O encontro dos nadis entre os chakras faz cada centro girar na direção oposta àqueles que se encontram acima e abaixo dele. Assim, como cada chakra gira na direção oposta aos que se encontram acima e abaixo dele, eles são como engrenagens que se unem e formam um movimento sinuoso de energia sutil que sobe e desce pela coluna.

Os conceitos de yin e yang também se aplicam aos próprios chakras. O chakra um é yang, pois é nosso começo, nossa base e um número ímpar. O chakra dois é yin e tem características mais "femininas", sendo associado à receptividade, emoções e cuidado. A geração de uma vida, centrada na área do *Svadhisthana* (o útero), é distintivamente feminina. A água é receptiva e adota a forma daquilo que ela encontra, seguindo pelo caminho de menos resistência, mas adquire poder e energia à medida que flui.

O segundo chakra está relacionado à Lua. Assim como a força que a Lua exerce nas marés, nossos desejos e paixões são capazes de mover imensos oceanos de energia. A Lua controla o inconsciente, o misterioso, o invisível, o escuro e o feminino. Assim, esse centro tem um poder bem distinto que nos ajuda a sair de nossas profundezas para mudar o mundo.

O PRINCÍPIO DO PRAZER

Toda ação perfeita é acompanhada pelo prazer.
É assim que você sabe que precisa fazê-la.

Andre Gide[50]

O organismo humano, e também outras criaturas vivas, tendem a buscar o prazer e se afastar da dor. Freud chamava isso de princípio do prazer. Assim como o instinto de sobrevivência, ele é um padrão biológico inato que tem muito

---

50. Andre Gide, citado por Jack Hofer, *op. cit.*, p. 111.

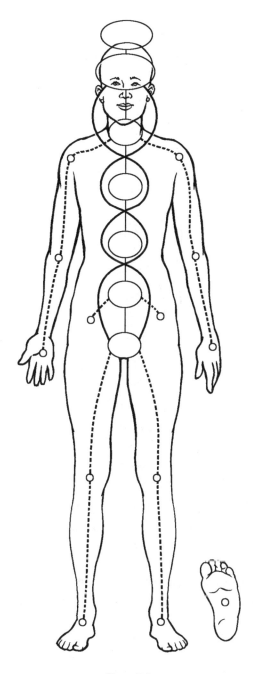

Figura 3.4
Chakras principais e secundários e seus principais caminhos.

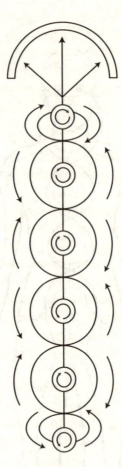

Figura 3.5
O giro dos chakras provocado pelas correntes polarizadas *ida* e *pingala*.

a ver com esse instinto do primeiro chakra. A dor indica que há algo ameaçando o organismo, enquanto o prazer costuma mostrar que a situação é segura, deixando nossa atenção livre para outras coisas.

No entanto, o princípio do prazer vai muito além do domínio da mera sobrevivência. Muitas coisas prazerosas não beneficiam em nada a nossa sobrevivência. Em alguns casos, elas podem até ser prejudiciais, como gastar dinheiro com atividades ou objetos frívolos ou usar drogas que fazem mal. Essas atividades exaurem os recursos tanto do nosso corpo quanto do nosso talão de cheques. Em outros casos, o prazer nos permite entrar mais a fundo no templo do corpo e, com a sensação de satisfação, adquirimos uma base de amor, poder, criatividade e concentração meditativa — aspectos dos chakras acima.

O prazer é uma faca de dois gumes, algo que condiz com a dualidade do segundo chakra. É fácil ficar preso nesse chakra, mas isso pode ser causado tanto evitando prazeres quanto os satisfazendo. O equilíbrio de cada chakra requer a abertura ao tipo de energia dele *sem que se crie apego em demasia.*

O prazer e as sensações emocionais são processados em uma seção inferior do cérebro chamada *sistema límbico,* que controla o hipotálamo, que, por sua vez, controla os níveis hormonais e a regulação das funções do sistema nervoso autônomo (involuntário), como batimento cardíaco, pressão sanguínea e respiração. Assim, estimular suavemente essa parte do cérebro ajuda a regular e atenuar esses processos e hormônios,[51] e há sinais de que isso também nos ajuda a ter uma vida mais longeva e a melhorar a saúde.[52]

Já se sugeriu que a divisão entre o córtex cerebral (centro dos pensamentos conscientes) e o sistema límbico provocou nos humanos modernos tendências autodestrutivas e violentas.[53] A conexão entre o córtex e o sistema límbico é o que possibilita os movimentos graciosos, pois não há separação entre mente e corpo para "conferir" movimentos e impulsos, o que os tornaria excessivamente controlados e estranhos. Essa divisão inexiste em outros animais.

O prazer nos convida a expandir, enquanto a dor geralmente nos faz contrair. Se quisermos nos expandir da forma fixa do mundo material para a consciência ilimitada, o prazer pode ser um dos primeiros passos do caminho, com um convite para que a consciência percorra todo o sistema nervoso e aborde os outros também. Ademais, o prazer estimula a entrega, que é um processo necessário para o despertar espiritual.

O prazer ajuda a mente e o corpo a estabelecerem uma melhor comunicação. Pelo prazer, aprendemos a relaxar e a aliviar tensões. Os impulsos fluem livremente pelo organismo inteiro, sem medo de ser suprimidos. Aos poucos, eles criam padrões rítmicos e coerentes que são reconfortantes para todo o sistema nervoso.

O prazer nos permite uma sintonização com nossos sentidos. Nos sistemas de crença budista e hindu, tanto o prazer quanto os sentidos são enganadores, e a sensação nos priva do conhecimento da verdadeira natureza da realidade. Porém, os sentidos são precisamente a extensão dessa consciência que busca o conhecimento. Se eles realmente nos privassem da realidade, não seria melhor se todos fôssemos cegos e surdos e não tivéssemos paladar? Isso não seria *sem sentido,* em vez de *sensato*? Nossos sentidos mais sutis podem possibilitar que enxerguemos planos interiores, mas não é entorpecendo e reprimindo os sentidos grosseiros que se consegue isso! A percepção extrassensorial é apenas uma sensação mais refinada. De que outra maneira nos tornamos pessoas *sensitivas*?

---

51. Bloomfield, *Meditação transcendental: A descoberta da energia interior e o domínio da tensão.* Rio de Janeiro, Nova Fronteira, 1976.
52. Theresa Crenshaw, *A alquimia do amor e do tesão.* Rio de Janeiro, Record, 1998.
53. Bloomfield, *op. cit.*

Como escreveu Alan Watts: "a espiritualidade ascética é um sintoma justamente da doença que ela pretende curar".[54]

A sensação é uma valiosa fonte de informação para todos os níveis da consciência e proporciona os dados brutos que terminam se transformando nas informações que são armazenadas e analisadas pelo cérebro. Ignorar as sensações do corpo nos isola dos valiosos sentimentos e emoções envolvidos na transferência de informações para o cérebro e no deslocamento da energia psíquica e fisiológica pelo corpo. As sensações são pilares para os nossos sentimentos e emoções. Sem elas ficamos inertes e desconectados.

O prazer e a sensação são características essenciais do segundo chakra. Se o desejo é a semente do movimento, o prazer é a raiz do desejo e a sensação é o veículo do prazer. O prazer é essencial para a saúde do corpo, o rejuvenescimento do espírito e a cura das nossas relações pessoais e culturais.

Infelizmente, somos instruídos a ter cuidado com o prazer e nos dizem que ele é uma tentação perigosa que deseja nos afastar do nosso verdadeiro caminho. Somos instruídos a reprimir nossa necessidade de prazer e, ao fazermos isso, reprimimos impulsos corporais naturais, separando mente e corpo outra vez. Não nos permitimos desfrutar nem mesmo prazeres simples como tempo para dormir mais um pouco, uma caminhada tranquila e roupas confortáveis. Essas medidas limitantes vêm da mente; elas raramente se originam no corpo. Então, nossas emoções podem terminar reagindo violentamente.

EMOÇÕES

As emoções (do latim *movere*, "mover"; o *e* significa "fora") possibilitam a evolução da consciência pelo corpo. Quando sentimos emoções, usamos o corpo para fazer a energia sair da inconsciência e entrar na mente consciente. Esse fluxo de consciência carrega o corpo, limpa-o e o cura. É um movimento da nossa força vital, por meio da qual nós mudamos. E assim voltamos para os elementos básicos do segundo chakra: movimento e mudança.

Em uma criança que ainda não fala, a expressão das emoções é a única linguagem falada ou compreendida — é única maneira que ela tem de manifestar seu estado interno. Quando as emoções são refletidas pelos adultos de maneira apropriada, a criança forma uma *identidade emocional* satisfatória. É essa identidade que nos permite identificar estados emocionais distintos posteriormente, tanto em nós mesmos quanto nos outros.

As emoções estão intrinsecamente ligadas ao movimento. Reprimimos sentimentos reprimindo movimento; em contrapartida, o movimento pode liberar alguma emoção presa que cause tensão crônica. Podemos pensar que a base da emoção é o desejo de se afastar do que é doloroso e de se aproximar do que é

---

54. Alan Watts, citado por John Welwood em *Challenge of the Heart*, p. 201.

prazeroso. As emoções são uma reação instintiva e complexa ao prazer e à dor. Elas se iniciam no inconsciente e, pelo movimento, chegam à consciência. Para bloquear uma emoção restringimos o movimento. Dessa forma, ela permanece no inconsciente — sem que tenhamos ciência dela — e mesmo assim pode perturbar nossas vidas. São as ações baseadas em motivações *inconscientes* que costumam causar problemas para as pessoas.

A repressão das emoções requer energia, então colocá-las para fora alivia tensões (quando feito da maneira correta). A ausência de tensão cria um fluxo harmônico entre corpo e mente e cria prazer a partir de um nível ainda mais profundo, possibilitando conexões mais intensas com os outros.

A supressão dos prazeres primários provoca a necessidade de satisfazê-los em demasia, transformando prazer em dor. A dor é um sinal de que estamos na direção errada. A supressão do prazer cria uma privação no corpo que exige mais da nossa consciência do que ela suporta. É somente pela satisfação e pela força de vontade que nossa consciência evolui para níveis mais amplos em segurança. Dizem a respeito de Kama, o deus hindu equivalente a Eros: "Kama é louvado pelos iogues, pois somente ele, quando satisfeito, liberta a mente do desejo".[55]

As emoções e o prazer são a raiz do desejo. Pelo desejo criamos movimento. Pelo movimento criamos mudança. A consciência prospera na mudança. Essa é a essência e a função do segundo chakra.

SEXUALIDADE

A luxúria, semente primordial e embrião dos espíritos,
existiu primeiramente... os observadores,
ao olharem os próprios corações,
descobriram a afinidade entre o existente e o inexistente.

Rg Veda 10.129.4

O desejo, que é conhecido como Kama ou "amor",
é perigoso quando é considerado um fim.
Na verdade, Kama é apenas o começo.
O conhecimento correto do amor só pode existir
quando a mente se satisfaz com a cultura de Kama.

Rasakadamvakalika[56]

A sexualidade é um ritual sagrado de união por meio da celebração da diferença. Movimento expansivo da força vital, ela é a dança que equilibra, restaura, renova e reproduz. É a produção de todas as vidas novas e, por conseguinte,

---

55. Alain Danielou, *The Gods of India*, p. 313.
56. Douglas e Slinger, *Sexual Secrets*, p. 169.

do futuro. Por mover e curar a força vital dentro de nós, a sexualidade é um ritmo profundo que pulsa em todas as vidas biológicas.

A sexualidade é uma força vital, mas vivemos em uma cultura em que esse elemento das nossas vidas é explorado ou reprimido. As telas dos televisores permitem que nossas crianças assistam a vários programas com assassinatos e crimes, mas censuram todas as cenas de nudez e sexo. O trabalho duro e a ascensão social são enfatizados, enquanto aqueles que aproveitam os simples prazeres da vida são chamados de fracos, preguiçosos ou autocomplacentes. Ainda assim, a necessidade de prazer se manifesta, e as pessoas terminam buscando válvulas de escape negativas, como bebidas alcoólicas e drogas (para diminuir inibições culturais), vício em sexo, violência, estupro e pornografia grosseira, enquanto os milhões de dólares gastos com publicidade se aproveitam da sexualidade reprimida em todos nós. Quando algo vital e natural é tomado de nós, a lacuna resultante pode ser usada como uma maneira de implementar controles. O que é tomado nos é vendido de volta aos pedaços e, portanto, somos menos do que um todo.

James Prescott estudou diferentes culturas e comparou a repressão sexual com a incidência da violência. Quanto mais limitantes os tabus sobre sexo, mais violenta a cultura. Inversamente, quanto mais aberta sexualmente uma cultura, menor o seu índice de criminalidade.[57] A sexualidade é uma essência importante para se entender e preservar, pela saúde dos nossos corpos e da nossa cultura.

A sexualidade também é uma consideração importante em termos dos chakras e da Kundalini. Há muitas indicações de que há uma relação próxima entre a consciência mais elevada e a sexualidade, apesar de as teorias que explicam isso serem muitas e divergentes.

Na filosofia do yoga, quando são sublimadas cem gotas de *bindu* (os pontos de foco adimensionais que abrangem a matéria física; às vezes também é relacionado ao sêmen), elas se condensam, formando uma gota de *ojas* (consciência divina). Assim, muitas disciplinas sérias do yoga e muitos conceitos sobre os chakras recomendam o celibato como uma maneira de transformar *bindu* em *ojas*. Como essa crença está presente em muitos caminhos místicos, é válido examinar seus prós e contras.

Assim como a maioria das religiões, o hinduísmo inicial era mais um sistema de magia para a obtenção de conforto material, como colheitas maiores e animais melhores. Os rituais do sistema de expandiram a ponto de incluir sacrifícios de vidas, o que provavelmente levou a uma reação na direção oposta, algo comumente observado em costumes culturais. Os jainistas, entre outros, fundaram um sistema heterodoxo em que se acreditava que nada deveria ser morto — nem

---

57. James Prescott, "Body Pleasure and the Origins of Violence", *The Futurist*.

mesmo plantas — e, como a vida não era possível sem isso, eles se tornaram uma "ordem celibatária de monges itinerantes, conhecidos por seu extremo ascetismo", e alguns deles rejeitavam até mesmo roupas e/ou comida.[58] Com essas renúncias, eles desejavam se livrar do karma e facilitar a libertação. Outras seitas do hinduísmo adotaram o ascetismo como uma maneira de internalizar os sacrifícios antes realizados com rituais de fogo, e assim se aumentariam os fogos internos ou *tapas*. O calor interno era considerado um sinal de "poder mágico e religioso", mais valioso do que os prazeres abdicados.[59] O sacrifício do prazer se tornou um substituto para os sacrifícios de animais ou humanos.

Na Índia, onde a vida doméstica e a vida espiritual costumam ser associadas a fases cronológicas distintas, o ato da união sexual, que pode resultar em crianças para criar, altera a direção do caminho espiritual e faz a pessoa entrar na fase do chefe de família. Apesar de isso não ser condenado no caso de pessoas comuns, certamente desestimulava aqueles que já haviam escolhido a vida monástica. Assim, eles deviam evitar o sexo.

O celibato como um caminho para a iluminação também se baseia em um modelo masculino, no qual a retenção do sêmen pode servir fisiologicamente para preservação da força corporal no caso de uma dieta puramente vegetariana, muitas vezes escassa. A realidade das mulheres pode ser completamente diferente.

Na mitologia hindu, a sexualidade está por toda parte. Shiva costuma ser louvado e representado por seu falo, o linga de Shiva, um símbolo muito presente na Índia. Krishna era conhecido pelas aventuras amorosas frequentes, e há imagens eróticas esculpidas nos templos da Índia inteira. Shiva e Shakti fazem amor eternamente. Entre os deuses, a sexualidade era sagrada. E por que não para os mortais?

Há pesquisas que mostram reações químicas relacionadas à sexualidade, o que pode afetar o despertar da Kundalini e o acesso a habilidades psíquicas. Na glândula pineal, muitas vezes associada ao sexto chakra (clarividência), há uma abundância de um derivado da serotonina chamado melatonina. A melatonina, por sua vez, pode ser facilmente transformada em um composto chamado 10-metóxi-harmalano, que pode ser alucinógeno e provocar visões internas.[60] A glândula pineal contém fotorreceptores e, quando discutirmos o sexto chakra nos capítulos posteriores, veremos que experiências luminosas e visionárias desempenham um papel importante nesse nível da consciência.

Evidências sugerem que a melatonina e a glândula pineal têm, em geral, um efeito inibidor nas gônadas femininas e masculinas dos mamíferos. O oposto também é verdade: os hormônios sexuais, como testosterona, estrogênio e

---

58. Margaret e James Stutley, *Harper's Dictionary of Hinduism*, p. 123.
59. *Ibidem*, p. 300.
60. Philip Lansky, "Neurochemistry and the Awakening of Kundalini". *In:* John White *et al.*, *Kundalini, Evolution and Enlightenment*. Nova York, Anchor Books, 1979, p. 296-297.

progesterona, também inibem a produção de melatonina.[61] Assim, estimulá-los com mais atividade sexual pode afetar negativamente a abertura do chakra do terceiro olho, e atividade em excesso nos centros superiores pode afetar negativamente a libido.

Infelizmente, as pesquisas sobre a Kundalini e o psiquismo ainda são limitadas e faltam evidências para estabelecer conclusões firmes. O que causa essa mudança química? Seria o estado de "alucinação" causado pelo catabolismo da melatonina necessariamente benéfico? Há outras maneiras de provocá-lo? Essa ênfase indevida em uma parte do espectro dos chakras diminui a energia na extremidade oposta? Apesar de as evidências não serem conclusivas, é válido mencionar as consequências disso.

O celibato, nas condições corretas, pode ajudar na entrada nos estados alterados da consciência e na subida da energia pelo *sushumna*. No entanto, deve-se enfatizar que, sem a prática de técnicas que canalizam essa energia, quer seja yoga, artes marciais ou simplesmente meditação, talvez o praticante obtenha pouquíssimos benefícios e termine sentindo nervosismo e ansiedade. Se essas técnicas lhe são desconhecidas, encontre um professor com quem você possa estudar e que já tenha passado por algumas dessas experiências.

O celibato pode ajudar a interromper antigos padrões e hábitos que não são benéficos. A força sexual que não pode se expressar como a sexualidade encontra outra válvula de escape. Os iogues acreditam que ignorar esse centro faz essa energia subir pela coluna até os níveis superiores. Isso costuma ser verdade para praticantes de hatha e kundalini yoga que têm os canais já abertos, prontos para lidar com essa energia. No entanto, entre os inúmeros clientes e alunos que tive ao longo dos anos, não conheci nenhum celibatário que me parecesse mais feliz ou mais bem-adaptado do que as pessoas que incluem uma sexualidade saudável em suas vidas.[62] A repressão da sexualidade costuma diminuir a própria força vital e nos privar do prazer incrível e da experiência de aprendizado que fazem parte de um relacionamento.

Se o celibato é usado para abrir canais antes bloqueados, não é necessário se manter celibatário o tempo inteiro. Depois que esses canais se abrem, eles podem permanecer abertos, quer a pessoa faça sexo ou não. Muitas vezes, é apenas uma questão de interromper padrões antigos, assim como o jejum é uma maneira de mudar uma má alimentação.

Nem sempre o celibato é benéfico para o crescimento de um indivíduo, mesmo que as circunstâncias sejam adequadas. Algumas pessoas, por exemplo,

---

61. Philip Lansky, "Neurochemistry and the Awakening of Kundalini", *op. cit.*, p. 296.
62. Isso não inclui os gurus, que entraram em um nível de consciência bem diferente do nível do ocidental comum. Mas muitos gurus transgrediram inapropriadamente os limites sexuais, indicando uma prática defeituosa do celibato (ver Kramer e Alstad, *The Guru Papers: Masks of Authoritarian Power*).

têm o costume de se isolar das outras. Para elas, um relacionamento sexual é uma das coisas mais iluminadoras. Um relacionamento (que necessariamente envolve mais do que apenas o segundo chakra) pode ser um grande estímulo para o amadurecimento. Nós expandimos nossa experiência ao nos unir com outra pessoa. Em nossos corpos, somos indivíduos, mas, à medida que subimos pela coluna dos chakras, os limites se tornam cada vez mais difusos, e a percepção de que todos somos um se torna mais aparente. O caminho para a iluminação costuma ser uma questão de acabar com essas ilusões de separação. O celibato pode fortalecer a separação; já a sexualidade pode estimular a dissolução de limites.

As desvantagens do celibato podem ser tão numerosas quanto as recompensas. O sacro encontra-se no centro das nossas emoções e é quem inicia o movimento no corpo, dando-nos a sensação de vitalidade e bem-estar. Uma sexualidade frustrada pode causar dor na lombar, cãibra nas pernas, problemas renais, má circulação e rigidez nos quadris.[63] A rigidez no sacro também pode provocar problemas nos joelhos, pois afasta o peso do corpo da linha central de gravidade. Essa rigidez espalha-se pelo corpo aos poucos, talvez originando uma sensação de inércia. Costuma ser difícil mudar esse padrão, pois, às vezes, para abrir esse centro, a pessoa tem de lidar com dores emocionais até então contidas.

Os chakras abrem e fecham gradualmente por resultarem de padrões de interações reais. Assim como não podemos fazer quicar uma bola de basquete que está no chão, as pessoas com o segundo chakra fechado costumam ter dificuldade para encontrar parceiros sexuais que as ajudem a abri-lo. Um chakra já aberto, por sua vez, pode atrair parceiros em demasia. A única maneira de combater isso é abrindo e fechando os chakras de maneira gradual e suave.

Negar ao corpo a intimidade e a libertação sexual é negarmos a nós mesmos um dos maiores prazeres que o corpo pode ter, e também contraria o nosso princípio biológico do prazer. Negar esse prazer também nos isola dos sentimentos e emoções armazenados nos chakras inferiores. Nos isolamos do chão, da completude e da sensação de satisfação interior e paz.

Wilhelm Reich, ao pesquisar as correntes bioelétricas do corpo, descobriu que a sexualidade era fundamental para que essa energia fluísse pelo corpo de maneira saudável. Reich achava que era somente pelo orgasmo que conseguiríamos "completar o circuito" do fluxo bioelétrico do corpo, essencial para a saúde mental e física. "O fluxo total da excitação pelo corpo inteiro é o que constitui a satisfação."[64] Ele também descobriu que o acúmulo de energia sexual provocava ansiedade, principalmente em torno da área do coração e do diafragma.

---

63. Vinte anos de experiência pessoal realizando terapia em grupo e individual e ensinando.
64. Wilhelm Reich, *The Function of the Orgasm*, p. 84.

A mesma excitação que aparece nos genitais como prazer se manifesta como ansiedade se estimula o sistema cardiovascular... sexualidade e ansiedade apresentam duas direções opostas da excitação vegetativa.[65]

É provável que essa ansiedade produzida na "área do coração e do diafragma" seja semelhante às sensações iniciais provocadas quando a Kundalini passa pelo terceiro e quarto chakras, que se encontram nessa região. Considerar que essa sensação é uma manifestação da ansiedade ou a força da Kundalini passando pelos chakras é uma questão de opinião e só pode ser baseado na experiência pessoal. A maturidade espiritual ou a prontidão para lidar com a energia psíquica tem muito a ver com os efeitos produzidos pela sexualidade *ou* pelo celibato e também com os efeitos de expansão da consciência que essas experiências podem desencadear.

Segundo a teoria deste livro, cada chakra precisa estar aberto e ativo para que haja um fluxo saudável de energia por todo o corpo-mente. A sexualidade é uma solução para as nossas diferenças e uma celebração delas. Ela cura o corpo, une corações, movimenta a vida e é a roda aquática da vida que remexe a terra abaixo de nós e atenua o fogo acima de nós. Sem ela não estaríamos aqui.

TANTRA

A união sexual é um yoga auspicioso
que proporciona a libertação
por meio dos prazeres sexuais.
É um caminho para a libertação.

Kaularahasya[66]

Devemos lembrar que o Sistema dos Chakras se originou na filosofia tântrica. O tantrismo — em uma reação à natureza dual dos *Yoga Sutras* de Patanjali — e outros ideais ascéticos ensinam que o corpo é sagrado e que os sentidos podem proporcionar iluminação, êxtase e alegria. É por isso que os ocidentais costumam igualar o tantra à prática sexual, embora a filosofia tântrica tenha um escopo bem mais amplo e abranja uma combinação de muitas filosofias hindus e do yoga, em que a união sexual é somente uma pequena parte.

Um dos elementos da filosofia tântrica é a adoração politeísta das divindades. Dizem que a união de Shiva e Shakti, mencionada anteriormente, traz a bem-aventurança suprema. Apesar de tecer fios complementares, como masculino e feminino, espírito e matéria, luz e escuridão, o eu e o outro, escapamos da

---

65. Wilhelm Reich, *The Function of the Orgasm*, p. 110.
66. Douglas e Slinger, *Sexual Secrets*, Epígrafe.

118

separação do pensamento dual e entramos em uma filosofia mais integrativa. O tantra busca a aceitação, e não a negação, mas seu objetivo é a libertação da consciência para a realização suprema.

A palavra *tantra* vem da raiz sânscrita *tan*, que significa "estender". Tantra significa literalmente "uma teia ou tear".[67] O termo em sânscrito também passou a significar "essência", "princípio subjacente" ou "doutrina". A mesma raiz também aparece em palavras relacionadas à família e ao nascimento no sânscrito, como *tanaya*, "continuar uma família", e *tanus*, "do corpo".[68]

O tantra, portanto, simboliza a tecelagem do tecido subjacente à existência. Quando nos estendemos, encontramos e criamos esse tecido divino. Shiva e Shakti, interagindo constantemente como a pura consciência e suas manifestações, são os fios divinos. A tecelagem se faz quando permitimos que essas divindades ajam por meio de nós.

A percepção da dualidade costuma ser considerada uma fonte de dor e de alienação. Tantra é a dança sagrada de unir a dualidade, de transformar de novo em unidade aquilo que estava separado. O resultado é uma experiência extasiante da unidade — conosco, com nossos parceiros e com o universo ao nosso redor.

A passagem da energia entre o casal que faz sexo é muito mais do que uma troca entre os genitais. O casal, face a face, fica com todos os chakras alinhados entre eles. Com a intensidade da excitação sexual, cada chakra vibra mais intensamente, e a passagem da energia entre um corpo e o outro aumenta e se mistura em todos os níveis. É o casal que escolhe mutuamente se o foco da energia é o nível físico, mental ou do chakra cardíaco.

A simbologia sexual está bem presente na arte e na mitologia indiana, e o linga de Shiva, com ou sem uma deusa (*yoni*), era adorado com fervor antigamente. Enquanto a mulher era muito estimada como uma ferramenta sagrada para a obtenção da libertação, era o homem o alvo dessa iluminação.

Não fica claro se a mulher já era considerada iluminada ou não. Até mesmo hoje, normalmente são os homens que vão embora para morar em templos e ter uma vida espiritual, assim como é mais comum que homens se tornem os mestres "iluminados" e professores espirituais de alunos. Muitas vezes são esses gurus homens que recomendam o celibato e austeridades na busca do caminho espiritual e ensinam que a libertação não pode acontecer sem um professor aprovado. Às vezes, no entanto, é uma mulher, ou *tântrica*, que é considerada guru.

---

67. Stutley, *Dictionary of Hinduism*, p. 298.
68. Monier-Williams, *Sanskrit-English Dictionary*, p. 435.

Figura 3.6
Foto tântrica de estátuas indianas.

Porém, a deusa era considerada indispensável, talvez até suprema, na afirmação "Shakti satisfaz todas as necessidades físicas de Shiva. O Shiva sem corpo, por ser a natureza da Pura Consciência, precisa ter a energia criativa de Shakti para ampará-lo". Já outra diz: "sem Shakti, aquele que ama não passa de um cadáver".[69] Como Shiva e Shakti moram dentro de cada um de nós, os parceiros que praticam o tantra podem escolher representar um ou outro.

O propósito do tantra é o mesmo dos outros aspectos do yoga — libertar-se da consciência limitada, mais comumente pela ascensão da energia pela coluna vertebral. A experiência transcendental da união com outra alma faz a pessoa entrar em um estado alterado da consciência, onde a entrada nos mundos superiores é mais acessível.

A maioria das práticas tântricas tenta usar a força criada pela energia sexual excitada para despertar a deusa Kundalini e fazê-la subir pela coluna. Acredita-se que somente aquele que aprendeu e praticou disciplinas voltadas para a abertura e o estímulo desses centros, como a meditação e o yoga, é capaz de alcançar essa libertação. Assim como do celibato, é somente pelo conhecimento dos caminhos psíquicos que essa experiência pode causar a transcendência. Todavia,

---

69. Lizelle Raymond, *Shakti — A Spiritual Experience*.

em muitos casos acontece um despertar espontâneo pela sexualidade tântrica, sem guru algum. Quer seja uma ativação da Kundalini ou um mero estado de êxtase pela união, a sexualidade tântrica é uma experiência religiosa que pode ser alcançada por qualquer pessoa.

No tantra, acredita-se que o corpo, tanto masculino quanto feminino, é um templo — um local de adoração. Assim, ele deve ser mantido saudável e puro e receber prazer sexual. Os praticantes do tantra fazem posturas do yoga, *asanas*, e exercícios respiratórios com regularidade, mantêm uma dieta adequada e estudam os caminhos psíquicos. O parceiro também precisa tratar o corpo com o mesmo respeito, caso contrário, é improvável que haja uma verdadeira fusão das energias.

A prática correta das artes tântricas leva à criação de uma criança mística, um veículo de libertação por meio do qual a pessoa pode alcançar poderes mágicos (*siddhis*). A criança não é um ser físico, embora a concepção de um filho nessas circunstâncias certamente transmita para o feto nossa energia divina pessoal mais elevada. A criança mística é, na verdade, um "corpo áurico" psíquico, vivenciado como uma fonte de energia adicional oriunda de uma dimensão superior. Esse corpo de energia psíquica pode ser usado em alguma circunstância particular, isto é, para cura, para realizar alguma tarefa ou para se proteger. As práticas ocidentais da magia sexual são muito semelhantes nesse aspecto, usando divindades como forças que se interpenetram e que, quando juntas, concedem ao receptor um poder paranormal.

CUIDADO

Para serem gentis, amorosos e afetuosos,
os seres humanos precisam ser amados e receber cuidados
desde os primeiros anos, a partir do nascimento.

Ashley Montagu[70]

O cuidado é o remate da sexualidade e de uma necessidade fundamental do corpo, da mente e da alma. Cuidar significa alimentar com energia, amor e toque. O cuidado é a essência das características maternas, nossa primeira experiência de uma transcendência bem-aventurada, de afeição e segurança.

O simples ato de tocar é de extrema importância para que o organismo funcione saudavelmente. A pele pode ser considerada a camada externa do sistema nervoso e é o limite dos nossos corpos. Pelo toque, esse limite é suavemente destruído, permeado por outro, e todo o nosso sistema interno é realçado e estimulado.

Estudos de laboratório com ratos mostram que mamíferos pequenos preferem ser tocados a comer, quando privados de ambas as coisas. Com todas as

---

70. Ashley Montagu, *Touching*, p. 208.

outras condições mantidas iguais, ratos acariciados aprendem e crescem mais rapidamente do que aqueles tratados com frieza.[71]

Os humanos que são tratados com doses adequadas de toque e cuidados maternos terminam tendo mais estabilidade emocional ao crescer do que aqueles que não as recebem. Sem o toque, a importante interface entre corpo e mente pode permanecer seriamente subdesenvolvida.[72]

O cuidado ajuda a controlar a produção dos hormônios responsáveis pelo crescimento por meio do estímulo do sistema límbico do cérebro. Também ajuda no relaxamento do coração e no ritmo cardíaco, controlados pelo sistema nervoso autônomo.

O estímulo também é um fator que aumenta a inteligência e o progresso do desenvolvimento infantil. Os estímulos prazerosos aumentam a estabilidade e a confiança presentes nesse desenvolvimento.

Não são apenas as crianças pequenas que são profundamente afetadas pelo toque de outros seres vivos. A satisfação e a realização emocionais — seja pelo cuidado, pelo prazer ou pelo orgasmo — costumam tranquilizar o organismo inteiro.

Para trabalhar com outras pessoas, o primeiro passo é aprender a aumentar mutuamente nossa energia interna; é assim que abrimos caminho para mais crescimento, harmonia e paz. O simples ato de tocar, de se estender para tranquilizar o outro, é o aspecto de cura do segundo chakra. Dizemos para o outro "estamos aqui". Nos permitimos transcender a separação, sair dos nossos egos e sentir uma conexão que é vital para a nossa sobrevivência harmoniosa neste planeta. O papel do segundo chakra é realmente importante. A supressão dele provoca desequilíbrios fundamentais que inibem, em vez de estimular, o fluxo da expansão da consciência.

Qualquer pessoa pode cuidar. Todos precisam de cuidados. Assim como uma planta sedenta que é regada, reagimos ao fluxo, ao movimento, à dança da vida com seus infinitos prazeres e mistérios. Com essa ação, a vida se renova e se preserva.

CLARISSENCIÊNCIA

A clarissenciência é o senso psíquico do segundo chakra, os primeiros sinais da consciência "superior" e o desenvolvimento de uma maior sensitividade em relação aos outros.

A clarissenciência é a capacidade de sentir as emoções dos outros, também chamada de *empatia*. Assim como o nível dos sentimentos discutido anteriormente, esse "sentir" nem sempre é transformado em informações reconhecidas

---

71. Ashley Montagu, *Touching*, p. 208.
72. *Ibidem.*

pelas propriedades cognitivas do cérebro. Ele é vivenciado mais como uma sensação sutil, como se nós mesmos estivéssemos sentindo aquilo. Da mesma maneira como podemos ignorar algumas das nossas próprias emoções, muitas pessoas clarissencientes não reconhecem as emoções que captam dos outros, mas o corpo e as ações dela reagem mesmo assim. Já outros podem reconhecer as emoções e não entender que a origem delas é externa.

As mães psiquicamente sintonizadas com os filhos são o grupo mais comum de pessoas clarissencientes. A criança pode estar na escola, longe da mãe, e de repente a mãe sente uma dificuldade com que a criança se deparou. A mãe pode ou não reconhecer conscientemente a origem da perturbação, embora ela a afete de qualquer maneira. Já outras pessoas sentem a clarissenciência ao chegar a uma festa e perceber de imediato as expectativas e sentimentos de todos os amigos ali presentes. Elas podem sentir que os outros estão esperando que elas ajam de certa maneira. Também podem sentir mudanças repentinas de humor por assimilarem involuntariamente os humores de um ou outro amigo. Muitas vezes esses indivíduos têm aversão a aglomerações e evitam festas.

Muitas pessoas têm um certo nível de clarissenciência. O fenômeno costuma ocorrer mais fortemente naqueles que tendem a ser clarividentes ou telepatas, uma característica dos chakras superiores. Se os chakras superiores não estão abertos o bastante para perceber esse psiquismo, a pessoa clarissenciente costuma ser negativamente influenciada. A atenção dela é constantemente arrancada para fora da coluna central, e as dificuldades dos outros falam mais alto do que sua própria voz. Há uma certa confusão a respeito do eu, especialmente em relação à motivação das suas próprias ações. "Não sei por que estou fazendo isso — nem quero fazer." "Estou me sentindo tão deprimida depois que falei com Sally, mas não sei o motivo." Esses sentimentos podem ser causados pelos humores ou desejos de outra pessoa.

A clarissenciência é uma valiosa fonte de informações e é útil para o desenvolvimento do psiquismo. Com atenção consciente, ela nos ajuda e não nos prejudica. Muitos são bombardeados psiquicamente pelo inconsciente que transmite as dificuldades que os circundam. Para essas pessoas, o aterramento é extremamente importante, pois traz nossa atenção para a linha central do corpo e nos ajuda a entender "de quem é essa energia". O reconhecimento do fenômeno é o passo seguinte. Saber a diferença entre suas necessidades emocionais e as de outra pessoa ajuda a dessintonizar as transmissões indesejadas. Muitas pessoas clarissencientes sentem que são obrigadas a reagir às necessidades que captam psiquicamente dos outros e, ao perceber isso, esse dever pode se transformar em uma escolha.

A percepção do outro deve ser equilibrada por meio da percepção do eu. As duas sempre necessitam de uma boa dose de bom senso. Somente nós mesmos podemos julgar a partir do nosso interior.

EXERCÍCIOS DO CHAKRA DOIS

Os exercícios para abrir o segundo chakra trabalham com o movimento dos quadris e do baixo-ventre. Alguns têm por objetivo somente a abertura, já outros são mais voltados para o estímulo e o movimento da energia para dentro e por dentro dessa área.

Os exercícios para o corpo inteiro incluem toque e cuidado, como massagem e atividades sexuais. O simples autocuidado, como um banho quente e demorado ou natação (que têm a ver com água), não deve ser menosprezado. Cuidar de nós é o primeiro passo para receber cuidado dos outros ou cuidar deles.

MEDITAÇÃO DA ÁGUA

— Passo um

A água é purificante tanto por dentro quanto por fora. Comece com um grande copo d'água e fique sentado em silêncio enquanto o toma. Sinta-a escorrer dentro do seu corpo. Sinta seu frescor, sua umidade, sinta-a chegar ao seu estômago. Imagine-a passando por todo o seu corpo — suas veias, seus músculos, seu sistema digestivo. Molhe o dedo e passe-o em seu rosto, sentindo o frescor.

— Passo dois

O próximo passo é se limpar. Faremos um ritual de limpeza com água, que deve ser prazeroso e meticuloso. Você pode usar uma ducha, uma banheira, um lago, um rio ou até mesmo uma hidromassagem. Certifique-se de que a área ao seu redor está limpa; é difícil se sentir limpo em um ambiente sujo.

Se você escolheu a ducha ou a banheira, escolha os sabonetes, toalhas e loções de sua preferência e os deixe por perto. No caso de um rio, que haja uma área plana e regular onde você possa deitar-se para se secar. No caso da hidromassagem, organize-se para ter um pouco de privacidade depois.

Enquanto entra na água, passe por todas as partes do seu corpo, dizendo "agora minhas mãos ficarão limpas; agora meus pés ficarão limpos; agora meu rosto ficará limpo", e por aí vai. Una-se à água. Após acabar, visualize a água removendo toda negatividade que você não quer na sua vida. Se estiver na natureza, você pode jogar algo na água (que não a polua) para representar essa negatividade; se estiver em um ambiente urbano, você pode derramar algum líquido simbólico no vaso sanitário ou ralo abaixo.

Enquanto estiver imerso na água, pense nos altos e baixos dos ciclos da sua vida. Pense em si mesmo como um instrumento do movimento. Se você parasse e se visse de outra dimensão, que padrões você enxergaria nos seus movimentos ao longo da vida?

Pense nas coisas que você gostaria de eliminar da sua vida neste momento — hábitos, tendências, mágoas ou medos. Veja-as fluir para fora de você pelo seu cabo de aterramento, como um rio que corre até o mar. Imagine a chuva caindo e enchendo o rio de água doce outra vez.

Em seguida, pense nas coisas que você gostaria que entrassem na sua vida — novos padrões, pessoas ou acontecimentos. Imagine uma cachoeira na sua cabeça, derramando essas bênçãos em você. Sinta assimilá-las e as deixe fluir por todo o seu corpo.

Iemanjá é a deusa africana do mar, a grande mãe. "Ela é representada por uma mulher bela e grande, radiante e escura; cuidadora e devoradora; límpida e misteriosamente profunda."[73] Ela é a cuidadora, a consoladora, a curadora. É materna e sua barriga é tão grande quanto a vida inteira. Enquanto está dentro d'água, imagine-se sendo ninado e cuidado por essa grande mãe marítima. Sinta-se no útero da deusa, prestes a nascer. Pergunte-lhe quais são os propósitos que ela definiu para você neste nascimento. Peça-lhe ajuda para que seu nascimento seja fácil e tranquilo. Aceite os cuidados dela. Assimile-os e imagine que você os compartilha com os outros. Agradeça a Ela pelo seu nascimento.

Vista roupas limpas. Sirva outro copo d'água para si mesmo e o tome em silêncio, enquanto pensa na natureza cíclica da natureza e em como você se encaixa nesses ciclos. Se puder, visite algum corpo d'água grande em breve.

POSTURA DA DEUSA

Deite-se de costas e relaxe, especialmente nas pernas, na pelve e na lombar. Dobre os joelhos e aproxime os pés das nádegas.

Lentamente, deixe seus joelhos se afastarem, permitindo o peso das pernas alongar a parte interna das coxas (ver Figura 3.7, página 127). Tente relaxar. Não tente fazer suas pernas se abrirem mais do que o que for confortável. Fique nessa posição por dois minutos ou mais.

---

73. Luisah Teish, *Jambalaya*, p. 118.

Junte os joelhos outra vez, bem lenta e suavemente, respirando fundo e se lembrando de relaxar. Assim você entra em contato com sua vulnerabilidade sexual, que paradoxalmente deve ser compreendida para que você possa se abrir por completo neste nível.

A partir dessa postura, você pode abrir e fechar as pernas lentamente, inspirando ao abrir e expirando ao fechar. Talvez surja uma espécie de vibração trêmula nas pernas e na pelve.

BALANÇO PÉLVICO 1

Deitado de costas com as pernas dobradas, comece lentamente a balançar sua pelve para cima e para baixo a cada respiração. Inspire completamente pelo seu peito e pela sua barriga (ver Figura 3.8, página 127), depois expire completamente. Ao fim de cada exalação, faça uma leve pressão com os pés para que a pelve saia do chão, empurrando a lombar na superfície (ver Figura 3.9, página 127).

BALANÇO PÉLVICO 2

Em uma superfície macia, como um colchão, faça a sequência do Balanço pélvico 2, mas agora suba e desça a pelve com mais rapidez e com o máximo de força possível (ver Figuras 3.8 e 3.9, página 127). Faça todo som que lhe parecer natural — isso ajuda a colocar para fora energias bloqueadas.

CÍRCULOS COM OS QUADRIS

Fique de pé, dobre levemente os joelhos e empurre a pelve para a frente, deixando-a bem na sua linha central de gravidade.

De joelhos dobrados, faça círculos pequenos com a pelve, depois grandes (ver Figura 3.10, página 128). Os pés e a cabeça devem permanecer no mesmo lugar, somente a pelve deve se mexer. Tente fazer com que o movimento seja o mais suave possível.

CHUTE DA TESOURA

Esse exercício ajuda a movimentar a energia pela pelve, que muitas vezes sobe até os chakras superiores. É um exercício conhecido por estimular o despertar da Kundalini, com resultados poderosos. É importante não forçar demais e evitar músculos doloridos. Mantenha-se em sintonia com seu corpo.

Figura 3.7
Postura da deusa.

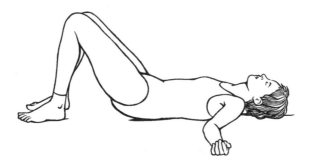

Figura 3.8
Balanço pélvico 1.

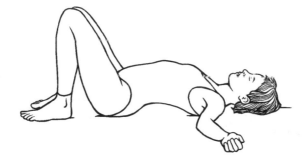

Figura 3.9
Balanço pélvico 2.

Deite-se de costas e relaxe. Erga as pernas, deixando-as a uma distância de 15 a 30 centímetros do chão, e as afaste.

Junte as pernas de novo, depois dê chutes para que elas se separem outra vez (ver Figura 3.11, abaixo). Depois de fazer isso umas cinco vezes, você vai querer descansar.

Após o descanso, deixe as pernas perpendiculares ao chão, retas e afastadas. Junte-as e leve-as até o chão. Repita até se cansar. A subida das pernas deve ser feita inspirando, e a descida, expirando.

Figura 3.10
Círculos com os quadris.

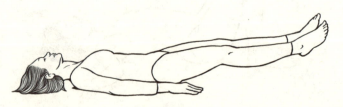

Figura 3.11
Chute da tesoura.

ANDAR A PARTIR DA PELVE

Você já viu dançarinos de jazz? Este exercício é como o movimento de uma dança de jazz.

De joelhos dobrados, deixando a pelve bem flexível, ande mantendo o peso na parte inferior do corpo e balance os quadris com exagero. Como é se movimentar assim? Como é sentir esse movimento no seu corpo? Enquanto anda, deixe seu corpo inteiro se balançar livremente.

EXPRESSÃO DAS EMOÇÕES

Há muitos exercícios que usam respiração, massagem e várias posturas para facilitar a expressão das emoções, para colocá-las para fora. Eles são bem poderosos e devem ser realizados somente na presença de algum terapeuta experiente. O Reiki, a bioenergética e a terapia do renascimento são três disciplinas que trabalham com isso. Se tiver interesse, procure livros ou terapeutas que possam lhe dar mais informações.

É importante lembrar, contudo, que todas as emoções que vierem à tona durante esses exercícios devem ser processadas, isto é, postas para fora. Chorar, gritar, chutar ou simplesmente pedir para alguém abraçá-lo são maneiras aceitáveis e incentivadas de trabalhar nos bloqueios que podem estar nesse chakra (ou em algum outro). É bom ter amigos que possam ficar do seu lado e prover o cuidado necessário.

LEITURAS SUPLEMENTARES RECOMENDADAS SOBRE O CHAKRA DOIS

Anand, Margo. *A arte do êxtase — Os princípios da sexualidade sagrada.* Rio de Janeiro: Campus, 1992.

Bass, Ellen e Davis, Laura. *The Courage do Heal: A Guide for Women Survivors of Sexual Abuse.* Nova York: Harper & Row, 1988.

Douglas, Nik e Slinger, Penny. *Sexual Secrets.* Nova York: Destiny Books, 1979.

Eisler, Riane. *O prazer sagrado.* Rio de Janeiro: Rocco, 1996.

Feuerstein, Georg. *Tantra: sexualidade e espiritualidade.* Rio de Janeiro: Record, 2001.

Goleman, Daniel. *Inteligência emocional.* Rio de Janeiro: Objetiva, 1996.

Sanders, Timothy L. *Male Survivors: 12 Step Recovery Program for Survivors of Childhood Sexual Abuse.* Freedom: The Crossing Press, 1991.

CHAKRA TRÊS

FOGO
PODER
AUTONOMIA
FORÇA DE VONTADE
ENERGIA
METABOLISMO
TECNOLOGIA
TRANSFORMAÇÃO
AUTOESTIMA

Capítulo 4
CHAKRA TRÊS: FOGO

MEDITAÇÃO INICIAL

Estamos parados, mas sentimos um calor aumentar dentro de nós. Estamos sozinhos, mas sentimos os outros ao nosso redor, ansiando pela libertação, ansiando pelo calor e pela luz. Há forma aqui, mas está vazia. Há vida aqui, mas está parada. Há consciência aqui e ela está despertando!

Em um lugar de imobilidade, podemos provocar o movimento. Estendendo-se, expandindo-se, respirando, alongando-se, fluindo, tudo lentamente. Dentro da forma, invocamos a vida. É a faísca do fogo do lugar intermediário que há entre nós mesmos e os outros, entre o passado e o futuro, entre o conhecido e o desconhecido.

Nós nos movemos e dançamos, com o prazer cantando por nós enquanto a dança da vida abre caminho entre nossos medos e dores. Sinta o calor do prazer derretendo a tensão, pulsando, aumentando — com os ritmos se elevando e se movendo, curando e apaziguando, aquecendo e esfriando.

Em um lugar de movimento infinito, recorremos ao Eu. Recorremos ao Eu a fim de despertar para outra parte da jornada. Recorremos ao Eu para despertar para o Sol, o fogo, o calor, a transformação. Recorremos ao Eu pela nossa força de vontade; e ele nos atende.

Tentamos alcançar o Sol e nos aproximar do raio amarelo. O raio da vida, o raio da criação, o raio da consciência, a faísca do fogo... pedimos que a chama queime dentro de nós e transforme nossas paixões em força. É com a força que combatemos a escuridão, empurrando, nos esforçando, para depois perceber que ela faz parte de nós mesmos, da nossa força, do nosso medo. Rimos e desistimos do combate; nós nos fundimos, nos completamos, nos fortalecemos. Passamos entre os pilares da luz e da escuridão honrando ambos... e encontramos em nós uma nova e gloriosa terra. Uma terra de bastante atividade, de vida abundante, que reluz como as estrelas, com rios de luz brilhantes que refletem o Sol.

As faíscas captam o nosso olhar, nós nos voltamos para a luz delas, e elas se movem e dançam, conectando e acendendo tudo que tocam. Elas tocam algo interno, acendendo a força, a determinação, a ação. As faíscas voam, acendem outros filamentos, outros fogos... eles explodem, ardem luminosamente... e desaparecem.

Somos elevados, somos acesos, rimos. Sentimos nossos corpos balançarem com o aumento do calor, línguas quentes de fogo se movendo dentro de nós, expandindo-se, contraindo-se, ficando mais amplas e sempre retornando à sua origem dentro de nós. Agora nossos corpos ardem, irradiam calor e luz e força e determinação. O poder pulsa por nós, vindo de cima, de baixo, dos arredores e percorre nosso corpo, transformando tudo que existe por dentro e por fora, e nossas barrigas se enchem de alegria.

Sinta essa energia no fundo do seu corpo, ardendo com o fogo da sua própria vida. Sinta-a penetrar bem no fundo da Terra, descendo até o centro quente e fundido do planeta. Sinta-a voltar da Terra, subir do calor lá embaixo, percorrendo sua perna, sua pelve, sua barriga, subindo pelo seu corpo, por cada parte dele — seus braços, suas mãos, seu peito, seu pescoço e sua cabeça.

Sinta-a fluir para fora de você e se conectar a outras faíscas, outros filamentos de energia, outros fogos da vida. Sinta-a se conectar aos pensamentos dentro de você, aos seus neurônios em constante atividade, filamentos de energia interconectados, linhas de pensamento, padrões em uma teia, subindo e descendo em chamas pulsantes, ardendo com o brilho da atividade.

Agora você é uma intersecção vital da energia, fundindo-se, misturando-se, explodindo, irradiando-se. Consuma sua consciência por dentro e por fora, tecendo uma teia de poder, como o fogo que fica cada vez mais alto e brilhante. O poder flui por você de maneira natural, calma, fácil. Você está unido aos poderes ao seu redor e em seu interior.

Pense nos momentos em que você conheceu esse poder. Nos momentos em que sentiu essa conexão, essa vitalidade, essa importância e força. Pense nos momentos em que o poder fluiu por você como o calor do Sol. Pense nesses momentos e os sinta agora. Sinta seu corpo irradiar o propósito deles, dançar com a majestade deles, cantar com a força deles.

Neste mundo incandescente de atividades, você é um canal para o poder ao seu redor. Você se abre para ele, se consome com ele, absorve-o e o passa adiante... com facilidade, naturalidade, vontade e alegria.

Seu poder chega ao máximo e volta, alimentando o fogo interno — um núcleo derretido que alimenta seu corpo e o carrega em silêncio, pronto para se expandir outra vez quando seu próximo propósito o convocar.

O fogo ardeu bastante, e agora as brasas brilham com o calor. Radiante, seu corpo relaxa. Um sorriso aparece nos seus lábios, suas mãos estão em paz com a força que carregaram, e mais uma vez você volta para uma respiração suave... inspirando... e expirando... inspirando... e expirando... inspirando... e expirando.

Satisfeito, você descansa.

CHAKRA TRÊS — SÍMBOLOS E CORRESPONDÊNCIAS

Nome em sânscrito	*Manipura*
Significado	pedra lustrosa
Localização	do umbigo ao plexo solar
Elemento	fogo
Forma externa	plasma
Função	força de vontade, poder, assertividade
Estado interno	risada, alegria, raiva
Glândulas	pâncreas, adrenais
Outras partes do corpo	sistema digestivo, músculos
Mau funcionamento	úlcera, diabetes, hipoglicemia, problemas digestivos
Cor	amarelo
Som semente	*ram*
Som de vogal	*á*, como em "vá"
Pétalas	dez
Naipe do tarô	cajados
Sefirot	Hod, Netzach
Corpos celestes	Marte, Sol
Metal	ferro
Alimentos	ricos em amido
Verbo correspondente	eu posso
Ervas para incenso	sangue-de-dragão, sândalo, açafrão, canela, gengibre, almíscar
Minerais	âmbar, topázio, citrino amarelo, quartzo rutilado
Animais	carneiro
Sentido	visão
Guna	rajas
Símbolos do lótus	dez pétalas azuis, triângulo invertido com cruzes solares hindus (suásticas); na base há um carneiro correndo
Divindades hindus	Agni, Surya, Rudra, Lakini
Outros panteões	Brigit, Atena, Apolo, Amaterasu, Belenus, Ápis, Rá
Arcanjo	Miguel
Força de ação principal	combustão

E A RODA ARDE...

O que é esta vida que flui pelos nossos corpos como o fogo?
O que ela é? A vida é como o ferro quente. Pronto para escorrer.
Escolha o molde e a vida o queimará.

Mahabharata[74]

Da terra à água e ao fogo! Nossa dança se desenvolve, exaltada, enquanto retomamos nossos corpos e atravessamos a emoção e o desejo a fim de encontrar força de vontade, propósito e ação. Nossa força cresce, sentimos nosso poder subindo das nossas entranhas, descendo das nossas visões, desprendendo-se alegremente dos nossos corações. Agora entramos no terceiro chakra, que sobe dos níveis combinados dos dois primeiros chakras e absorve a corrente crescente da consciência que desce dos chakras superiores.

Aqui o elemento *fogo* acende a luz da consciência, e nós emergimos dos níveis inconscientes e somáticos para a combinação excitante de psique e soma, que cria a ação determinada. Quando ativamos nosso poder, direcionamos nossas atividades para algum propósito mais elevado.

Examinemos como os dois primeiros chakras se unem para nos dar esse novo nível. O primeiro chakra nos trouxe solidez, estabilidade, foco e forma. Nele, sentimos a unidade e, a partir dessa base, seguimos para o chakra dois e vivenciamos a diferença, a mudança e o movimento. Nele, absorvemos as polaridades e descobrimos as paixões da diferença, da escolha, da emoção e do desejo. Nos expandimos para além dos meros instintos de sobrevivência, rumo ao desejo de prazer e de se unir a outra pessoa.

Quando unimos matéria e movimento, vemos que os dois criam um terceiro estado: *a energia*. Se esfregarmos dois gravetos um no outro, terminaremos por obter uma faísca que pode virar fogo. No mundo físico, isso é chamado de combustão. No corpo, ela está relacionada ao metabolismo. Psicologicamente, ela tem a ver com a faísca do entusiasmo que acende o poder e a força de vontade. No nosso comportamento, é o domínio da atividade.

Esse é o nosso terceiro chakra, cujo propósito é a *transformação*. Assim como o fogo transforma a matéria em calor e luz, o terceiro chakra transforma os elementos passivos terra e água em poder e energia dinâmica. A terra e a água são passivas; elas fluem para baixo, sujeitas à gravidade, e seguem o caminho de menor resistência. O fogo, em contrapartida, move-se para cima, destrói a forma e leva a energia bruta da matéria a uma nova dimensão — o calor e a luz.

Se quisermos subir por todos os sete chakras, é o fogo da nossa força de vontade que impulsionará esse movimento. É por meio dele que nos libertamos dos padrões fixos e criamos comportamentos novos. É essa força que nos afasta

---

74. William Buck, *Mahabharata*.

do caminho de menor resistência, de um hábito viciante ou das expectativas dos outros. É por meio dela que agimos mesmo quando é difícil e desafiador, movendo-nos na direção de algo novo. Quando agimos assim, começamos a nos transformar, mas o primeiro passo é destruir os antigos padrões.

Assim, a tarefa inicial do terceiro chakra é *superar a inércia*. Na física, a inércia é a tendência de um objeto permanecer no estado em que se encontra — seja em movimento ou parado — a não ser que alguma outra força seja exercida sobre ele. No terceiro chakra, a força de vontade une as forças da imobilidade e do movimento, a terra e a água, com cada uma moldando a outra. O impulso de um taco de golfe que atinge uma bola parada faz com que ela se mova. A luva de um receptor, quando parada, interrompe o trajeto da bola de beisebol. Nossa força de vontade combina imobilidade e movimento, direcionando a ação e moldando nosso mundo.

A parte mais difícil é começar. Depois que acendemos uma fogueira, ela queima mais facilmente e só precisa ser remexida e alimentada. Depois que inauguramos uma empresa, usamos o rendimento como combustível para manter a produtividade. Depois que superamos a inércia e chegamos ao ponto em que a energia é produzida com facilidade, o terceiro chakra "entra em ação" e começa a criar poder com menos esforço. Fazer algo com facilidade e graciosidade é uma característica do verdadeiro poder.

Um objeto em movimento, ao interagir com outros, cria calor. O calor, por sua vez, estimula o movimento, permitindo novas combinações. As partículas colidem e se combinam entre si; os estados da matéria mudam; as moléculas se unem a outras; os sólidos se liquefazem; os líquidos se gaseificam; a farinha e os ovos viram um bolo. O fogo é a influência transformadora que destrói a forma e libera a energia.

O Sol é um exemplo primordial de fogo transformador e pode até ser chamado de terceiro chakra macrocósmico. O Sol e as outras estrelas semelhantes começaram como uma nuvem difusa de gás hidrogênio (com traços de elementos mais pesados). A teoria atual afirma que uma onda de choque de uma supernova próxima colidiu com essa nuvem de hidrogênio, fazendo-a colapsar em si mesma. Isso criou milhares de vórtices, cada um com um campo gravitacional forte o suficiente para atrair para si o material necessário para criar um sistema solar. Quando o vórtice de hidrogênio que se tornaria o nosso sistema solar colapsou, a fricção interna gerou calor. Após um tempo, a combinação de calor e gravidade provocou o processo que faz nosso Sol brilhar.

O Sol produz calor e luz por fusão nuclear. Seu calor é tão extremo que os núcleos de hidrogênio são lançados um para cima do outro com força o bastante para superar suas cargas elétricas mutuamente repelentes, fazendo-os se fundir e virar núcleos de hélio, de massa levemente menor. A diferença de massa é convertida em pura energia, que gera mais calor e movimento, perpetuando o processo inteiro. A fusão nuclear requer um campo gravitacional forte o bastante para agir como recipiente e para criar densidade suficiente para que o processo se retroalimente. Mais uma vez, vemos como a gravidade, a força do chakra um, origina o movimento, o chakra dois, resultando em energia, e desemboca na força do chakra três. Então, a energia faz o ciclo inteiro continuar.

Os chakras são facetas interdependentes de um campo básico unificado da consciência. Eles não agem separadamente e só podem ser separados intelectualmente. Da mesma maneira, não podemos separar a energia do movimento, assim como não a separamos da massa. Massa, movimento e energia são três atributos inseparáveis do nosso mundo físico. Os três primeiros chakras representam uma trindade dos princípios fundamentais que regulam nossos corpos físicos e toda a matéria. Juntos, eles formam uma dança de causa e efeito que nos dá energia para as atividades. Sem receber essa energia, não temos poder, mas ela não o constitui sozinha. Para que isso ocorra, a energia precisa ser direcionada.

É a corrente descendente da consciência que guia essa energia até o propósito. É a inteligência que forma a intenção que molda a força de vontade e direciona a atividade. Assim, a corrente descendente nos dá a forma, e a ascendente, a energia. É somente quando as duas se juntam que temos o poder.

Entrar nesse chakra é assimilar o poder interno que vem da integração da energia corporal com a inteligência consciente. Dessa maneira, nos tornamos agentes eficazes de transformação.

MANIPURA — A PEDRA LUSTROSA

O chakra Manipura *é como o Sol matinal:*
meditar sobre ele com o olhar fixo na ponta do nariz
pode excitar o mundo.

Gorakshashatakam (século X)

No corpo, o terceiro chakra encontra-se no plexo solar, por cima das glândulas adrenais. É onde sentimos o frio na barriga quando estamos nervosos — quando o terceiro chakra não está se sentindo confiante e poderoso. É uma sensação volúvel que faz nossa energia aumentar em vez de diminuir, mas nos estimula e nos faz despertar para uma sensitividade mais aguçada. Quando estamos aterrados, esse estímulo pode ser fortalecedor e revigorante. Sem o aterramento, talvez sintamos um turbilhão de energia sem direção.

Como indica o nome plexo solar, esse chakra é ardente e solar. Ele nos traz luz, calor, energia e poder. Representa nosso "vai lá e faz", nossas ações, nossa força de vontade, nossa vitalidade. Estendendo-se da área logo abaixo do esterno até o umbigo, também é chamado de "chakra do umbigo" (ver Figura 4.1, página 137). Uma das suas associações com o poder vem da crença de que todos os principais nadis (correntes psíquicas) originam-se no umbigo. Como ele é a

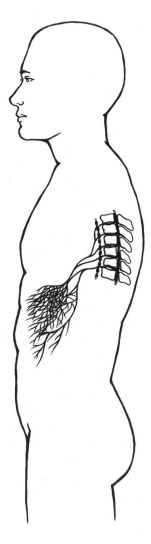

Figura 4.1
Chakra três, chakra do umbigo (plexo solar).

fonte de toda a nutrição e energia antes do nascimento, não é de surpreender que os caminhos psíquicos se estabeleçam originalmente ao longo dessas linhas.

Assim como o fogo e a combustão, o terceiro chakra comanda o metabolismo e é responsável pela regulação e distribuição da energia metabólica pelo corpo. Isso é feito pela combustão da matéria (alimento), que é transformada em energia (ação e calor). O sistema digestivo, portanto, é uma parte importante desse processo e serve de barômetro para a saúde desse centro. Problemas como diabetes, hipoglicemia ou úlceras estomacais estão diretamente relacionados a ele.

O ar, elemento do quarto chakra, é crucial para o metabolismo. Sem o ar, o fogo não se acende; as células não metabolizam.[75] Quando nossa respiração é restringida, nosso metabolismo é perturbado. Quando não temos espaço para respirar, nosso poder é limitado. Da mesma maneira, quando usamos o poder sem compaixão (chakra quatro), arriscamos perpetuar o mal e a opressão.

É possível avaliar a saúde desse terceiro chakra de muitas maneiras. Fisicamente, podemos examinar a estrutura corporal na área do plexo solar. Um estômago duro e firme, uma grande barriga ou um diafragma mais afundado indicam desequilíbrios do terceiro chakra. Você pode sentir e olhar seu próprio corpo para explorar esse centro. Como seu corpo físico se molda em torno desse centro? Ele se expande ou se contrai em relação à sua forma básica nesse nível? Barrigas grandes podem indicar uma necessidade excessiva de estar no poder, de dominar e controlar ou simplesmente uma necessidade egoísta de ocupar espaço. Já um chakra fraco e mais afundado indica um medo de assumir o poder, um recolhimento dentro do próprio eu, um medo de chamar atenção. Em geral, o excesso de peso pode indicar um mau funcionamento do terceiro chakra, pois sugere que o corpo não está metabolizando a matéria sólida (o alimento) da maneira correta para transformá-la em energia.[76]

Você também pode se analisar em termos do elemento fogo. Você sente frio com frequência? Prefere bebidas quentes ou frias? Deseja alimentos apimentados, condimentados? Sua com facilidade? Tem febres ou calafrios? Seu temperamento é rápido e vigoroso ou lento e letárgico? Essas coisas nos indicam se há um excesso ou uma deficiência de fogo no corpo.

Em sânscrito, esse chakra é chamado de *Manipura*, que significa "pedra lustrosa", pois ele brilha como o Sol — um centro radiante e brilhante. Seu símbolo é um lótus de dez pétalas, com um triângulo invertido no centro, cercado por três suásticas em formato de "T" (símbolo hindu do fogo; não confundir com as suásticas nazistas).[77] O poder de manipular nossos arredores está parcialmente relacionado à capacidade das nossas mãos, com seus dez dedos, de se estenderem para o mundo ao nosso redor. Dez também é o começo de um novo ciclo, e nossa entrada em *rajas* é o início de um novo tipo de consciência.

---

75. Os acontecimentos cruciais para o metabolismo celular são a liberação dos átomos de hidrogênio e, em seguida, a transferência por meio de compostos para o oxigênio, formando água. A energia é armazenada nas células na forma de ATP (adenosina trifosfato), rica em energia, o que requer um suprimento constante de oxigênio para criá-la a partir da sua forma com menos fosfato (adenosina difosfato). É quando usamos nossos músculos que gastamos o terceiro fosfato, que é então reciclado para se unir ao oxigênio mais uma vez e se transformar em ATP. É interessante notar que o hidrogênio, relacionado ao terceiro chakra (como o Sol), e o oxigênio, relacionado ao quarto chakra (como a respiração), são metabolizados por uma ação que produz água, um elemento do chakra dois. Isso expressa, em um nível químico, o processo de condensação da descida pelos chakras.

76. Isso também pode estar relacionado à necessidade do primeiro chakra de ter um peso adicional para o aterramento. Os canais normais de aterramento podem estar obstruídos ou talvez exista uma deficiência no segundo chakra a fim de afastar sentimentos e investidas sexuais.

77. Não parece haver uma correlação direta aqui, mas é interessante notar que a suástica nazista representou um dos piores abusos de poder observados na história da humanidade.

Dentro do lótus há um carneiro, um animal poderoso e vigoroso, normalmente associado a Agni, o deus hindu do fogo. No próprio chakra as divindades retratadas são o deus Vishnu e sua parceira, Shakti Lakini, de três rostos e quatro braços, que afasta os medos e concede dádivas. A letra dentro do lótus é o som semente *ram*. Dizem que meditar sobre esse lótus traz o poder de criar e destruir o mundo.[78]

O fogo é a centelha da vida que transforma força de vontade em ação. O fogo é a centelha entre Shiva e Shakti, o poder que se encontra entre a polaridade. O fogo dos nossos corpos nos mantém aquecidos, ativos e energizados para que também possamos ser agentes de transformação. Os seres humanos necessitam de calor e dão calor. O poder do terceiro chakra é o poder da vida, da vitalidade e da conexão — não a frieza do controle e da dominação. A energia e o fogo nos nossos corpos refletem nossa capacidade de nos unir aos elementos ao nosso redor, pois o fogo é um processo de união e combustão.

O fogo é brilhante, então o terceiro chakra é yang e ativo. Quando nos sentimos assustados ou impotentes, nos retraímos e nos tornamos passivos e yin. Contemos nossos movimentos e usamos uma parte de nós mesmos para conter outra. Quando bloqueamos nosso próprio poder e expressão, nos retraímos e parecemos frios e controlados.

A energia é necessária para manter esse controle, mas ele não a produz. Terminamos nos sentindo esgotados, e nosso entusiasmo natural pelas coisas diminui. Precisamos "fabricar" energia para nossos projetos e recorremos a estimulantes, como café e doces, que nos dão uma energia temporária, mas terminam exaurindo nossa vitalidade.

Quando nos retraímos na vida, nos tornamos um sistema fechado. Nossa expressão se vira contra si mesma, muitas vezes se convertendo em raiva e autocríticas, o que nos cansa mais ainda. O fogo precisa de combustível para queimar e, em um sistema fechado, o combustível termina acabando. É somente em um estado dinâmico de interação com o mundo que conseguimos manter o movimento e o contato que alimentam nosso fogo e nossa paixão em relação à vida.

Para acabar com o ciclo de medo e retraimento é necessário se reconectar consigo mesmo de maneira amorosa e tolerante. Se não temos contato com os dois primeiros chakras — com nosso corpo e nosso chao, com nossas paixões e prazeres —, temos pouco combustível para o nosso fogo. O desejo é o que dá entusiasmo à nossa força de vontade e a torna mais dinâmica.

Se não somos amorosos conosco, não nos damos espaço para respirar, explorar, cometer erros, não temos ar para que o fogo possa queimar. Se não estamos conectados espiritualmente, não temos centelha para o fogo, e todo o combustível do mundo é inútil. Se não estamos centrados em nós, vemos o poder do lado de fora em vez de senti-lo em nosso interior.

---

78. Verso 21 do *Sat-Chakra-Nirupana*, traduzido por Arthur Avalon, *The Serpent Power*, p. 369.

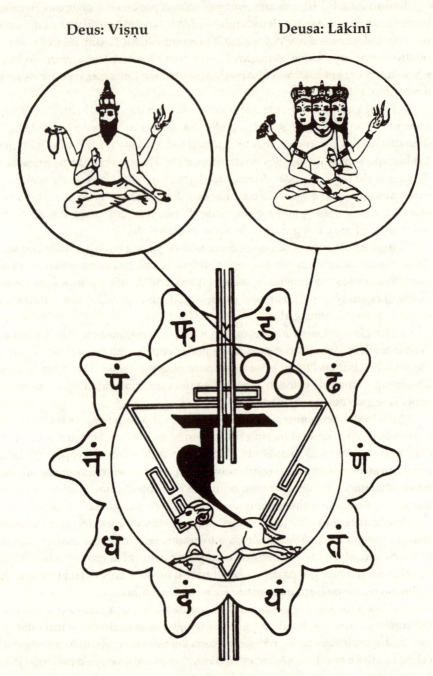

Figura 4.2
Chakra Maṇipūra

A energia do nosso corpo depende da capacidade que temos de nos conectar — fundir, de nos cuidar — com aquilo que nos cerca. Depende do nosso conforto com o poder e com nossa autoconfiança básica. Esse chakra também tem a ver com a autoestima, que intensifica nossa força de vontade. Quando ela é eficaz, nossa autoestima aumenta. Assim, podemos orientar melhor nossas vidas na direção daquilo que amamos, que nos inflama, que nos desafia e nos renova. Todos esses elementos requerem a integração e o desenvolvimento do terceiro chakra.

PODER

O poder de abrir sistemas não é uma propriedade que alguém possui, mas um processo para o qual alguém se abre.

Joanna Macy[79]

Afirmamos aqui que o poder é energia direcionada. E o poder pessoal? Como desenvolver e manter esse poder com uma cultura e um sistema educacional que ensinam a impotência a fim de estimular a cooperação social? O que acontece quando os pensadores criativos são vistos como pessoas anormais a serem banidas da sociedade? E quando se incentiva a conformidade? Muitos pais treinam os filhos para serem dóceis e bem-comportados, mas até mesmo a obediência requer que nossa força de vontade coopere.

A cooperação social é decerto necessária; porém, quando ocorre por meio da dominação, ela praticamente não merece o termo "cooperação". É cooperação sem desejo, sem vitalidade, sem a faísca de fogo característica do terceiro chakra. Ela é transformada em submissão e enfraquece, prejudica nosso senso de poder e de força de vontade danificando nossa autoestima.

Para nos desenvolvermos e nos cuidarmos no nível do terceiro chakra, precisamos reexaminar o conceito de poder que requer a dominação de uma parte pela outra, que costuma ser chamado de "poder sobre". Em vez disso, podemos desenvolver o poder como uma integração, um "poder interno", o poder de se conectar às forças da vida. Ao pensarmos no poder, podemos considerá-lo como verbo de ação, e não substantivo, pois só existe no agir, no "empoderamento" de mudanças ou ideias. Podemos substituir o "poder sobre" pelo "poder de".

Na época atual do mundo, creio que todos estamos passando coletivamente pelas últimas fases do terceiro chakra (ver Capítulo 12, "Uma perspectiva evolutiva"). Nossos conceitos de poder e energia se tornaram muito complexos. Por meio da tecnologia, da mídia, do governo organizado, das armas nucleares e das megacorporações, estamos aprendendo a controlar mais com menos. Pouquíssimas pessoas decidem por milhões. Um único avião pode destruir uma cidade inteira. Com pouco mais do que um telefonema, grande parte das vidas

---

79. Joanna Rogers Macy, *Despair and Personal Power in the Nuclear Age*, p. 31.

do planeta poderia ser aniquilada. Questões relacionadas a poder, controle, combustíveis e força política se tornaram temas centrais da atualidade. Percorremos um longo caminho das lanças de ferro às ogivas nucleares, mas a doença do poder, usada para controlar e dominar, permanece.

A fim de passarmos desse chakra e entrar no coração, precisamos redefinir o conceito atual de poder, transformando-o em algo que melhora, empodera e fortalece. Nossas estruturas de poder precisam garantir, e não ameaçar, a existência das espécies, dos recursos naturais, da nossa confiança e da nossa capacidade de cooperação. Precisamos enxergar o poder que fortalece indivíduos e culturas ao mesmo tempo, e não aquele que sustenta um à custa do outro. E como mudamos isso?

A visão de mundo que predomina atualmente enfatiza a separação. Nossas ciências analisaram a natureza em termos reducionistas — dissecando a matéria em unidades cada vez menores. A medicina ocidental trata o corpo como um conjunto de unidades separadas, em vez de enxergar corpo-mente como um todo. Pensamos em pessoas, países, terras, culturas e raças como elementos isolados e separados, a serem contados e coordenados por meio do controle e não de uma ordem natural.

O "poder sobre" requer esforços constantes e vigilância. As pessoas são subjugadas à força, constantemente intimidadas e, depois, devem ser cuidadosamente protegidas. As posições nunca são seguras e requerem defesas cada vez maiores. Passamos dos nossos limites e esgotamos recursos internos a fim de roubar a riqueza de um lugar que achamos que existe separadamente de nós. Na nossa visão deturpada, consideramos que isso é intensificar nosso poder. Assim, aumentamos nosso domínio e as coisas sobre as quais exercemos poder.

Segundo o Sistema dos Chakras, o poder resulta da combinação e da integração, e não da luta e da dominação. O nível de cada chakra emerge, em primeiro lugar, da combinação dos níveis abaixo dele. Ele é, então, ativado pela corrente descendente da consciência, que leva a compreensão a cada nível. Em vez de encontrar poder pela separação, o poder vem da unidade e da integridade.

A verdadeira força de um grupo ou organismo depende da sua solidariedade e da capacidade de combinar e coordenar suas forças internas. A força do planeta também depende da capacidade de combinar a diversidade e de criar algo novo a partir do todo. A evolução, assim como o progresso ao longo dos chakras, é um processo constante de reorganização em busca de níveis mais eficientes — mas sempre incorporando o que veio antes. Concentrar-se nas diferenças é polarizar, separar e distanciar; já se concentrar na unidade é fortalecer.

Quando nosso mundo é governado por desconhecidos, enxergamos apenas por meio das máquinas; quando nossa voz parece baixa demais para ser escutada, o afastamento se fortalece. E, assim, os indivíduos são fáceis de controlar e manipular, para que sirvam a algum corpo maior que prometa devolver fragmentos do poder que eles perderam. Pela nossa participação em um emprego alienante, recebemos uma remuneração em troca da nossa liberdade. Quanto mais participamos, maior a promessa de uma recompensa, mas, na realidade, muitas vezes nos afastamos mais ainda.

Com esse afastamento, perdemos o conceito do poder *interno* — do poder da conexão, da união, da fusão. Sem isso, estagnamos, perdemos o entusiasmo, a força de vontade e os desejos; viramos autômatos em um mundo automático. Sem nossa autonomia perdemos o desejo de inovar e nos mantemos presos aos padrões repetitivos dos chakras inferiores, incapazes de encontrar libertação e liberdade. Precisamos de confiança para nos aventurar no desconhecido. Sem um terceiro chakra forte, não chegamos aos novos níveis e emperramos, atendo--nos à segurança e à familiaridade.

Por mais que os adesivos de para-choques nos aconselhem a "subverter o paradigma dominante", creio que, na verdade, estamos vivendo um *paradigma de submissão*: há muito mais pessoas submissas do que dominadoras. Desde pequenos, aprendemos a submeter nossa vontade à do outro: primeiro são nossos pais, depois os professores da escola, o clero, os chefes, as forças militares e os agentes do governo. É claro que uma certa submissão é necessária para que haja cooperação social, mas muitas pessoas perdem o contato com a vontade interna durante esse processo e depois se percebem impotentes diante de bebidas alcoólicas, drogas e comportamentos destrutivos.

Em um paradigma de submissão, o poder se encontra fora de nós mesmos. Se buscarmos o poder do lado de fora, procuraremos orientação nos outros e ficaremos à mercê deles, gerando em nós uma possível vitimização. Na ausência de um poder interior, podemos buscar estímulos, excitação e atividades constantes, com medo de desacelerar e sentir um vazio por dentro. Realizamos nossas atividades para sermos reconhecidos pelos outros, para sermos vistos, para fortalecer nosso ego. Podemos buscar poder pensando no ego, e não na capacidade de servir mais o todo. O poder sem propósito é um mero capricho e pode até chegar a ser perigoso.

O poder depende da energia, assim como a sobrevivência depende da matéria, e a sexualidade, do movimento. O poder, do latim *podere*, "ser capaz", tem o mesmo significado que Shakti, que vem da raiz *shak*, "ser capaz". Shakti é o nosso campo de energia primordial, que é ativado e moldado pela centelha de Shiva.

Assim como a eletricidade precisa ser direcionada por fios para que possa ser usada, nossa energia vital deve ser direcionada pela consciência para que possamos utilizá-la com um verdadeiro senso de poder. Nossas células metabolizam e produzem energia recebendo pouquíssimas direções nossas, ou até mesmo nenhuma. Para termos poder, no entanto, precisamos ser conscientes e entender as relações entre as coisas. Precisamos ser capazes de perceber e assimilar novas informações, de ajustar nossas ações para que elas tenham máximo efeito.

Precisamos ser capazes de criar e imaginar acontecimentos fora da nossa época atual e do nosso espaço. Precisamos de conhecimento, memória e raciocínio.

Então, o poder depende igualmente dos chakras superiores, mas não à custa dos inferiores. À medida que adquirimos uma maior compreensão da consciência e do mundo espiritual, descobrimos que nossos conceitos de poder realmente evoluem. Essa evolução vem de dentro de cada um de nós, do nosso cerne, das nossas raízes e instintos, e também das nossas visões, da nossa criatividade e inteligência. Nosso futuro depende dela.

FORÇA DE VONTADE

Avalio a força de vontade pelo tanto
de resistência, dor e tortura que ela aguenta,
e pelo quanto disso ela consegue aproveitar.

Friedrich Nietzsche[80]

Como você faz algo acontecer? Você fica sentado e faz grandes desejos? Espera as circunstâncias se encaixarem? Não é provável, caso você queira fazer alguma mudança de verdade. Para isso, é preciso exercer a força de vontade.

A força de vontade é a mudança conscientemente controlada. À medida que o segundo chakra abre as dualidades, escolhas nos são apresentadas. *Fazer essas escolhas dá origem à força de vontade.*

A força de vontade é o meio pelo qual superamos a inércia dos chakras inferiores e a faísca essencial que acende as chamas do nosso poder. É a combinação de mente e ação, é a direção consciente do desejo — o meio pelo qual criamos nosso futuro. É impossível haver poder pessoal sem força de vontade, portanto ela é crucial para o desenvolvimento do terceiro chakra.

Todos nós passamos por acontecimentos desagradáveis em vários momentos das nossas vidas. No nível emocional do segundo chakra, podemos nos sentir vítimas das nossas circunstâncias. Como vítima, nós nos sentimos impotentes. Sentir essa impotência e a dor é um passo importante, pois isso nos coloca em contato com nossas necessidades e é combustível para a força de vontade.

Para chegar ao terceiro chakra, porém, precisamos parar de nos ver como vítimas e perceber que uma mudança duradoura só pode nascer dos nossos próprios esforços. Se culparmos os outros, nossa única possibilidade de melhorar terá de vir da esperança de que os outros mudem — algo que não podemos controlar. Quando assumimos a responsabilidade, as mudanças acontecem sob jurisdição da nossa própria força de vontade, e assim podemos realmente nos curar das circunstâncias de vitimização.

---

80. Friedrich Nietzsche, *The Will to Power*. Livro 2, nota 362 (1888, tradução de 1967).

Não estou negando que a vitimização exista nem que muitas circunstâncias da nossa cultura sejam bastante injustas. Tampouco estou defendendo a crença da Nova Era de que somos os únicos criadores da nossa realidade, criada independentemente de todos os outros.[81] Em vez disso, força de vontade é a percepção de que podemos enxergar cada desafio como uma oportunidade de despertar nosso potencial mais elevado. Isso não significa negar aquilo que aconteceu antes, mas incorporá-lo, usando-o como trampolim para o futuro. Embora nem sempre possamos controlar o que acontece conosco, podemos controlar o que fazemos a respeito.

A missão da força de vontade é, em primeiro lugar, superar a inércia. Como afirmamos anteriormente, a inércia ocorre em repouso ou em movimento. A letargia ou preguiça é um exemplo da inércia em repouso. Quando nos levantamos e começamos a nos mexer, nossos músculos oxidam e nosso coração se enche, e temos mais energia. Quem corre, por exemplo, diz ter muito mais energia quando realiza esse exercício, apesar da energia que se gasta. Energia gera energia por meio da criação do impulso — e é a força de vontade que inicia esse processo. Também podemos terminar nos envolvendo com o impulso de algo que gostaríamos de evitar. Aqui, podemos usar a imobilidade para causar a mudança, recusando participar desse movimento e interrompendo-o quando ele nos alcança.

Na Árvore da Vida cabalística, a força de vontade é a combinação consciente da força e da forma do terceiro nível, relacionado a *Hod* e *Netzach*. Netzach proporciona a beleza radiante e a energia, enquanto Hod é o estado mais intelectual, a inteligência e a forma. Isso reflete o papel das correntes ascendente e descendente ao se encontrarem no terceiro chakra. A força de vontade é mais eficaz quando é inteligente e estratégica. Isso nos impede de desperdiçar energia tentando fazer coisas somente pela força. É o trabalho mais inteligente que é mais eficiente, e não o trabalho mais duro.

No *Manipura*, força e forma se unem, e uma faz a outra evoluir para níveis mais elevados e mais eficientes. Depois que a chama do terceiro chakra é acesa, é menos difícil manter o fogo. Quando a luz da compreensão nasce, o caminho para uma maior compreensão se ilumina. Quando a Kundalini sobe até esse chakra, ela se revela. Aqui, ela acende o fogo para destruir a ignorância, as armadilhas cármicas e as impurezas físicas. É nesse chakra que a Kundalini começa a queimar!

O primeiro passo para desenvolver sua força de vontade é perceber que você a tem e que ela funciona muito bem o tempo inteiro. Olhe ao seu redor. Tudo que você vê no seu meio pessoal foi criado por sua própria força de vontade — a

---

81. Podemos criar nossa própria realidade, mas ela é criada em um campo com mais 6 bilhões de pessoas que também a criam. Nossa realidade não é independente; ela está imersa em uma estrutura maior que impõe certos desafios e limitações.

roupa que está vestindo, a casa onde mora, os amigos que mantêm. A pessoa não se sente impotente devido à ausência da força de vontade, mas por não a reconhecer nem se conectar com o uso inconsciente dela.

É comum não reconhecermos que temos força de vontade. Quantas vezes no dia você não olha seus deveres, suspira cansado e diz (ou reclama): "Eu *preciso* fazer isso!". Dizemos para nós mesmos que precisamos ir para o trabalho, lavar a louça, resolver isso ou aquilo, precisamos passar mais tempo com nossos filhos. É desgastante olhar essas circunstâncias como uma temida série de obrigações, e não como escolhas que fazemos ativamente. Eu não *preciso* lavar a louça, mas *escolho* lavá-la porque gosto de ter a cozinha limpa. Eu não *preciso* trabalhar, mas *escolho* trabalhar porque gosto de receber um salário ou porque gosto de honrar meus compromissos. Essa mudança sutil de atitude nos ajuda a estabelecer proximidade com a vontade e a nos realinhar com ela.

Quando se fala de vontade, costuma-se fazer uma distinção entre vontade e a vontade real. Se você faz o que alguém lhe diz para fazer, mesmo quando não quer, está exercendo sua vontade, mas, no fundo, não sua vontade real. Você essencialmente concedeu sua vontade para outra pessoa. Para tomá-la de volta, precisa saber que essa escolha foi sua e examinar os motivos por trás dela. Está tentando agradar a alguém? Com medo das consequências? Está distante de si mesmo? Como podemos abordar essas questões?

É somente quando respondemos a essas perguntas que vemos a quem a nossa vontade está servindo. Ela está a serviço de uma boa aparência? Do desejo de ser uma pessoa agradável? Da manutenção da paz? Da fuga das responsabilidades? Do desejo de permanecer invisível? Quando descobrimos a que nossa vontade serve, o passo seguinte é nos questionar sobre o que ela pode estar traindo. Ter uma boa aparência trai suas verdadeiras necessidades? Manter a paz significa perpetuar circunstâncias negativas que precisam ser confrontadas? Agradar aos outros é diminuir sua autoestima? Quando nos conscientizamos desses efeitos, nos empoderamos para escolher entre eles.

A verdadeira força de vontade requer uma comunicação profunda com o eu, uma confiança na própria vontade e a disposição de correr riscos e de aceitar a responsabilidade por eles. Se nos atrevemos a contrariar os princípios de alguém e exercer nossa vontade, corremos o risco de sermos criticados, ridicularizados e até mesmo abandonados. É assustador, especialmente se nosso ambiente familiar está muito envolvido com o *paradigma da submissão*. É quando nos atrevemos a usar nossa força de vontade que nasce um senso de eu mais forte, e assim ela se desenvolve mais ainda. Como um músculo, não podemos fortalecê-la sem exercitá-la. E como qualquer exercício, ela nos serve melhor quando a usamos com inteligência.

A vontade real pode ser considerada uma expressão individual de uma vontade superior, divina. Ela vem da nossa sintonia básica com algo maior. A vontade real se estende além do *ego-self* e assimila um propósito superior. Ela não age pela recompensa, mas porque a ação é "correta". Como disse Aleister Crowley, "a verdadeira vontade, sem um propósito, sem a ânsia pelo resultado, é perfeita de todas as maneiras".[82] Assim, se nos livramos da ânsia do ego por resultados, as ações da vontade nos levam a nosso destino. Embora não se possa garantir que não haverá sofrimento nesse destino, você certamente pode esperar que isso ative o terceiro chakra e acenda o núcleo do seu ser.

Detectar e usar a vontade superior é algo delicado. Muitas pessoas que conheço usam o conceito de vontade superior para escapar do contato com a própria vontade e veem o poder fora de si mesmas. "O que o universo quer que eu faça nesta situação? Por que ele não me dá nenhum sinal?" Toda decisão é precedida de várias leituras de cartas e de incontáveis pedidos de conselhos para outras pessoas. Elas podem dar aos outros o poder de decidir por elas, como a um médium, um professor, um terapeuta ou um guru. Muitas vezes é recomendável buscar orientação, mas ocasionalmente podemos evitar as responsabilidades dessa maneira. Talvez uma pergunta melhor seja: "como eu sirvo o mundo e como posso fazer isso da melhor maneira possível?". O poder interior é uma abertura ao fluxo de poder ao nosso redor, e nossas vontades se enroscam em nosso propósito com graciosidade quando esses poderes estão alinhados.

Quando conhecemos nossa vontade, voltamos para um nível mais prático e a exercemos com mais eficácia. Primeiro, precisamos nos certificar de que estamos aterrados. Sem o aterramento, não estamos conectados e não temos a força da corrente libertadora passando por nós. Somos influenciados com mais facilidade, muitas vezes reagindo à vontade de outra pessoa. Isso assume a forma de uma "vontade intelectual" e se sobrepõe aos desejos internos do corpo. É observado com facilidade pela preponderância do "devo" e "preciso" no nosso diálogo interno. A autodisciplina é importante, mas funciona melhor como um "quero" do que como um "devo". Dessa maneira, todo o nosso corpo-mente fica em conformidade com ela.

Assim como o poder, a força de vontade costuma ser associada à disciplina, ao controle e à manipulação, como aquela necessária para se iniciar uma dieta, terminar um curso ou concluir um projeto. Embora a disciplina seja essencial para realizar a maioria das coisas, ela é outro aspecto do controle sobre as partes separadas quando não há uma harmonia interna no corpo-mente. Eu preciso de disciplina para ficar sentada aqui editando este livro, mas minha força de vontade e meu desejo estão ligados ao meu propósito. As partes que mais preciso editar são aquelas que escrevi quando me senti obrigada, porque era o horário de escrever, e não porque "bateu uma inspiração". Elas não têm tanta força. Sem uma harmonia

---

82. Aleister Crowley, *The Book of the Law*, verso 44, p. 23-24.

entre força de vontade e desejo, perdemos nossa paixão e nosso impulso e, por conseguinte, dissipamos a força necessária para exercer nossa vontade.

Para ativar nossa força de vontade também precisamos nos comunicar com nossos desejos. Como podemos exercer nossa força de vontade se não sabemos o que queremos? Embora um apego indevido aos desejos possa nos manter presos nos chakras inferiores, a supressão faz apenas bloquear a potência da força de vontade. Quando uma pessoa se sente privada, pouco amada ou exaurida por conta do trabalho, é mais fácil manipulá-la. A força de vontade prospera mais quando estamos relaxados, felizes e em contato conosco.

Porém, força de vontade nem sempre significa harmonia com todos os desejos. Você pode desejar uma fatia de bolo de chocolate, mas sua força de vontade a recusa porque você quer perder peso. Talvez não queiramos realizar uma determinada tarefa, mas nos obrigamos mesmo assim e a executamos com tranquilidade. Ainda servimos nossos desejos, mas escolhemos quais são mais importantes em longo prazo.

É aqui que a disciplina se torna mais importante. A palavra disciplina na verdade vem de discípulo — o desejo de estudar alguma coisa. Aqui nos deparamos com o estranho paradoxo de entregar nossa força de vontade a uma estrutura ou forma que provoca a concretização dessa força. Nesse ato de disciplina há uma certa transcendência dos sentimentos, pois talvez "não sintamos vontade" de fazer nossa meditação em algum dia em particular ou "não tenhamos vontade" de ir para o trabalho. Mas esses sentimentos se tornam irrelevantes quando nossa força de vontade está atrelada a algum propósito maior. Assim, o terceiro chakra tem como combustível a orientação dos sentimentos do segundo chakra e, ao mesmo tempo, transcende-a.

O conhecimento da força de vontade, com suas constantes e infinitas escolhas, vem de um senso de propósito mais aprofundado, que nasce da nossa orientação em relação a ele. Ele nasce de quem nós somos, de quem amamos e olhamos, daquilo a que dedicamos nossos talentos. Cada um de nós tem um propósito, e nossa maior força de vontade deve se dedicar a satisfazê-lo. Muitas vezes esse propósito é capaz de perceber a diferença entre a força de vontade e um capricho, duas coisas que costumam ser difíceis de distinguir. O capricho é momentâneo, e a força de vontade tem um propósito maior. Examinamos os efeitos em longo prazo das nossas ações e o papel que estas desempenham em nosso senso de propósito. Pensamos em termos de causa e efeito abrangentes. O poder também aumenta com o nosso senso de propósito, pois este nos dá a direção que transforma a mera energia em um poder efetivo.

Se o propósito não está claro para nós, fica difícil identificar força de vontade em dada situação. O dever da consciência é avaliar com precisão quem nós somos, e dentro desse mistério se encontra o propósito que nossa força de vontade deve abordar. Quando a conhecemos, sua força aumenta à medida que é usada.

Muitas vezes usar nosso poder é apenas uma questão de, em primeiro lugar, entender que realmente o temos. Essa compreensão é fortalecida pelo uso e pela experimentação, que resulta em um aumento da confiança.

Todos os chakras têm seus aspectos positivos e negativos, e o uso em demasia da vontade pessoal pode nos manter presos a esse nível, especialmente se ela não estiver em harmonia com a grande vontade cósmica da qual faz parte. Uma pessoa inteligente e sensata tem de reconhecer quando a força de vontade se torna prejudicialmente dominadora e excessivamente controladora e, se ela não percebe, outras certamente tentarão avisá-la. Usar esse chakra requer o desenvolvimento da força de vontade, mas, para passarmos dele, precisamos saber deixá-la de lado quando apropriado. Aquele que é realmente poderoso não deve sentir a necessidade de dominar.

Quando a vontade divina e a pessoal são uma só, é crucial segui-la. Quando a vontade pessoal está dessintonizada em relação à superior, é igualmente essencial que essa diferença seja detectada. Mais uma citação de Crowley: "o homem cuja vontade consciente está em desarmonia com sua vontade real desperdiça suas forças e não pode esperar influenciar seu ambiente com eficiência".[83] Nesse momento, os motivos da nossa vontade pessoal devem ser reexaminados. Quando isso não é feito, pode ser que encontremos um número indevido de obstáculos no caminho, dificultando cada passo. Embora muitos caminhos sejam difíceis, os corretos para nós têm uma certa coerência em seu fluxo que torna a dificuldade mais tolerável. Cabe à nossa inteligência perceber o caminho correto. Cabe à nossa força de vontade seguir esse caminho.

AUTOESTIMA

Que o homem conheça seu valor
e mantenha as coisas sob seus pés.

Ralph Waldo Emerson[84]

As características do terceiro chakra — poder, força de vontade e autodisciplina — baseiam-se na autoestima. Quando nossa autoestima se mantém elevada, somos confiantes, assertivos, proativos, disciplinados e entusiasmados com a vida. Quando ela está em baixa, ficamos cheios de dúvidas e nos recriminamos, o que termina limitando o impulso psíquico necessário para se fazer alguma coisa. Se esses limites são muitos, perdemos completamente nosso impulso e terminamos entrando em um estado de inércia. Quando nos encontramos nessa poça de inércia, os questionamentos e as recriminações só pioram, e o ciclo pode terminar se tornando paralisante.

---

83. Aleister Crowley, *Magick in Theory and Practice*, xv.
84. Ralph Waldo Emerson, "Self-Reliance". *In: Essays*, 1841. (First Series)

A essa altura, o demônio da vergonha já entrou no terceiro chakra e talvez tenha até o dominado. A vergonha é a antítese da autoestima e faz o centro do corpo desmoronar, privando-o de energia. Ela interrompe a fluidez que sobe da base e exagera a energia mental restritiva que desce do topo. Em vez de se mover para fora, ela se volta contra si mesma.

A autoestima vem de um senso realista do *self*. Inicialmente, isso vem do corpo e da identidade física, que estabelecem nossos limites e nossas beiradas. Depois, ela vem do segundo chakra e da nossa identidade emocional, que trazem vivacidade à nossa experiência do *self* e nos mantêm felizes e em sintonia. Em terceiro lugar, a autoestima vem da tentativa e do erro à medida que corremos riscos e encontramos sucessos e fracassos, pois, ao fazer isso, adquirimos um senso realista das nossas próprias habilidades. Por meio da autodisciplina, aperfeiçoamos nossas habilidades, que formam a base da autoestima.

Nosso conceito de *self* se ilumina mais ainda com as interações com os outros. Se somos amados e aceitos por eles (quarto chakra) e sentimos que temos algo a dar, é mais provável que nos amemos e nos aceitemos. Por meio da comunicação podemos obter opiniões sinceras sobre como os outros nos percebem e somos capazes de revelar o interior do nosso *self*. E por meio dos dois chakras superiores obtemos os elementos transpessoais que mantêm o *self* em uma matriz maior.

A autoestima forma uma boa base para a abertura do coração e para a manutenção de relacionamentos bem-sucedidos. Se os chakras inferiores cumpriram o dever, nosso parceiro não precisa nos transmitir segurança, interpretar nossos sentimentos e sustentar nosso ego. Assim, podemos entrar mais completamente na experiência prazerosa do amor.

ACABANDO COM A IMPOTÊNCIA

A limitação é a primeira lei da manifestação,
portanto é a primeira lei do poder.

Dion Fortune[85]

Como qualquer outro músculo do corpo, o poder precisa ser desenvolvido conscientemente. Como diz a famosa expressão, "conhecimento é poder", e boa parte da impotência resulta da ignorância a respeito de como podemos nos comportar com eficácia. Pode ser simplesmente por falta de percepção ou de atenção. Aumentar nossa consciência aumenta nosso poder. Portanto, fazer coisas como meditar pode nos ajudar. À medida que fazemos a energia subir pela coluna e que essa energia perfura essa terceira camada, o sentimento de poder termina surgindo naturalmente. Todavia, apenas meditar não basta.

---

85. Dion Fortune, *The Cosmic Doctrine*.

Apresento abaixo alguns conceitos simples relacionados ao desenvolvimento do terceiro chakra e alguns exercícios físicos para a abertura dele.

INTERROMPA A INÉRCIA

Faça algo diferente. Caso esteja se sentindo letárgico, mexa-se. Caso esteja se sentindo hiperativo, fique parado. Interrompa os padrões repetitivos e entediantes e escolha um desafio. Superar dificuldades aumenta a força e a confiança. O poder raramente se desenvolve quando a pessoa se prende à segurança. Abra mão da segurança, assim seu chakra do poder despertará mais rapidamente.

EVITE CRÍTICAS

As críticas que vêm daqueles que não entendem sua situação às vezes podem ser mais prejudiciais do que benéficas, especialmente se você é sensível e as leva a sério. Muitas vezes, quando estamos fazendo algo novo e incerto, as críticas podem paralisar nosso poder na mesma hora. Elas fazem a pessoa sensível parar bruscamente. Lembre-se de que, como disse Albert Einstein, "quem mais se opõe às novas ideias são aqueles que não as entendem corretamente".

FIAÇÃO E RESISTORES

Certifique-se de que sua energia está percorrendo um circuito completo, que aquilo que você põe para fora terá uma maneira de voltar. Certifique-se de que essa energia não está se interrompendo, se prendendo, se dissipando ou se fragmentando. Use o fluxo e o impulso do segundo chakra para ativar a força de vontade.

ESFORÇO E RESISTÊNCIA

O esforço e a resistência são cansativos e exaurem nossa energia. Ambos são sinais de que o nosso poder não está fluindo em harmonia. Ao perceber que está fazendo um esforço muito grande, pare. Pense na coisa que está fazendo e imagine que ela está sendo feita sem nenhum esforço, com tranquilidade e prazer. Pergunte-se por que você está tão apegado a ela e por que ela está exigindo tanto esforço — o que está faltando para que ela flua com suavidade?

Se você resiste constantemente a alguma força, pergunte-se por que ela tem se manifestado na sua vida. Nesse momento, a resistência costuma ser medo, o oposto do poder. Do que você tem medo? Imagine o que aconteceria se você parasse de resistir. Como sua força de vontade pode protegê-lo com menos esforço ou resistência?

ACABANDO COM OS APEGOS

A energia que é direcionada a algo que não se manifesta é uma energia que está "suspensa", presa ou inútil. Após um esforço razoável, se uma coisa não estiver dando certo, deixe-a para trás. A energia que você sente quando o apego não o controla mais pode ser entusiasmante. Quanto mais você deixa para trás, menos atrito há na sua energia. Quanto mais leve você se torna, mais se move na direção do espírito e mais se afasta da matéria. Mas cuidado para não se afastar demais, pois o plano terrestre é onde o poder se manifesta e, sem um pouco de solidez, talvez o poder fique difuso demais.

ATENÇÃO

Atenção concentra a energia. Preste atenção quando for necessário. Preste atenção em si mesmo. Dê atenção e aceite-a dos outros. Perceba para onde ela vai. Para onde quer que ela vá, o restante da energia certamente irá atrás.

ATERRAMENTO

Devemos ser capazes de concentrar nossa atenção aqui e agora para manifestar poder. O aterramento nos traz para o presente, para dentro dos nossos corpos, e consolida e foca nossa energia. Nós vamos subir para além desse chakra, mas essa simples prática jamais deixa de ser necessária.

RAIVA

Às vezes, expressar a raiva obstruída de uma maneira segura e eficaz pode ajudar a desbloquear o terceiro chakra. A melhor maneira de fazer isso é juntamente com o aterramento, e é uma maneira excelente de usar a energia em seu interior para provocar uma mudança — se não nas suas circunstâncias, pelo menos no seu estado mental. Muitas vezes um poder obstruído é uma raiva obstruída. A raiva é uma força potente e purificadora, mas é difícil conquistá-la e ela deve ser usada sabiamente. Não vale a pena machucar entes queridos devido a questões com as quais devemos lidar internamente.

AUMENTE AS INFORMAÇÕES

Conhecimento é poder, e, quanto mais aprendemos, mais podemos fazer; teoricamente, menos erros cometemos. Em qualquer circunstância, o aprendizado ajuda a aumentar o poder da pessoa.

AMOR

O amor é a força unificadora que conecta todos nós, nos inspira e nos dá força para seguir em frente. Ele é entusiasmante, purificador, animador e curativo, e envia a energia dos chakras superiores para o nosso terceiro chakra. Ele nos dá confiança, contato e propósito, fortalece a autoestima e inspira a força de vontade.

RISADA

Levar as coisas a sério demais pode dificultar o contato com nosso poder. Se conseguimos rir de uma determinada situação, temos poder sobre ela. Sempre que as coisas parecerem terríveis, lembre-se de rir de si mesmo.

AUTOCUIDADO

Se você não se cuidar, ninguém mais o fará. Você conhece seus desejos e necessidades mais do que ninguém. Se você se cuida, isso diminui a necessidade de obter cuidado de fora, e a necessidade costuma ser inversamente proporcional ao poder.

MEDITAÇÃO DE EMPODERAMENTO

Pense em alguma época em que você se sentiu impotente ou vitimizado. Volte para ela e sinta o medo e a raiva daquela fase da sua vida, como criança, adolescente, adulto... Deixe que seu corpo expresse a forma dos seus sentimentos naquele momento. Como você andava? Como você se portava? Como você falava?

Pare um instante para sair desse cenário e examiná-lo a distância, como se você fosse um espectador. Veja se consegue ser compassivo consigo mesmo, aceitando-se sem se criticar. Caso consiga, depois veja se consegue rir de si mesmo e achar graça no *pathos*, no sofrimento, na seriedade.

Em seguida, volte para o cenário e o reviva com um final diferente. Imagine-se fazendo algo que muda a situação: sinta raiva, revide, fuja, ria, mantenha-se firme — qualquer coisa que você considere uma ação de poder. Se precisar chamar a ajuda de espíritos ou amigos, sinta-se à vontade. Faça o que for necessário para mudar a situação.

Depois de resolvê-la, parabenize-se. Perceba o senso de completude e satisfação. Tente trazer essas coisas para sua vida neste momento.

Depois, pergunte a si mesmo se, neste instante, você culpa alguém pelas circunstâncias da sua vida. Quanto poder você gasta com essa pessoa? Para retomar seu próprio poder, escreva o nome dela em um pedaço de papel e queime-o, dizendo: "A partir de agora, eu a liberto da responsabilidade pela minha vida e por seus fracassos. Agora, eu assumo essa responsabilidade.". Ao retomar a energia, você se empodera.

EXERCÍCIOS DO CHAKRA TRÊS

RESPIRAÇÃO DO FOGO

Essa respiração diafragmática é rápida e ajuda a limpar as toxinas do corpo, aumentar o fogo interno e estimular a corrente ascendente.

Sente-se com a postura ereta e confortável e com as pernas relaxadas.

Usando os músculos do abdômen, contraia bruscamente o diafragma fazendo uma rápida expiração escapar do seu nariz. Deixe a boca fechada.

Ao relaxar o abdômen, o ar entrará naturalmente pelo seu nariz e pelo seu peito, causando uma inspiração. Você não precisa forçá-la.

Em seguida, contraia bruscamente o diafragma outra vez, relaxe, inspire e expire de novo.

Quando esse processo se tornar confortável, repita-o rapidamente, provocando várias expirações rápidas em sequência. Faça sequências de cinquenta, ou algo assim, respirando longa e profundamente no final de cada uma. Três sequências de cinquenta ou mais são um bom começo. Após um tempo, você pode estabelecer o seu ritmo conforme o que lhe parecer adequado. Aumente o número e a velocidade à medida que os músculos se acostumam.

FAZER *COOPER*

Um exercício físico intenso de muita energia, que estimula o coração, faz os pulmões respirarem e bombeia o sangue pelo corpo. De todos os exercícios, a corrida é provavelmente o melhor remédio para superar a inércia.

ABDOMINAIS

Por mais que a prática soe como "americana", ou seja, que não tenha nada a ver com o yoga, os abdominais tradicionais aumentam o tônus muscular por cima do terceiro chakra e ajudam os órgãos digestivos.

Comece deitado de costas, com os joelhos dobrados e os pés paralelos. Entrelace os dedos na nuca.

Contraia os músculos da barriga até a cabeça se erguer alguns centímetros do chão, expirando. Você não precisa subir até ficar totalmente sentado. Os músculos trabalham nos primeiros centímetros de contração.

Inspire enquanto abaixa a cabeça, expirando enquanto faz força. Repita quantas vezes puder, aumentando a quantidade com o tempo.

EXERCÍCIO DO LENHADOR

O tom associado ao terceiro chakra é o som alto do "ah". Ele deve acompanhar os movimentos desse exercício, que também é uma excelente maneira de expressar a raiva.

Levante-se e fique com os pés firmes no chão, com os calcanhares a uma distância de cerca de meio metro. Erga os braços por cima da cabeça com as mãos unidas. Arqueie as costas um pouco para trás (ver Figura 4.3, abaixo).

Fazendo o som "ah" ao descer, abaixe todo o tronco, fazendo suas mãos passarem entre as pernas (ver Figura 4.3, abaixo). O movimento deve ser rápido e suave. Realize-o com o máximo de força e poder possível.

Faça de cinco a dez repetições de cada vez e sinta a energia surgir no seu tronco.

Figura 4.3
Exercício do lenhador.

POSTURA DO ARCO

Deite-se de bruços, com as mãos nas laterais do corpo, e relaxe. Respire fundo, dobre os joelhos e segure seus tornozelos (se não conseguir alcançá--los, você pode usar uma faixa).

Ao inspirar, erga a cabeça, pressione o sacro para baixo e arqueie as costas levantando o peito e puxando os tornozelos. Deixe seus braços puxarem seus ombros para trás e se equilibre na sua barriga (ver Figura 4.4, página 157). Respire profundamente.

Deixe suas mãos fazerem a força para manter o arco enquanto o restante do seu corpo relaxa o quanto for possível nessa posição estranha.

ALONGAMENTO FRONTAL

Sente-se e estenda as duas pernas à frente do corpo, com as palmas das mãos no chão na altura dos seus quadris.

Empurre a pelve para cima criando um pequeno arco dos seus pés à cabeça e empurre especialmente o plexo solar (ver Figura 4.5, página 157).

Aos poucos, relaxe e volte para a posição sentada.

POSTURA DO BARCO

Essa preciosidade tonifica os músculos da barriga, além de desenvolver o equilíbrio e o autocontrole. É difícil manter essa postura sem prática.

Deite-se de costas, levante os pés e as pernas (mantendo os joelhos retos o máximo possível) e erga também o tronco, deixando seu corpo com a forma da letra v (ver Figura 4.6, página 157). Mantenha a postura pelo tempo que conseguir e depois relaxe.

Para uma versão mais fácil, tente erguer uma perna de cada vez ou encostar os pés na parede, pois assim você se concentrará mais nos músculos abdominais do que nos músculos da coxa, que talvez não tenham a força necessária.

Figura 4.4
Postura do arco.

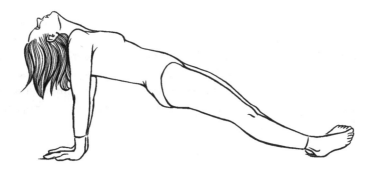
Figura 4.5
Alongamento frontal.

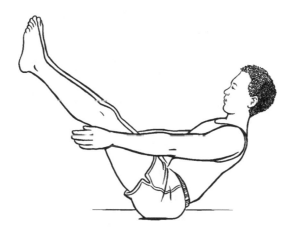
Figura 4.6
Postura do barco.

CRIANDO O SOL

Os braços desempenham um importante papel na ativação do poder porque fazem contato com o mundo. É pelos braços que *fazemos*, e o terceiro chakra tem tudo a ver com o fazer. Esse exercício é forte por envolver visualização e movimento físico ao mesmo tempo. Ele move a energia do coração e do plexo solar para os braços e as mãos.

Fique de pé com os braços acima da cabeça e com os pés na largura dos ombros.

Respire fundo, estenda os braços e os dedos o máximo possível e desça-os lentamente até as laterais do seu corpo, com as palmas das mãos viradas para baixo e os braços se estendendo e se alongando para fora o máximo possível o tempo inteiro (ver Figura 4.7, abaixo).

Na metade da descida você vai começar a sentir como se estivesse fazendo pressão contra alguma força invisível. Enquanto faz isso, imagine que você é o centro do Sol e que seus braços delimitam a circunferência dele. Quando sentir a força contrária a você, imagine que ela é um bloqueio no qual está trabalhando. Sinta suas mãos afastá-lo. Imagine a energia fluindo para fora dos seus dedos e, quando o círculo estiver completo, pare um instante e imagine o brilho solar ao seu redor.

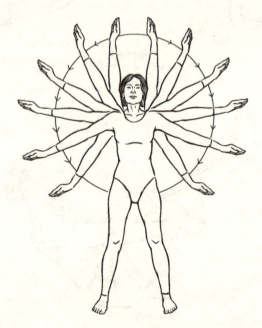

Figura 4.7
Criando o sol.

CAMINHADA PODEROSA

Fique de pé com a postura ereta, os cotovelos dobrados e os punhos cerrados na altura do peito.

Dê um passo e mova um braço para fora, como se estivesse afastando obstáculos. Depois, faça o movimento com o outro braço.

Repita.

Ao fazer isso, finja que está tirando os obstáculos de perto. Mesmo que se sinta ridículo, use palavras como SAI e FORA para enfatizar a ação.

RODA DA RISADA

Essa é uma brincadeira infantil que deve ser feita com um grupo de pelo menos três pessoas, mas é melhor com quatro ou mais.

Todos se deitam no chão e cada um encosta a cabeça na barriga de outra pessoa. Alguém começa dizendo um forte "há" três vezes, depois é a vez de outra pessoa, depois de outra. Quando nossas cabeças começam a balançar em cima das barrigas, é apenas uma questão de tempo para que cada "há" se transforme em "há-há" e em gargalhadas.

Basicamente, tudo que faz a energia se mover com rapidez é bom para o terceiro chakra. O importante é superar a inércia. Depois que isso acontece, a energia passa a pertencer ao domínio da força de vontade, no qual desejo e compreensão transformam energia em ação. É um passo entusiasmante para o desenvolvimento da nossa consciência.

LEITURAS SUPLEMENTARES RECOMENDADAS SOBRE O CHAKRA TRÊS

Assagioli, Roberto. *O ato da vontade*. São Paulo: Cultrix, 1985.

Crowley, Aleister. *Magick in Theory and Practice*. Nova York: Dover Publications, 1976.

Denning, Melita e Phillips, Osborne. *Guia prático da autodefesa psíquica*. São Paulo: Siciliano, 1991.

Macy, Joanna Rogers. *Despair and Personal Power in the Nuclear Age*. Palo Alto: New Society Publishers, 1983.

May, Rollo. *Amor e vontade — Eros e repressão*. Petrópolis: Vozes, 1992.

Starhawk. *Truth of Dare: Encounters with Power, Authority, and Mystery*. San Francisco: Harper & Row, 1987.

CHAKRA QUATRO

AMOR
AR
RESPIRAÇÃO
EQUILÍBRIO
RELACIONAMENTO
AFINIDADE
UNIDADE
CURA

Capítulo 5
CHAKRA QUATRO: AMOR

MEDITAÇÃO INICIAL

Fomos feitos a partir do amor.
Nas ondas da paixão, nosso espírito se acendeu e descemos para dentro de nossas mães... mater... matéria...
A força do amor nos chama para penetrar a Terra,
assim como o pai penetrou a mãe.
Dentro do útero, engatinhamos em seu interior morno e escuro de terra e água. No útero do amor — escuro, seguro, cercado, silencioso.
Crescemos.
No escuro havia tão somente um som —
o som da vida, o som do amor, o som do coração.
Batendo... batendo... batendo... batendo...[86]

Escute-o agora em seu coração. O ritmo dele bombeia vida e ar por todas as suas partes, renovando-as;
banhando você de ar, espaço, respiração, vida.
Sinta-o agora no seu âmago, segure-o com suas mãos.
Sinta-o desejar, chorar, amar, esperar, curar.
Sinta-o no seu interior, com a mesma idade que você, batendo desde os dias das profundezas do útero, sinta há quanto tempo ele está presente,

Sempre batendo. Sem jamais parar.
Sempre batendo. Sem jamais parar.
Sempre batendo. Sem jamais parar.
Sempre batendo. Sem jamais parar.
Sempre batendo. Sem jamais parar.
Você ama esse coração?

---

86. Recomenda-se ter um tambor batendo, representando o batimento cardíaco.

Inspire profundamente, puxando o ar para dentro de si... com suavidade, profundidade e sabedoria.

Quando você respira, o espírito entra no seu coração e lhe toca... move... muda.

No fundo, você o aceita com a mesma sede com que bebe.

Agradeça por esse recipiente que recebe.

Agora, com mais rapidez, em ondas de chamas, nós nos lançamos ao céu com alegria, indo para cima da Terra, da água, do fogo, entrando no ar.

Estendemos e abrimos nossas asas e voamos, livres, para sermos levados pelos ventos. Mas logo somos arremessados e exclamamos:

Onde está o coração? Onde está o coração? Onde está meu lar?

Tentamos escutar a batida e voamos para dentro do seu som.

Aproximamo-nos do chão, desacelerando.

Nos aquietamos para escutar mais a fundo; o som é quieto.

Nós nos estendemos delicadamente, pois o coração é tenro. Tocamos suavemente, pois o coração tem medo.

Abrimos as mãos para o amor interior, a fim de unirmos, tocarmos, curarmos.

Ofereça esse amor agora. Peça para entrar no seu próprio coração.

Escute atentamente e ouça por dentro um som silencioso.

Anahata, Anahata, Anahata, Anahata.

Escute atentamente e respire dentro do som, a respiração, as asas da cura.

Inspire... e expire.... inspire... e expire... inspire... e expire...

Inspire o que é novo, expire o que é velho, renovando-se a cada respiração.

Cada respiração forma um vento dentro de você e ao seu redor, um suave zéfiro, a tempestade da vida, os ventos da mudança.

Pelo que o seu coração grita? Pelo que ele anseia? No que ele encontra paz? Livre-se das esperanças e sonhos dele para voar nas asas da mudança e depois voltar nas asas do amor, mais realizado do que nos seus sonhos.

Você não está sozinho. Seus gritos são ecoados por mil corações semelhantes.

Se tentar escutar, conseguirá ouvi-los batendo, batendo, batendo, batendo.

No fundo de cada pessoa, encontre o coração.

Ao seu redor, você encontra o coração.

No fundo de nós mesmos, encontramos o coração.

Sempre que tocamos, tocamos o coração.

Dentro de cada um há um amor que aguarda um doce despertar.

Solte esse amor nas asas da respiração e vá além.
Toque os corações dentro daqueles que você ama,
E escute o ar sibilar quando eles inspiram... e expiram... inspiram... e expiram...

Bem como você, eles riem e choram e brincam,
Em um ritmo incessante todos os dias.
Sinta o coração tão parecido com o seu:
Esperando, curando, respirando, sentindo.
Que não haja nenhum som de violência,
Só de amor e afeição.

Cada um na dança do amor,
Que une a Terra ao mundo superior,
Criando entre todos nós uma união,
Cada um visto como irmão.
Há sementes da paz em cada coração,
Esperando uma doce libertação.
Nos ventos da mudança pairamos,
E dentro dos nossos corações exclamamos:
Anahata, Anahata, Anahata, Anahata.
O som do amor.

CHAKRA QUATRO — SÍMBOLOS E CORRESPONDÊNCIAS

Nome em sânscrito	*Anahata*
Significado	não produzido
Localização	coração
Elemento	ar
Estado externo	gasoso
Função	amor
Estado interno	compaixão, amor
Glândula	timo
Outras partes do corpo	pulmões, coração, pericárdio, braços, mãos
Mau funcionamento	asma, pressão sanguínea alta, doenças cardíacas, doenças pulmonares
Cor	verde
Som semente	*lam*

Som de vogal	*ei*, como em "peito"
Pétalas	doze
Naipe do tarô	espadas
Sefirá	Tipareth
Planeta	Vênus
Metal	cobre
Verbo correspondente	eu amo
Sentido	toque
Caminho do yoga	bhakti yoga
Ervas para incenso	lavanda, jasmim, raiz de íris, milefólio, manjerona, ulmária
Minerais	esmeralda, turmalina, jade, quartzo rosa
Guna	rajas ou *sattvas*
Animais	antílope, aves, pomba
Símbolos do lótus	doze pétalas com uma estrela de seis pontas no interior. No centro há um linga de Shiva dentro de um triângulo invertido (*trikuna*), dentro do símbolo semente *yam*. Há imagens de Isvara, deus da Unidade, e Shakti Kakini. Na base da estrela há um antílope correndo, símbolo da liberdade.
Divindades hindus	Vishnu, Lakshmi (como Preservadores), Krishna, Isvara, Kama, Vayu, Aditi, Urvasi
Outros panteões	Afrodite, Freia, Pã, Eros, Dian Cecht, Maat, Asclépio, Ísis, Éolo, Shu (além disso, Cristo; embora ele não seja tecnicamente uma divindade, representa a energia do chakra cardíaco)
Arcanjo	Rafael
Principal atributo de ação	equilíbrio

O CORAÇÃO DO SISTEMA

O amor nasceu primeiro; os deuses não conseguem alcançá-lo,
nem os espíritos, nem os homens...
Por mais que céu e terra se estendam, por mais que as águas se expandam,
por mais alto que as chamas ardam, você é maior, amor!
O vento é incapaz de alcançá-lo, assim como o fogo,
o Sol e a Lua — você é maior do que todos, amor!

Atharva Veda, 9.2.19

Agora que acendemos as chamas da nossa força de vontade, assumimos o controle das nossas vidas e queimamos nossos mais teimosos bloqueios, podemos deixar o fogo diminuir um pouco. À medida que ele se transforma em cinzas, nós nos voltamos para nosso centro, aquecidos, purificados e prontos para entrar no próximo nível da consciência.

A partir do plexo solar ativo e flamejante somos impulsionados para um domínio novo e diferente. A partir dos domínios do corpo e da manifestação, nos aproximamos do toque mais suave do espírito. A partir do foco no eu, e em seus desejos e ações, adotamos um padrão maior e interpretamos nosso pequeno papel dentro da grande teia dos relacionamentos. Transcendemos o ego e nos expandimos rumo a algo maior, mais profundo e mais forte. Quando nos estendemos para os céus, nos expandimos.

Agora chegamos ao ponto central do Sistema dos Chakras. Até mesmo na nossa linguagem o coração é considerado o centro das coisas, a essência, o cerne da verdade. É o nosso núcleo espiritual, nosso âmago, o lugar que une as forças superiores e inferiores, externas e internas. O dever do quarto chakra é integrar ao organismo inteiro um senso de completude radiante, uma aceitação da extraordinária interpenetração que há entre espírito e matéria. É nesse senso de completude que se encontram as sementes da paz interior.

O chakra cardíaco é o centro do amor. Como espírito e matéria estão juntos, Shiva e Shakti encontram-se unidos no coração. Em sua eterna dança de criação, o amor de ambos irradia por toda a existência, dando-lhe a permanência que possibilita a continuação do universo. Na forma de Vishnu e Lakshmi, os Preservadores, eles comandam a parte central das nossas vidas, proporcionando-nos estabilidade e continuidade. O amor de ambos pode ser considerado a força "vinculante" que mantém unidos todos os pilares que compõem a vida.

O amor que sentimos no nível do chakra cardíaco é bem diferente do amor mais sexual e apaixonado do segundo chakra. O amor sexual é mais orientado por um objeto, e sua paixão é estimulada pela presença de uma pessoa em particular. No quarto chakra, o amor independe de estímulos externos e é sentido como um estado de ser. Assim, ele irradia para fora, levando amor e compaixão a tudo que aparece no nosso campo. É uma presença divina que se conecta por empatia, e não uma extensão de uma vontade ou necessidade nossa. Espera-se que, por meio da força de vontade, nossas necessidades tenham sido satisfeitas ou transcendidas. O amor pode emergir de um senso profundo de paz oriundo da ausência de necessidades, com uma alegre aceitação do nosso lugar entre todas as coisas e o brilho que vem da harmonia interna. Diferentemente da natureza mutável do segundo chakra, com suas paixões transitórias, o amor do coração é duradouro, eterno e constante.

ANAHATA — O PONTO CENTRAL E IMÓVEL

O símbolo do chakra cardíaco é um círculo com doze pétalas de lótus cercando dois triângulos que se intersectam, formando uma estrela de seis pontas (ver Figura 5.1, página 167). Os triângulos representam a descida do espírito para o corpo e a ascensão da matéria para encontrar o espírito. Esse símbolo (também conhecido como Estrela de Davi) representa o Matrimônio Sagrado: a interpenetração equilibrada de masculino e feminino. É essa estrela brilhante que emana de um chakra cardíaco aberto. Os seis pontos também podem ser considerados referências aos outros seis chakras, pois todos eles estão integrados nesse centro.

No corpo, esse chakra está relacionado ao plexo solar (ver Figura 5.2, página 168) e comanda o coração, os pulmões e o timo. Assim como cada chakra pode ser considerado um disco de energia giratória, todo o corpo-mente pode ser considerado um chakra. Seguindo um caminho a partir do chakra da coroa e fazendo uma espiral que passa por todos os chakras, vemos que o coração é o ponto final dessa espiral — o centro, o destino (ver Figura 5.3, página 169). É aqui que encontramos o centro da tempestade, onde a calma prevalece no meio da fúria. Seu coração certamente é um centro de paz.

A palavra em sânscrito para esse chakra é *Anahata*, que significa "o som que é produzido sem que duas coisas batam uma na outra" e também "não produzido", "não ferido", "fresco" e "limpo". Quando o chakra está livre do sofrimento de antigas mágoas, sua abertura é inocente, vigorosa e radiante. A luta do terceiro chakra é substituída pela aceitação do quarto. Se o terceiro chakra cumpriu seu dever, nossas circunstâncias são aceitas com mais facilidade.

O elemento do quarto chakra é o *ar*, o menos denso dos nossos elementos físicos até agora. Como elemento, o ar é comumente associado ao conhecimento e a coisas que são expansivas e espirituais. O ar representa liberdade, como os pássaros que voam. Representa abertura e frescor, como um cômodo que é arejado. Representa leveza, simplicidade e suavidade. Quando nos apaixonamos, é como se estivéssemos flutuando no ar. O ar é sinônimo de amplidão, que é obtida quando deixamos coisas para trás. Quando nos prendemos muito firmemente àquilo que amamos, sufocamos o objeto do nosso amor, que é como que privá-lo de ar. Dizemos que precisamos tomar um ar quando precisamos de "espaço para respirar".

Figura 5.1
Chakra Anāhata

Figura 5.2
Chakra quatro, o chakra cardíaco.

O ar, o estado gasoso da matéria, é diferente de todos os elementos que discutimos por tender a se dispersar igualmente por todo o espaço que ocupa (exceto gases que são perceptivelmente mais leves ou pesados do que nossa atmosfera comum). A água se acumula na base da tigela. A terra permanece rígida e fixa. O fogo move-se para cima, mas sempre preso ao seu combustível. Já o ar se dispersa. O incenso que é aceso em um altar termina permeando o cômodo inteiro. Há um senso de equilíbrio, calma e uniformidade. Da mesma maneira, o chakra cardíaco reflete um tipo de equanimidade amorosa no que tange às *complexas relações entre todas as coisas*.

Por fim, o ar representa a *respiração*, o processo vital que mantém nossas células vivas. Os hindus chamam-no de *prana* (de *pra*, "primeiro", e *na*, "unidade"). Na filosofia do yoga, o prana é considerado uma energia vital por conta própria, uma unidade básica que compõe toda a vida. Essa energia representa uma interface entre os mundos físico e mental.

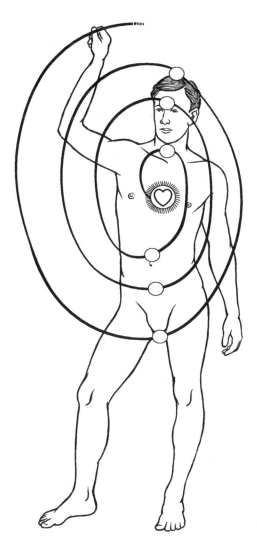

Figura 5.3
O coração como ponto final da espiral.

A mente, se deseja influenciar o corpo, pode fazê-lo pelo controle da respiração. Igualmente, o controle da respiração aquieta a mente. O prana é considerado um elo vital entre os dois, assim como o chakra cardíaco integra os chakras inferiores e superiores.

Abrir o chakra cardíaco requer uma combinação de técnica e compreensão. Primeiro, aprendemos a enxergar o mundo em termos de relações — o que leva as coisas a se unirem a outras e a permanecer nessa união. Isso, evidentemente, inclui nossas relações com os outros e com o mundo ao nosso redor.

O coração requer a compreensão e a prática do equilíbrio — entre mente e corpo, domínios internos e externos, o eu e o outro, dar e receber. Abrir o coração requer uma transcendência do ego, permitindo que nos entreguemos a forças maiores do que o eu. Por fim, abrir o chakra cardíaco requer compreensão e controle da respiração, pois esta é uma ferramenta de transformação física e mental.

Cada um desses aspectos do coração será discutido nas páginas a seguir. Que eles libertem o seu das suas correntes e lhe tragam paz, pois, como dizem as *Upaniṣadas*:

> *Quando os nós do coração são desfeitos, mesmo aqui, neste nascimento humano, o mortal torna-se imortal. Esse é todo o ensinamento das escrituras.*[87]

AMOR

Amor é a atração que o centro do universo,
enquanto assume uma forma,
exerce em cada unidade da consciência.

Teilhard de Chardin[88]

Amor. Em toda a língua inglesa, essa palavra de quatro letras deve ser a que mais tem significado, ou pelo menos a que tem um significado mais elusivo. Básico para a alma de cada um de nós, o amor se torna a essência preciosa que governa cada uma das nossas vidas. Como o encontramos? Como o mantemos? Como o partilhamos? E, além do poder das palavras, há a pergunta: o que ele é?

O amor, como o poder, é uma vontade e uma necessidade de todos nós. Poucos são aqueles que acham que têm o bastante dele. Muitos vivem temendo-o. Quase ninguém o entende. No entanto, nós o buscamos e, quando o encontramos, avaliamos nossas vidas em função dele. O que é essa força misteriosa? Por que ela exerce tanto poder nas nossas vidas?

---

87. Katha Upanishad, *The Upanishads*. Nova York, Dover Publications, 1962. 11.6.15, de Max Muller.
88. Pierre Teilhard de Chardin, *Let Me Explain*, p. 66.

O amor é uma força unificadora — ele liga as coisas e as mantém dentro de uma relação. A partir dessa unidade, podemos tocar uma continuidade subjacente que permite a nossas partes separadas manterem um relacionamento com algo maior. Precisamos aprender com nossos pais que eles sempre estariam presentes, dia após dia, para que pudéssemos crescer com segurança. Uma força vinculante permite que algo permaneça unido por tempo o bastante para que seus padrões entrem em estados mais profundos e coesos. O amor permite a mudança e a liberdade, mas mantém a coerência no centro.

Ao entrarmos no quarto chakra, transcendemos o ego para afrouxar os limites que definimos e para nos fundir com o êxtase do amor. Não há maneira melhor de convidar o amor do que o oferecendo primeiro. Por ser uma vontade e uma necessidade de todos, somos atraídos por aqueles com quem nos sentimos seguros e estimados. Oferecer essa segurança e estima a outra pessoa é um convite para que o campo do amor prospere. Oferecer energia amorosa, como elogios verbais, reconhecimentos empáticos ou cuidado físico é um convite para que uma energia semelhante seja dada em troca. Aqueles que buscam dinheiro ou poder muitas vezes querem apenas uma maneira de receber amor, geralmente na forma de admiração ou reconhecimento. Indo direto ao reconhecimento, podemos ignorar alguns dos comportamentos menos práticos que adotamos para encontrar o amor.

O amor e a aprovação são essenciais para o nosso crescimento pessoal, pois estimulam a autoaceitação — um passo necessário para o amor-próprio. Na infância, nossos pais nos condicionam e nos ensinam pela aprovação ou pela falta dela. Essas reações moldam nossas primeiras ideias sobre quem somos. "Olha só o que a Sally fez, como ela é criativa!" Isso forma um sistema de reações positivas. Você ficaria contente se eu lhe dissesse que está bonito hoje. E provavelmente gostaria de retribuir o elogio. E eu ficaria contente também. Assim por diante — e cada vez faz mais a pessoa se sentir mais à vontade e mais estimada pelo outro.

Muitas coisas, contudo, reduzem o fluxo da energia amorosa entre duas pessoas. Um apego indevido em relação a alguém pode reduzir o fluxo de energia que poderia vir dos outros. O ciúme reduz o fluxo do amor, pois estabelece que o amor só pode fluir dentro de limites estreitos. A homofobia, o preconceito etário e o racismo restringem o amor. "Você não pode tocar nele — ele é do mesmo sexo que o seu!" "Ela é velha demais." "Ele não tem a cor certa, o tamanho certo ou a origem certa." Qualquer uma dessas demarcações destrói o entendimento da unidade e da interdependência que é fundamental para o chakra cardíaco. Se vemos o amor como algo infinito e o abordamos a partir da abundância, e não da escassez, percebemos que, na verdade, o amor se perpetua por conta própria.

A abertura do chakra cardíaco expande o horizonte da pessoa para que ela possa compartilhar a energia amorosa. Pessoas de diferentes origens têm mais probabilidade de estimular o desenvolvimento do que as pessoas de mesma origem. Quanto maior nossa compreensão, maior nossa capacidade de amar. O chakra cardíaco percebe o mundo em sua unidade, não em sua separação.

Recusar-se a dar também costuma diminuir o que recebemos. É um círculo vicioso. "Acho que John não gosta de mim. Ele provavelmente me acharia uma boba se eu lhe dissesse o quanto o admiro." Enquanto isso, John pensa que você é muito fria e distante. Interromper esse ciclo remove bloqueios nas pessoas no nível do chakra cardíaco. Com o empoderamento do terceiro chakra literalmente na nossa barriga, fica mais fácil dar o primeiro passo.

A rejeição é um dos medos humanos mais básicos. Não é de surpreender, pois é muito importante que nosso núcleo central mantenha a saúde. A rejeição ameaça nosso equilíbrio interno básico e nosso senso de autoaceitação. Se o chakra cardíaco integra, a rejeição pode nos fazer "desintegrar". Nosso sistema de reações positivas entra em curto-circuito. Viramos esse "não amor" contra nós mesmos e começamos a nos autodestruir. Em vez de nos sentirmos conectados, ficamos isolados, separados, afastados. Para alguns é mais fácil viver sem amor do que se arriscar a abrir e partilhar e depois fracassar.

O medo é crucial para a compreensão do chakra cardíaco. Ele funciona como um instrumento de proteção, ajudando a equilibrar o fluxo de entrada e de saída. É o guardião da delicada energia do chakra cardíaco. Protegê-la, no entanto, é uma faca de dois gumes. A entrada e a saída de energia no chakra aumentam juntas. Com quanto mais firmeza o chakra se fecha, mais restringimos a passagem de energia por todos os outros chakras. Essa restrição, além de inibir a passagem de energia que vem do mundo externo e que sai para ele, limita também o fluxo entre os chakras superiores e inferiores, causando um distanciamento entre nossas mentes e nossos corpos. Depois de um tempo, o chakra cardíaco se exaure e nos isolamos do mundo, sozinhos.

Aprender a amar requer a energia de muitos níveis. Precisamos de todos os chakras funcionando a fim de criar e manter o amor. Precisamos ser capazes de sentir, de nos comunicar, de ter nossa própria autonomia e poder, e também de enxergar e compreender. Mais importante, precisamos relaxar e deixá-lo acontecer. O chakra cardíaco é o yin, e às vezes o amor mais profundo é aquele que simplesmente deixa as coisas serem como elas são.

O amor é a expansão e o equilíbrio do ar, a nova alvorada no Oriente, a suavidade da pomba, o espírito da paz. É o campo que nos envolve. Por meio dele encontramos nosso centro, nosso núcleo, nosso poder e nossa razão para viver.

O amor não é uma questão de se conectar, mas de perceber que já estamos conectados a uma complexa rede de relacionamentos que se estende por toda a vida. É a percepção de que "não há limites" — de que somos todos feitos de uma mesma essência, passando pelo tempo em um mesmo planeta, enfrentando os mesmos problemas, as mesmas esperanças e os mesmos medos. É uma conexão central que torna irrelevantes as distinções de cor, idade, sexo, aparência e finanças.

Mais do que tudo, o amor é um senso profundo de conexão espiritual, é a sensação de que somos tocados, movidos, inspirados a chegar a alturas que estão além dos nossos limites. É uma conexão com uma verdade fundamental e profunda que perpetua toda a vida e nos une. O amor transforma o mundano em sagrado — para que ele seja cuidado e protegido. Quando perdemos nosso senso de conexão com toda a vida, perdemos o sagrado e não pensamos mais em cuidar e proteger aquilo que nos alimenta.

Somos esse amor. Somos sua força vital, sua expressão, sua manifestação, seu veículo. Por meio dele crescemos, transcendemos, triunfamos e nos entregamos para que possamos crescer ainda mais. Nos renovamos, somos derrubados e nos renovamos outra vez. É a força do eterno, o estabilizador. Que bênçãos sejam derramadas sobre a roda central da vida, a partir da qual todas as outras giram.

RELACIONAMENTO E EQUILÍBRIO

A situação ideal para realmente entendermos o outro
não é compreender como a pessoa reage a um estresse extremo,
mas como ela sofre a vulnerabilidade de se apaixonar.

Aldo Carotenuto[89]

No nível do quarto chakra saímos dos ciclos pequenos dos chakras inferiores e adquirimos uma visão geral de como eles funcionam juntos. Isvara, a divindade dentro desse lótus, é o deus da Unidade, representando a interdependência das três tendências fundamentais (*tamas*, *rajas* e *sattva*). Ele representa o equilíbrio dessas três características e às vezes é considerado uma ilusão, pois esse estado de equilíbrio está sempre em fluxo. Para nos movermos da separação para a unidade, precisamos primeiramente iniciar um relacionamento.

Recapitulemos a construção da nossa estrutura até o momento, analisando a relação entre os chakras inferiores. O chakra um está relacionado a objetos materiais separados, distintos e sólidos. Eles variam de tamanho, indo de partículas subatômicas (o tanto que elas possam ser chamadas de objetos) a planetas e estrelas. No chakra dois vimos como os objetos se moviam, as forças que agiam neles. No chakra três examinamos a reorganização que ocorre a partir desse movimento quando os objetos colidem, mudam de estrutura, queimam e liberam energia. Em seguida vimos como tudo tem seus ciclos internos, que se combinam para formar estruturas maiores.

---

89. Aldo Carotenuto, *Eros and Pathos: Shades of Love and Suffering*. Toronto, Inner City Books, 1989, p. 54.

Esses ciclos só podem continuar quando têm um certo tipo de *relacionamento*. Os polos não se atraem quando estão distantes demais para serem relevantes. Nem todo combustível queima. Há uma força maior que mantém essas sub-rotinas funcionando, a força do chakra quatro, que chamamos de amor. Ela perpetua a eterna dança do relacionamento para que os componentes menores possam dar continuidade às suas sub-rotinas e nos manter funcionando. O amor pelo corpo nos motiva a cuidar das nossas necessidades físicas. Em uma família, o amor mantém seus membros juntos para que possam cuidar de suas vidas e criar seus filhos. Em um grupo, o amor por uma causa comum cria uma ligação entre os membros para que eles possam realizar suas tarefas. O amor pelo aprendizado nos faz comprar livros ou estudar em uma instituição. *É o amor que nos mantém em nossos relacionamentos.*

Essa força misteriosa é cheia de paradoxos. Ela tem gravitação e também radiação. Nós *caímos* de amores, mas nos *elevamos* com a experiência. O amor une sem limitar. Requer tanto proximidade quanto distância. É a essência do equilíbrio e mora no âmago de cada um de nós.

Quando nossos padrões e ciclos menores se repetem, são percebidos e regulados pela mente, que, ao agir com força de vontade, garante-lhes a continuidade. Vemos esses aspectos em termos dos relacionamentos que há entre eles — vemos o espaço que existe entre as coisas, e não as próprias coisas. Enxergamos o mundo como um quebra-cabeça que se encaixa.

Assim como ocorre com os outros chakras, a principal diferença entre o terceiro e o quarto tem a ver com a consciência. Pela criação e repetição de um padrão, o organismo se torna autoconsciente. A atividade dos nossos chakras inferiores influenciou e criou a consciência. Agimos segundo nossos instintos e emoções, aprendendo com nossos erros. Nosso aprendizado se torna cada vez mais complexo e é armazenado nos centros superiores como conceitos, memória e lógica, para depois descer outra vez, para onde nossa consciência influencia nossas ações.

O relacionamento é a interface entre matéria e informação e desempenha um papel em todos os níveis intermediários. Na verdade, todas as informações podem ser consideradas como a consciência do relacionamento. Esses padrões nos fornecem os conceitos que formam a estrutura básica dos nossos pensamentos e da nossa comunicação e percepção. São o fundamento de quem somos. O nível de consciência do quarto chakra percebe o mundo como uma rede complexa de relacionamentos unidos pela força do amor.

Quando percebemos os objetos e suas atividades como relacionamentos, começamos a notar a perfeição, o equilíbrio e a natureza eterna que existe dentro desses relacionamentos. Ao observarmos os planetas, por exemplo, vemos um ciclo interminável de relacionamentos perfeitamente coordenados e equilibrados — os planetas em órbita se movem em equilíbrio com a atração do Sol, repetindo seus padrões eternamente. Vemos cada uma das estrelas no seu lugar no céu, embora se movam e pulsem; cada folha de grama cobre sua própria área, mas morre a cada ano e renasce.

À medida que percebemos os padrões dessa maneira, enxergamos que *todos os padrões duradouros resultam de um equilíbrio dinâmico entre suas partes*. Em seguida, encontramos cada elemento da vida tecido dentro de um padrão maior, cada um em seu próprio lugar. Podemos, então, buscar um ponto de equilíbrio entre nós e o que nos cerca. Esse ponto torna-se parte de um todo, dando-lhe a coerência de uma mandala e emanando de um ponto central. Entender a perfeição dos relacionamentos ao redor estimula a abertura do nosso coração.

Nos relacionamentos pessoais, a mesma regra do equilíbrio se aplica. As relações perduram enquanto se mantém um equilíbrio geral e terminam quando um ou ambos os parceiros sentem que o relacionamento perdeu o equilíbrio, que não tem como ser retomado. Pode ser devido a um desequilíbrio entre dar e receber, na força vital básica, na evolução espiritual, nas finanças, no sexo, no poder, nas tarefas domésticas, no cuidado com as crianças, na comunicação ou em qualquer outro elemento que faça parte de um relacionamento. Devemos lembrar que esse equilíbrio é dinâmico e não estático — ele varia com o tempo. É a totalidade geral que deve conter uma paridade básica para que o relacionamento possa sobreviver.

O equilíbrio interior é nossa melhor chance de manter o equilíbrio em nossos relacionamentos com os outros. O equilíbrio interior nos permite perceber o equilíbrio dentro do padrão ordenado da mandala e entrar nele, que então se torna um ponto de abertura e estabilidade. A mente, o corpo e os chakras não fazem isso por conta própria. É algo que deve ser feito com a completude do coração como o centro do ser.

Quando a força de vontade modera e satisfaz nossas necessidades conscientemente, é mais fácil para a nossa mente compreender um relacionamento e assim encontrar nosso "lugar correto". A partir dele, todos os nossos relacionamentos, bem como seus começos e fins, entram em harmonia com um padrão maior. Relacionamentos que têm mais equilíbrio e, por conseguinte, mais graça são necessariamente mais duradouros. Aqueles mais transitórios servem de degraus dentro da criação giratória de um padrão maior.

Essa percepção da perfeição abre o coração para que ele possa receber.

Cada chakra recebe sua carga de energia por estar alinhado com o *sushumna*, como a coluna central de energia. Se não estivermos em equilíbrio, nossos chakras desalinham-se, assim como as vértebras da coluna vertebral podem se desalinhar. Infelizmente, não existem "médicos dos chakras" para colocá-los de volta no lugar; é algo que nós mesmos devemos fazer.

O chakra cardíaco, como centro da mandala pessoal, é quem mais perde e prejudica quando sai demais do lugar. Desequilíbrios do coração (o núcleo central) podem perturbar o sistema inteiro. Não são apenas os equilíbrios entre os chakras superiores e inferiores e entre a mente e o corpo que são necessários, mas também aqueles entre o interior e o exterior, entre o eu e a transcendência. Para que possamos amar, tem de haver uma certa transcendência do ego e perda de separação, permitindo-nos sentir uma unidade maior. Renunciamos a um pouco da nossa individualidade em nome dessa união.

Como ela é facilitada pelo movimento ao longo da corrente libertadora, sentimos o efeito libertador e estimulante do amor — a união, a transcendência, um estado sagrado e um tanto alterado da consciência. Deixar de amar é voltar a um lugar menor, ao eu mundano, sozinho e separado, que caiu das alturas idílicas e da graça desse estado de amor. Logo, terminamos nos apegando à manutenção desse estado.

O risco da entusiasmante ascensão do amor é a facilidade com que nos desaterramos. Para mantermos o amor, precisamos de uma terra que o nutra e lhe forneça raízes. Devemos reter uma parte do eu individual — uma parte da substância a partir da qual surgem a paixão e a força de vontade. Se transcendemos demais nossa separação, deixamos de estar totalmente presentes. Separamos a chama do combustível e despencamos na Terra enquanto ele é consumido. Perdemos o equilíbrio e não oferecemos mais uma base para o relacionamento em questão. Quando nos perdemos, perdemos o centro e o coração, além de tirarmos do lugar nossos relacionamentos com entes queridos. Nas palavras de D. H. Lawrence, "(...) se alguém se entrega para o outro completamente, é um caos. É necessário equilibrar amor e individualidade e, na verdade, sacrificar parte de ambos".[90]

Viver em equilíbrio é viver um estado de graça, delicadeza, suavidade. Amor é aquilo que perdura, portanto, o que é feito com ele perdura. Aquilo que está desequilibrado não perdura. É somente quando há equilíbrio no nosso interior que podemos ter a esperança de equilibrar o mundo.

Para mantermos nosso equilíbrio, precisamos ter ciência de todas as nossas partes, o que não é uma tarefa intelectual, como fazer inventário em um depósito. Em vez disso, é algo que vem de uma experiência dinâmica do nosso centro — o próprio coração —, que organiza e equilibra organicamente quando tem liberdade para tal.

Por fim, no chakra cardíaco precisa haver um equilíbrio entre entrada e saída. Assim como a respiração equilibra as inspirações e as expirações, nossa energia também precisa se renovar para poder continuar. Quando tratada corretamente, a energia em todos os chakras é infinita. Quando o amor é dado, ele se multiplica. Porém, muitas pessoas se desalinham por se dar demais, por se desaterrar ou por se doar quando estão sem energia. Aprendemos que o egoísmo é ruim — que é errado tentarmos nos equilibrar de tempos em tempos. Porém, alterar

---

90. D. H. Lawrence, "The Stream of Desire". *In*: *Challenge of the Heart*, John Welwood, p. 48.

nosso equilíbrio pode alterar a simetria da mandala ao nosso redor. Quando gastamos mais do que temos, terminamos ficando sem recursos, sem ter mais o que dar. Então pode ocorrer uma reação adversa que não é nada amorosa.

No equilíbrio entre todas as coisas, temos de sair da polarização entre bem e mal. Não precisamos ter uma bondade puritana para acariciar nosso ego, tampouco precisamos ser pessoas más e egoístas. O verdadeiro amor flui de um centro para outro, permitindo que cada um tenha liberdade para interpretar seu papel à sua própria maneira. Como o *Anahata* é um chakra yin, um dos seus desafios é permitir que o "deixar" substitua o "fazer" ou "criar". Somente então realmente podemos perceber o padrão pelo que ele é.

O amor não é algo atrelado a um objeto. É o estado de se encontrar em harmonia consigo mesmo. Ken Dychtwald, após um jejum prolongado em que meditou sobre o amor, descreveu-o assim:

> *O amor parece ser uma forma de apreciar que todos somos pedacinhos na mesma sopa terrestre, que é uma partícula de uma sopa cósmica maior. Assim, o amor implica ter consciência desse belo relacionamento energético e apreciar naturalmente essa situação. Não parece ser uma questão de encontrar o amor... e sim de ter consciência dele. Não se trata de inventar, mas de descobrir.*[91]

O amor é o relacionamento natural entre seres vivos saudáveis. Para encontrá-lo dentro de nós mesmos, precisamos apenas acreditar que ele está ao nosso redor o tempo inteiro e em todas as coisas.

AFINIDADE

Afinidade é um termo usado na química para descrever a tendência de uma substância se combinar com outra e permanecer assim. Isso ocorre devido a um encaixe intrínseco dentro da estrutura atômica da substância.

O resultado da afinidade é a ligação. Quando duas substâncias que têm afinidade uma pela outra se encontram, elas se unem e formam uma ligação mais permanente. Cada uma tem o que a outra não tem. Em um nível mais simples, é a atração entre opostos que buscam se equilibrar.

A ligação humana pode ser tão parecida com a ligação química que costumamos nos referir a ela como "química". Nem sempre entendemos por que sentimos atração por alguém, mas a sensação existe e costuma ser irresistível.

Na maioria das vezes há no campo de energia da pessoa algo que desejamos e de que precisamos. Com sorte, também teremos algo de que ela precisa, e assim uma ligação se torna possível, durando enquanto a sensação de afinidade

---

91. Ken Dychtwald, *Body-Mind*, p. 149.

existir. Como o chakra cardíaco é o centro do equilíbrio, é natural que o próprio amor nasça inicialmente de uma tendência natural de misturar e equilibrar nossa energia com a de outros seres vivos.

Esse equilíbrio é frequentemente analisado em termos de chakras. Já sentimos todos os anúncios não verbais: "homem branco, 32 anos, com uma consciência dominante dos chakras superiores, procura mulher aterrada; despertar da Kundalini garantido" ou "mulher negra, muito criativa, busca parceiro no segundo chakra para ter amor e carinho". Embora esses anúncios não apareçam escritos com palavras nos jornais, eles são transmitidos nas festas, e nosso senso psíquico os capta toda vez que conhecemos alguém.

Não estou dizendo que só temos afinidade com aqueles que são nossos opostos. Muitas vezes encontrar alguém de opiniões parecidas com as nossas também nos dá a sensação de afinidade — a sensação tranquila de aprovação que surge quando encontramos alguém que entende. A energia que projetamos para fora encontra uma energia compatível que se dirige para dentro. Mais uma vez, nossos chakras, quer estejam fechados ou abertos, buscam o equilíbrio. Não é tanto uma questão de polaridade; é o organismo buscando se aperfeiçoar para a próxima fase do seu desenvolvimento (ver Capítulo 11, "Chakras e relacionamentos").

O aspecto mais importante da afinidade, no entanto, não se encontra na nossa atração química pelos outros, mas no desenvolvimento da afinidade dentro das partes do eu. Quando temos essa sensação de afinidade, emanamos uma vibração amorosa, receptiva e alegre. Assim, permitimos que os outros encontrem sua própria sensação de afinidade e os estimulamos a isso.

Muitas pessoas têm mentes que lutam contra seus corpos o tempo inteiro: "você é muito gordo". "Trabalhe mais. Você só pode descansar quando acabar este projeto". "Como assim você está com fome? Faz uma hora que te dei comida!" Muitos assumem o controle dos próprios corpos de uma forma dura e inflexível.

O corpo também pode lutar contra a mente como uma criança mimada que exige atenção o tempo inteiro. "Quero comida." "Estou muito cansado." Então, como uma criança, ele precisa deixar de ser mimado, mas recebendo cuidado e apoio, garantindo que haja as coisas básicas que lhe são necessárias.

A autoaceitação é nossa primeira chance de praticar o amor incondicional. Isso não significa que devemos desistir de tentar ser melhores, mas que nosso amor-próprio não depende de alguma mudança futura ou imaginária. Quando isso ocorre no nosso coração, é mais fácil aceitar os outros, inclusive seus defeitos, com o amor incondicional do chakra cardíaco. Quando nos aceitamos e sentimos compaixão por nós mesmos, é mais fácil fazer mudanças pessoais.

A afinidade também pode ser vista como uma característica vibracional. Quando estamos "em afinidade", o estado harmonioso que sentimos concede uma coerência a tudo o que dizemos ou fazemos, como os tons de uma escala em ressonância harmônica. Irradiamos amor porque criamos um centro coerente dentro de nós, que, por sua vez, se harmoniza com as circunstâncias que nos cercam. No órgão do coração, cada célula bate continuamente. Se dissecássemos o coração, cada célula continuaria batendo sozinha. Assim que colocamos essas células junto com outras células cardíacas (como em uma lâmina de microscópio), elas mudam de ritmo para pulsar juntas e entram num estado de ressonância rítmica (algo que discutiremos mais detalhadamente no quinto chakra). Ao nos sintonizarmos com o batimento cardíaco, também nos sintonizamos com a ressonância do ritmo central de nosso organismo e com o ritmo do mundo ao nosso redor.

Então, como se cria essa sensação de afinidade? Parando um tempinho em silêncio para conversar consigo mesmo. Tudo que você precisa fazer é dar uma conferida em si mesmo de tempos em tempos. Depois de ler essas palavras, feche os olhos, respire fundo e dê um oi para o seu corpo. Veja se ele não retribui o oi. Inicie um diálogo. Posso me tratar melhor de alguma maneira? Existem partes precisando de atenção, que dominam desnecessariamente? Você se trata tão bem quanto trata os outros? Está na hora de fazer uma festa para demonstrar o seu apreço por si mesmo? Ou precisa apenas parar e ouvir por um tempo?

A união faz a força, mas é preciso que as partes se unam em primeiro lugar. Temos muitas partes dentro de nós. Nossa força se encontra na unidade e na harmonia entre elas. É só então que somos capazes de realmente dar algo para os outros. Quando essas partes estão todas sintonizadas no centro — o coração do organismo —, elas se sintonizam umas com as outras e entram em um estado natural de afinidade.

CURA

Consciente ou inconscientemente,
todo ser é capaz de se curar e de curar os outros.
Esse instinto é inato nos insetos, pássaros e animais,
e também no homem.
Todos eles encontram sua própria medicina.
Eles se curam e curam uns aos outros de várias maneiras.

Sufi Inayat Khan[92]

Curar é tornar inteiro. Se o chakra cardíaco integra e unifica, ele também é o centro da cura. Na verdade, o amor é a força suprema da cura.

Chegando ao chakra cardíaco encontramos os braços. Quando de pé e de braços estendidos, o corpo forma uma espécie de cruz, cujos quatro pontos se juntam no coração (ver Figura 5.4, página 180). Assim como as pernas estão conectadas

---

92. Sufi Inayat Khan, *The Development of Spiritual Healing*, p. 89.

ao chakra um, os braços são parte integrante dos chakras do meio — três, quatro e cinco. Os canais internos e yin dos braços contêm três dos catorze canais de energia chineses, chamados meridianos. Esses meridianos específicos correspondem ao coração, aos pulmões e ao pericárdio (um saco solto que reveste o coração — ver Figura 5.5, página 181. Evidentemente, todos são relevantes para o chakra cardíaco e transportam a energia desse centro para os braços e mãos.

Chamo de canais de cura os canais de energia que saem do coração rumo às mãos; são meios pelos quais a energia de cura chega até os outros. Existem também chakras secundários nas mãos. Elas são extensões muito sensíveis do corpo-mente e têm muito mais receptores neurais do que a maioria das partes do corpo. Elas tanto criam quanto recebem e são órgãos sensoriais que absorvem tantas informações quanto os olhos e os ouvidos. São valiosas ferramentas para a percepção e o controle da energia psíquica (para abrir os chakras das mãos, ver exercício na página 36).

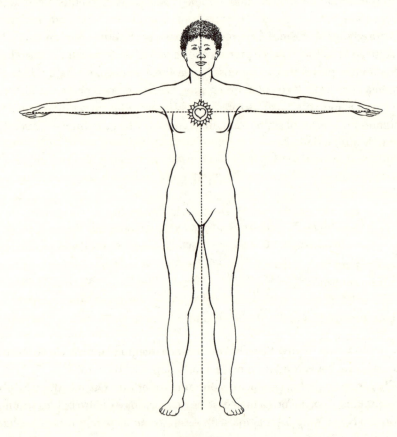

Figura 5.4
A cruz do chakra cardíaco.

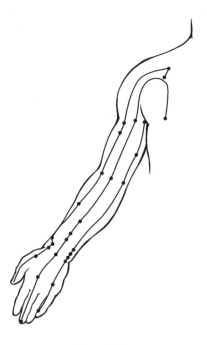

Figura 5.5
Os meridianos do braço.

A cura é a restauração do equilíbrio de um organismo ou de uma situação. Acredita-se que toda doença, quer seja causada por germe, lesão ou estresse, resulta de um "desequilíbrio" que fragmenta o organismo e destrói sua afinidade ressonante natural.

A abertura do chakra cardíaco e o desenvolvimento da compaixão, da conexão e da compreensão em relação às pessoas ao seu redor fazem o desejo de curar nascer naturalmente. A percepção de que somos todos um determina que, assim como um Bodhisattva, não podemos avançar sozinhos enquanto outros se encontram enfermos. (Um Bodhisattva é alguém que se realizou espiritualmente, mas que evita alcançar a iluminação até que os outros possam acompanhá-lo; por isso, prefere ficar para trás e ensinar.) Como o Bodhisattva, descobrimos que precisamos separar um tempo para curar os outros enquanto avançamos em nosso caminho, equilibrando a atração da espiritualidade e a necessidade de permanecer no mundo físico.

A ajuda ao próximo também pode ser oriunda de um simples estado de compaixão — o centro do chakra cardíaco. Com uma compaixão que não julga os outros, terminamos estendendo a mão para curar — é inevitável. Nossa visão do equilíbrio entre todas as coisas revela tudo que não condiz com ele; é algo tão natural quanto endireitar um quadro na parede.

Para abrir seus canais de cura, você não precisa ser um curador profissional ou médico, nem ter poderes sobrenaturais. O desejo natural de ajudar uma idosa a atravessar a rua, de consolar alguém aos prantos ou de massagear ombros cansados é uma expressão poderosa da energia de cura do chakra cardíaco.

Muitas pessoas esquecem a lição do equilíbrio quando tentam curar e podem terminar sendo chamadas de intrometidas. Para curar uma pessoa corretamente, é necessário equilibrar a energia dela, o que talvez contrarie o conceito de "correto" do curador. O verdadeiro curador, enquanto permanece enraizado em sua própria energia, deve entrar em sintonia com o receptor e permitir que ele crie seu próprio senso de equilíbrio. O curador apenas catalisa a experiência de cura do receptor. Quando nosso chakra cardíaco está aberto e equilibrado, nossa presença irradia amor e alegria. Esse amor é a essência da verdadeira cura.

RESPIRAÇÃO — O CORAÇÃO DA VIDA

Se sua respiração está limitada de alguma maneira,
sua vida também está.

Michael Grant White[93]

Um ser humano normal inspira entre 18 mil e 20 mil vezes por dia[94] uma média de 19 mil litros de ar. Em termos de peso, é 35 vezes mais do que ingerimos com comida ou bebida. Podemos passar semanas sem alimentos, dias sem água, horas sem aquecimento (no frio extremo), mas somente alguns minutos sem ar (quanto tempo aguentamos sem pensar?).

A respiração, relacionada ao elemento ar, é uma das principais chaves para se abrir o chakra cardíaco. O ar também é o elemento que se distribui mais rapidamente pelo corpo. Ao contrário dos alimentos, que levam horas ou até dias para serem digeridos, todo ar inspirado entra imediatamente na corrente sanguínea. O oxigênio deve ser fornecido constantemente para todas as células, caso contrário elas morrem rapidamente. Por isso, o corpo tem um sistema de transporte completo e complexo que distribui oxigênio para todo o corpo — é o nosso sistema circulatório, controlado pelo coração. Cada respiração nutre e alimenta esse sistema.

É impossível expressar toda a importância da respiração com esses meros fatos. Além de manter as funções vitais básicas, a respiração é uma das ferramentas mais poderosas para a nossa transformação: ela queima toxinas, põe para fora emoções guardadas, muda a estrutura do corpo e a consciência. Sem

---

93. Michael Grant White, o "mestre da respiração", é conhecido por ser um grande especialista em respiração. Essa citação foi retirada de seu site: www.breathing.com.
94. Swami Rama, Rudolph Ballentine e Alan Hymes, *Science of Breath, a Practical Guide*, p. 59.

respirar não conseguiríamos falar, pois o ar é a força por trás da nossa voz. Sem oxigênio não metabolizaríamos nossos alimentos. Nosso cérebro não poderia pensar. Respirar é uma fonte amplamente subestimada de uma energia revigorante, curadora e purificadora.

Infelizmente, a pessoa comum não tem uma respiração muito profunda. Um par normal de pulmões pode armazenar cerca de dois litros de ar, mas a pessoa comum respira cerca de um litro ou menos por vez. Você pode averiguar isso por conta própria — respire normalmente e veja quanto mais ar você consegue acrescentar. Enquanto faz isso, perceba como é respirar fundo. Observe quais partes do peito parecem rígidas, note como isso limita a respiração e faça uma leve massagem nessas partes. Relaxar o peito e a parte superior das costas com massagem ou com a expressão de emoções ajuda a aprofundar a respiração.

A maior parte das atividades intelectuais exige pouquíssimo esforço físico, o que leva a uma respiração superficial, que então se torna um hábito. O medo frequente, a ansiedade, a depressão, o tabagismo ou simplesmente o ar poluído também levam à privação habitual de ar. Esse hábito, uma vez formado, torna o metabolismo mais lento, reduz os níveis da energia física e acumula toxinas no corpo, e todos esses fatores contribuem para um ciclo que se autoperpetua. À medida que nosso metabolismo diminui, ficamos letárgicos e dependemos mais de conveniências como dirigir quando se pode andar, ingerir estimulantes para obter mais energia ou fumar cigarros para estimular o peito, paradoxalmente.[95] Nada disso ajuda a respiração.

O cérebro também depende seriamente de uma fonte constante de oxigênio. No corpo em repouso, um quarto do oxigênio consumido é usado pelo cérebro, embora ele represente apenas um quinquagésimo do peso do corpo.[96] Prenda a respiração e veja por quanto tempo você se mantém consciente.

A respiração também é uma das poucas coisas do corpo sob controle voluntário e involuntário. Involuntariamente, a respiração se contrai quando temos medo — uma consequência dos instintos de sobrevivência, pois prender a respiração nos ajudava a não sermos detectados por criaturas perigosas. Da mesma forma, podemos combater o medo aprofundando a respiração à força, o que diminui a tensão em todo o corpo.

Quando exercitamos o aspecto voluntário e tentamos aumentar nossa capacidade respiratória conscientemente, aos poucos a respiração profunda se torna um hábito. Ela realmente pode mudar a estrutura do corpo e, uma vez alterada, o corpo anseia por esse maior suprimento de oxigênio. É um processo evolutivo, voltado para a cura.

---

95. Percebo que fumar dá a falsa impressão de energia no chakra cardíaco, e muitas vezes está por trás de uma necessidade de disfarçar o vazio que ali se encontra. É claro que fumar não resolve o problema; é algo que permite apenas que a pessoa lide com a permanência do vazio.

96. Isaac Asimov, *O cérebro humano: suas capacidades e funções*, São Paulo, Hemus, 1996. (N.T.)

Os hindus acreditam que a respiração é um portal entre a mente e o corpo. Há sistemas inteiros de yoga que se baseiam em técnicas de respiração chamadas *pranayamas*, criadas para expandir a consciência e purificar o corpo. Quando os pensamentos se aquietam, a respiração também se acalma, e um ritmo calmante e curativo percorre o corpo inteiro. A mente também pode ser acalmada controlando a respiração. O fluxo da respiração, que entra e sai do corpo constantemente, é um campo de energia que se move dinamicamente e preenche nosso corpo sem cessar, antes de retornar, amorfo, ao mundo exterior.

As técnicas do *pranayama* foram criadas para nutrir os caminhos psíquicos e espirituais do corpo, como as principais nadis e os meridianos da acupuntura. Esses canais são energizados por esse processo e elevam as vibrações sutis do corpo inteiro. Os iogues distinguem a ingestão do ar que é física e grosseira (*sthula prana*) do movimento sutil de energia que resulta da respiração (*sukshma prana*). Ao trabalhar com a respiração, é importante prestar atenção aos movimentos mais sutis que acontecem, pois assim podemos direcionar a energia para áreas ou chakras específicos por meio da visualização ou das posturas.

EXERCÍCIOS RESPIRATÓRIOS

Os exercícios respiratórios ou *pranayamas* são muitos e variados. Se realmente quiser trabalhar com essa poderosa ferramenta, há vários livros de yoga que listam mais exercícios do que podemos inserir aqui. Alguns exercícios básicos são apresentados a seguir:

— *Respiração profunda ou completa*
É tão simples quanto parece. Sente-se confortavelmente e observe o caminho da sua respiração, inspirando e expirando o máximo possível. Respire fundo dentro da sua barriga, depois dentro do peito e nos ombros e garganta. Expire, invertendo a ordem, e repita várias vezes.

— *Respiração do fogo*
É uma respiração rápida e diafragmática, com movimentos curtos criados pela contração dos músculos abdominais em uma sucessão ligeira, descrita com mais detalhes no terceiro chakra, na página 154.

— *Respiração das narinas alternadas*
Esta é uma respiração lenta e metódica que atua na parte central do sistema nervoso e leva a um maior relaxamento e ao sono mais profundo. Feche a narina direita com a mão direita e respire profundamente pela narina esquerda. Quando a respiração estiver completa, feche a narina esquerda e expire através do seu lado direito. Quando a respiração estiver novamente

vazia, inspire novamente pelo lado direito, mudando quando o pulmão estiver cheio e exalando à esquerda. O padrão é inspirar, mudar, expirar, inspirar, trocar, expirar. Continue, faça vinte vezes ou mais de cada lado. Praticar este exercício traz profundas mudanças na consciência.

Bandhas

Bandha significa trava, e os *bandhas* do *pranayama* são métodos de prender a respiração e manter o ar em certas partes do corpo. Existem três *bandhas* básicos: a trava do queixo, a trava abdominal e a trava anal, que funcionam para reter o ar nessas três principais áreas do corpo.

A trava do queixo, ou *jalandhara-bandha*, envia a energia para a cabeça e estimula a tireoide e o chakra laríngeo. Apenas inspire completamente, contraia a garganta e leve a cabeça na direção do peito, mantendo a coluna ereta. Prenda a respiração pelo tempo que for confortável, mas sem forçar, pois você pode terminar se sentindo bem fraco se fizer o exercício de modo errado.

A trava abdominal, ou *uddiyana-bandha*, é realizada de pé. Ajuda a massagear os órgãos digestivos internos e a purificar o corpo. Inspire completamente e expire profundamente. Enquanto o corpo estiver sem ar, não respire e sugue o estômago e o abdômen para dentro o máximo possível, tomando cuidado para não respirar. Permaneça assim enquanto for confortável, depois inspire enquanto relaxa lentamente os músculos abdominais.

O *mulabandha* ou trava anal tonifica o chakra da raiz. É praticado pela contração do períneo e do esfíncter anal após a inspiração, enquanto se prende a respiração. Isso estimula a Kundalini adormecida.

EXERCÍCIOS DO CHAKRA QUATRO

ABERTURA DO PEITO

Ponha os braços atrás da cabeça, entrelace as mãos e gire os braços para que seus cotovelos travem. Assim você pressiona os ombros para trás e o peito para fora. Respire fundo. Incline a cabeça para trás e use o impulso dos braços para girar o tronco, relaxando os músculos que estiverem tensos na região. Continue respirando profundamente (ver Figura 5.6, página 186).

Para um alongamento adicional e para abrir os músculos do peitoral, pegue uma faixa, uma toalha ou gravata e a ponha por cima da cabeça com

Figura 5.6
Abertura do peito.

seus braços formando um triângulo. Mantendo os cotovelos retos, alongue os braços atrás do corpo, sem soltar a faixa, para aumentar o alongamento. Se não conseguir manter os cotovelos retos, afaste as mãos na faixa. Se não sentir um bom alongamento, aproxime as mãos.

POSTURA DA COBRA

Esse exercício do yoga é maravilhoso para se fazer assim que se acorda pela manhã. Ele trabalha com as vértebras superiores do tórax e ajuda a aliviar as costas arredondadas causadas por um peito escavado.

Deite-se de bruços com os braços dobrados e as palmas das mãos no chão, viradas para baixo, na altura dos ombros. Sem usar os braços para se apoiar, erga lentamente a cabeça, os ombros e vá para trás o máximo que for possível confortavelmente. Depois relaxe. Erga-se de novo, indo até o seu máximo, depois, usando os braços, levante-se só um pouco mais. Não endireite completamente os cotovelos, mas trabalhe para abrir o peito, mantendo os ombros baixos e relaxados e a cabeça erguida. Alongue a barriga e o peito, respire fundo e relaxe. Repita o quanto quiser (ver Figura 5.7, página 187).

POSTURA DO PEIXE

É mais um *asana* do yoga que tem como objetivo a expansão da cavidade torácica. Comece se deitando de costas e alongando as pernas no chão. Ponha as mãos abaixo dos quadris, com as palmas para baixo. Pressionando

Figura 5.7
Postura da cobra.

Figura 5.8
Postura do peixe.

os cotovelos no chão, erga o peito para cima, arqueie o pescoço para trás e encoste a cabeça no chão, se possível. Respire fundo. Mantenha a postura pelo tempo que for confortável e relaxe. Respire fundo mais uma vez (ver Figura 5.8, acima).

Se for difícil demais, você pode usar um *bolster* atrás das omoplatas e se arquear por cima dele a fim de alongar a parte superior da coluna.

O MOINHO

Todos nós fizemos esse exercício na infância. Fique de pé com os braços estendidos para cada lado e gire o tronco para frente e para trás. Assim a energia do corpo desce para os braços e mãos e relaxa os músculos tensos do peito e do abdômen.

CÍRCULOS COM OS BRAÇOS

Esse exercício estimula os músculos da parte superior dos braços e das costas. Estenda os braços para fora, para cada lado, e gire-os em pequenos círculos em uma direção, fazendo círculos cada vez maiores. Depois mude de direção e repita. Você também pode (ainda pensando no elemento ar) fingir que está batendo os braços como se fossem asas e estivesse voando, respirando bem profundamente (ver Figura 5.9, abaixo).

ABERTURA DOS CHAKRAS DAS MÃOS

Como a energia do chakra cardíaco costuma ser muito expressa pelas mãos, o exercício da página 36 também é relevante para o chakra cardíaco.

MEDITAÇÕES

KALPATARU — A ÁRVORE DOS DESEJOS

Logo abaixo do chakra cardíaco há um minúsculo lótus de oito pétalas, o lótus Anandakanda, e em seu interior se encontra *Kalpataru*, a "árvore celestial dos desejos" do Céu de Indra. Diz-se que essa árvore mágica, em cuja frente há um altar adornado com joias, contém os desejos mais íntimos do coração — não o que achamos que queremos, mas o anseio mais recôndito da alma interior. Acredita-se que, quando realmente fazemos um desejo para essa árvore e o liberamos, Kalpataru concede ainda mais do que o que foi desejado e nos leva à liberdade (*moksa*).

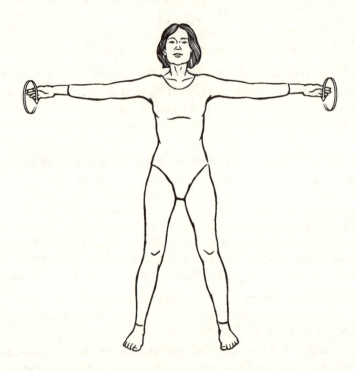

Figura 5.9
Círculos com os braços.

Deite-se confortavelmente. Pare alguns momentos para se aterrar, centrar-se e relaxar os músculos. Certifique-se de que está em um ambiente seguro e confortável. Respire profundamente, inspire... expire... inspire... expire... inspire... expire... Perceba seu batimento cardíaco. Ouça o ritmo dele. Imagine cada batida do seu coração bombeando sangue por todo o seu corpo, por meio da complexa rede de artérias e veias. Imagine que esses caminhos acima do seu coração são como os galhos de uma árvore e que aqueles abaixo do seu coração são como as raízes da árvore, repletas de vida. Acompanhe o caminho do oxigênio sendo bombeado para fora do coração, pelo peito, pelos ombros, pelos braços, pelas mãos, e depois o inverso. Acompanhe-o novamente enquanto ele desce pela barriga, pernas, joelhos e pés, e suba novamente pelo corpo indo até seu centro. Cada gota de sangue que passa pelo coração retorna para se revigorar outra vez com ar e vida.

Seu coração é uma árvore sagrada. Seus galhos são os fios de uma teia da vida que se estende por todo o seu corpo e, em seguida, pelo mundo. O tronco da árvore é você — seu âmago, seu ser, seu eu central. A partir desse centro, crie raízes, a base da árvore. Os caminhos delas encontram a comida e a água que nos sustentam e nos alimentam. Desse centro nascem galhos, e suas folhas são desejos do coração. Eles coletam a luz solar e o vento, que fazem você crescer. Eles florescem e frutificam e caem no chão para depois crescer outra vez. Tudo que se expressa termina voltando.

Diante dessa árvore há um altar adornado com joias. Faça uma oferenda a esse altar. Pode ser algo que você queira abandonar, como um mau hábito, ou algo seu que queira oferecer, como criatividade, lealdade ou cura. Faça a oferenda em troca pela realização do seu desejo.

Em seguida, respire dentro do seu coração e sinta a dor e a alegria dele. Sinta os anseios profundos da alma interior. Não os defina, mas sinta a essência deles. Deixe os sentimentos aumentarem, respirando dentro deles. Sinta-os pelo corpo inteiro, pulsando para fora, voltando, pulsando para fora novamente. Permita que esse anseio preencha os galhos da árvore.

Quando a árvore estiver saturada com os desejos mais profundos do seu coração, imagine um único pássaro entrando na árvore. Ele voa para o centro dela, inclina a cabeça para o lado, depois para o outro, e ouve profundamente os anseios e desejos que foram expressos. Tenha um momento de comunhão com esse pássaro que mora no seu coração. Enquanto faz isso, segure o pássaro perto do seu coração e deixe seu coração (e não sua mente) expressar seus desejos para ele. Sinta algo vindo do seu anseio; se imagens específicas lhe vierem à mente, tudo bem, mas não as procure. Quando você se sentir completo, dê um beijo de despedida no pássaro e solte-o delicadamente para que voe para longe. Solte-o para que ele possa fazer seu trabalho. Deixe-o ir e o esqueça. O pássaro levará seus desejos às autoridades para que eles possam ser realizados da melhor maneira possível para todos os envolvidos.

RITUAL DE AGRADECIMENTO

Faça um círculo com um grupo de amigos próximos, com cada um perto do outro; ou se sente em frente a um parceiro ou amigo com quem você tem uma conexão profunda.

Se você usa magia, trace um círculo mágico, caso contrário, certifique-se de que não haverá distrações durante esse período e nessa área. Pare um instante a fim de se aterrar e se centrar, depois respire profundamente e relaxe.

Olhe o círculo. Olhe nos olhos de cada pessoa, uma de cada vez. Pense no valor que ela tem na sua vida — nas experiências que vocês tiveram juntos, nas provações, nas alegrias. Pense nessas experiências do ponto de vista dela: quais foram suas dificuldades, seus medos, suas alegrias. Demore o tempo que for preciso, feche os olhos e entre dentro de si.

Começando pela pessoa que está na direção leste do círculo, coloque-a no centro dele. Peça para todos os outros entoarem o nome dela três ou quatro vezes, baixinho. Depois, começando pela pessoa à esquerda dela, siga pelo círculo no sentido horário e deixe que cada um tenha alguns momentos para falar do que gosta na pessoa que está no meio. "Gostei muito quando você me ajudou a fazer o carro pegar." "Obrigado pela maneira como você sempre me escuta." "Gosto que você me faça rir." Não permita comentários, críticas ou sugestões. Permita abraços e presentes se achar apropriado.

Após percorrer todo o círculo do agradecimento, a pessoa no meio chama o nome da próxima e retorna para o círculo enquanto o grupo entoa o novo nome, e todo o processo se repete até que cada membro do grupo tenha ido para o centro. Aterrem-se e fechem o círculo com um cântico, com comes e bebes, com música, se possível e, é claro, com um abraço coletivo.

EXERCÍCIO DE EMPATIA

Esse exercício costuma ser bom para casais que estão tendo problemas por causa de alguma questão específica. Para realizá-lo, imagine que você é a pessoa com quem está tendo problemas. Conte a história do ponto de vista dela, com começo, meio e fim. Imagine-se no lugar dela enquanto a conta. Pergunte se você acertou ou se deixou algo importante de fora. Depois, invertam os papéis e peça para a outra pessoa contar a sua história do seu ponto de vista.

MEDITAÇÃO DA COMPAIXÃO

Essa meditação pode ser realizada a sós (com a imaginação), com um grupo, ou, a melhor opção, em algum lugar lotado, como um ponto de ônibus, um restaurante ou um banco de parque.

Escolha um lugar para se sentar e relaxe. Feche os olhos, centre-se e comece a respirar fundo, com o ar indo até sua barriga, passando pelos seus pés e entrando na Terra. Sintonize-se com seu batimento cardíaco e o sinta pulsar pelo corpo inteiro. Respire dentro dele, sinta seu coração, aceite-se incondicionalmente, encha-se de amor e expire.

Abra os olhos e veja o que tem ao seu redor. Veja todas as pessoas que você puder observar com clareza, uma de cada vez, e olhe nos olhos delas, escute suas vozes, observe suas ações. (Se estiver sozinho, imagine alguém que você conhece ou que costuma encontrar.) Usando a respiração para manter a circulação no seu corpo, olhe cada pessoa sem julgar ou criticar, sem sentir aversão ou desejo. Apenas olhe e permita-se concentrar-se no coração dela. Olhe como o corpo se moldou em torno do coração — imagine suas esperanças e sonhos, suas aflições e medos escondidos. Sinta uma compaixão por aquela pessoa se acumular no seu coração. Respire dentro dessa compaixão, permita-se senti-la, mas não se prenda a ela. A cada expiração, coloque-a para fora.

Sem palavras ou movimentos, imagine um feixe de energia indo do seu coração para o dela. Envie amor para ela e depois solte-o. Não se prenda à conexão nem se responsabilize por ela de maneira alguma. Deixe o vínculo desaparecer e parta para outra pessoa.

Quando achar que já basta, feche os olhos e volte para o seu centro. Sinta seu próprio coração da mesma maneira que sentiu os outros. Sinta a mesma compaixão e o mesmo amor por si mesmo. Respire dentro desses sentimentos, fazendo com que se aprofundem. E depois se livre deles.

LEITURAS SUPLEMENTARES RECOMENDADAS SOBRE O CHAKRA QUATRO

Farhi, Donna. *The Breathing Book: Vitality and Good Health through Essential Breath Work.* Nova York: Henry Holt, 1996.

Hendricks, Gay. *Conscious Breathing: Breathwork for Health, Stress Release, and Personal Mastery.* Nova York: Bantam, 1995.

Hendricks, Gay e Hendricks, Kathlyn. *Conscious Loving: The Journey to Co--commitment.* Nova York: Bantam, 1990.

Stone, Hal e Winkelman, Sidra. *Embracing Each Other: Relationship as Teacher, Healer, and Guide.* Mill Valley: Nataraj Publishing, 1989.

Welwood, John. *Challenge of the Heart.* Boston: Shambhala, 1985.

CHAKRA CINCO

ÉTER
SOM
VIBRAÇÃO
COMUNICAÇÃO
MANTRAS
TELEPATIA
CRIATIVIDADE

Capítulo 6
CHAKRA CINCO: SOM

MEDITAÇÃO INICIAL

Antes do começo, tudo era escuridão e tudo era vazio.
A face do cosmos era profunda e não manifesta,
de fato, não era nem uma face, mas um nada infinito.
Sem luz, sem som, sem movimento, sem vida, sem tempo.
Tudo era vazio, e o universo ainda não fora criado,
Nem mesmo concebido.
Pois não havia uma forma em que se pudesse conceber ou ser concebido.

Em seu vazio, a escuridão recaiu sobre si mesma
e se tornou ciente de que não era nada.
Sozinha e escura, não nascida, não manifesta, silenciosa.
Consegue imaginar esse silêncio, o silêncio do nada?
Consegue se aquietar o bastante para escutá-lo?
Consegue escutar o silêncio em você?

Respire fundo, mas devagar, para que o ar se mantenha em silêncio nos seus pulmões.
Sinta sua garganta expandir com o ar que entra.
Escute o nada, escute a quietude,
escute o lugar da imobilidade bem dentro de você.
Respire devagar dentro desse vazio, respire fundo e tranquilamente.
Em sua quietude infinita, a escuridão recaiu sobre si mesma
e, em seu vazio, descobriu que estava só
e, por isso, desejou o outro.
Nesse desejo, uma ondulação atravessou o vazio,
dobrando-se em si mesma várias vezes
até que não houvesse mais vazio, que se tornara repleto de nascimento.

No começo, o grande e não manifesto
tornou-se vibração ao reconhecer seu ser.
E essa vibração era o som de onde nascem todos os outros sons.
Ele veio de Brahma em sua primeira emanação.
Veio de Sarasvati com suas eternas respostas.
Na união deles, o som ascendeu e se disseminou por todo o vazio, preenchendo-o.
E o som se tornou um, e o som se tornou muitos, e o som se tornou a roda que fazia os mundos girarem e girarem na dança da vida, sempre cantando, sempre em movimento.

Se você se puser a escutar, conseguirá ouvi-lo. Ele está na sua respiração, no seu coração, no vento, nas águas, nas árvores e no céu. Está na sua mente, no ritmo de cada pensamento.
De um único som tudo emerge, e a um único som tudo voltará.
E o som é
AUM... Aaa-ooo-uuu-mmmmmmmm... Aum...

Entoe-o internamente, baixinho. Dentro da sua respiração, deixe-o aumentar.
Deixe o som sagrado escapar de você, movendo-se nas asas do ar.
Uma vibração profunda sobe do fundo do seu interior e o ritmo passa a aumentar.
Entoe o som de toda a criação que põe os chakras para rodar.
Agora a voz se une a outros sons e entoações, ficando mais alta.
E todos os ritmos se entrelaçam numa dança sagrada.
Os ritmos persistem, as vozes aumentam e ecoam a dança da vida.
Sons para palavras, palavras para música, carregados pelas rodas da vida,
Guiando-nos em nossa jornada, fazendo o espírito por dentro se deslocar.
Entoe com a voz do seu interior — é onde você deve começar.
O vazio é convidativo, dizem o silêncio, o corpo e a respiração.
Não há mais medo ou dor, escute suas respostas na escuridão.
Sarasvati é o fluxo e Brahma é a primeira vibração,
Harmonizando tudo que conhecemos, o som nos une em nossa visão.
Com ecos do som primordial, logo o silêncio começa a retornar,
como um eco da profunda verdade, para todas as visões purificar.

CHAKRA CINCO — SÍMBOLOS E CORRESPONDÊNCIAS

Nome em sânscrito	Vishuddha
Significado	purificação
Localização	garganta
Elemento	som
Função	comunicação, criatividade

Estado interno	síntese de ideias em símbolos
Manifestação externa	vibração
Glândulas	tireoide, paratireoide
Outras partes do corpo	pescoço, ombros, braços, mãos
Mau funcionamento	dor de garganta, pescoço tenso, resfriados, problemas da tireoide, problemas de audição
Cor	azul-claro
Sentido	audição
Som semente	*ham*
Som de vogal	*i*, como em "bicho"
Pétalas	dezesseis, todas as vogais do sânscrito
Sefirot	Geburah, Chesed
Planeta	Mercúrio
Metal	mercúrio
Alimentos	frutas
Verbo correspondente	eu falo
Caminho do yoga	mantra yoga
Ervas para incenso	olíbano, benjoim, mace
Minerais	turquesa, água-marinha, celestita
Animais	elefante, touro, leão
Guna	rajas
Símbolos do lótus	Triângulo invertido com um círculo branco em seu interior que representa a lua cheia. Dentro do círculo há um elefante branco, e em cima dele há o símbolo do Bija, *ham*. As divindades no lótus são Sadasiva, uma forma de Shiva com três olhos, cinco rostos e dez braços, sentado em um touro branco, vestindo pele de tigre e uma guirlanda de cobras. A deusa é Gauri, resplandecente, consorte de Shiva, considerada deusa do milho por alguns. Gauri também é o nome de uma categoria de deusas que inclui Uma, Parvati, Rambha, Totala e Tripura.

Divindades hindus	Ganga (deusa do rio, relacionada à purificação), Sarasvati
Outros panteões	Hermes, as Musas, Apolo, Brígida, Seshat, Nabu
Principal atributo de ação	ressonância

PORTAL PARA A CONSCIÊNCIA

Som... ritmo... vibração... palavras. Poderosos governantes de nossas vidas, tomamos essas coisas como certas. Usando-as, respondendo a elas, recriando-as a cada dia, sujeitamo-nos a um ritmo após o outro, tecendo a trama da experiência sem cessar. Do primeiro choro de um recém-nascido às harmonias de uma sinfonia, estamos imersos em uma rede infinita de comunicação.

A comunicação é o princípio de conexão que possibilita a vida. Das mensagens codificadas pelo DNA de células vivas à palavra falada ou escrita, dos impulsos nervosos que conectam mente e corpo às ondas de transmissão que conectam os continentes, a comunicação é o princípio coordenador de toda a vida. É o meio pelo qual a consciência se estende de um lugar para outro.

Dentro do corpo, a comunicação é crucial. Sem a comunicação elétrica entre as ondas cerebrais e o tecido muscular não podemos nos mover. Sem a comunicação química entre hormônios e células, não há crescimento, nem estímulos para as mudanças cíclicas, nem defesas contra doenças. Se o DNA não tivesse a capacidade de transmitir e comunicar informações genéticas, a vida não existiria.

Nossa civilização também depende da comunicação como uma estrutura de conexão por meio da qual coordenamos as tarefas complexas da cultura cooperativa, assim como as células do corpo trabalham juntas para formar um organismo. Nossas redes de comunicação são um sistema nervoso cultural conectando todos nós.

O chakra cinco é o centro que se relaciona à comunicação pelo som, pela vibração, pela autoexpressão e pela criatividade. É o domínio da consciência que controla, cria, transmite e recebe comunicação, tanto no nosso interior como entre nós. É o centro da criatividade dinâmica, que sintetiza ideias velhas em algo novo. Suas características incluem ouvir, falar, escrever, cantar, telepatia e qualquer arte — especialmente aquelas relacionadas ao som e à linguagem.

Comunicação é o processo de transmitir e receber informações por meio de símbolos, como palavras escritas ou faladas, padrões musicais, presságios ou impulsos elétricos para o cérebro. O quinto chakra é o centro que transforma esses símbolos em informações. A comunicação, devido a sua natureza simbólica, é essencial para o acesso aos planos internos. Com os símbolos temos um meio de representar o mundo de uma forma mais eficiente, o que nos proporciona uma capacidade de armazenamento no cérebro que é infinita. Podemos discutir as coisas antes de fazê-las; podemos absorver e armazenar informações de forma concisa; podemos transformar pensamentos em imagens concretas e armazenar as imagens outra vez como pensamentos — tudo por meio da representação simbólica dos padrões percebidos.

Ao subirmos para este quinto nível, damos mais um passo para longe do aspecto físico. A comunicação é o nosso primeiro nível de transcendência física, pois nos permite ultrapassar as limitações comuns do corpo. Quando telefonamos para Nova York, evitamos ir até lá fisicamente. O telefonema dura apenas alguns minutos e custa pouco, mas as limitações de tempo e espaço foram transcendidas com tanta naturalidade que mais parece que estamos atravessando a rua. Podemos gravar vozes em fitas, ler diários de pessoas falecidas e decifrar antigos padrões no DNA de fósseis, tudo com a interpretação dos símbolos.

Como já afirmamos, os chakras inferiores são bem individuais. Nossos corpos, por exemplo, são nitidamente separados, com nossos limites definidos por nossa pele. À medida que subimos pela coluna dos chakras, nossos limites se tornam mais indefinidos. Quando chegamos à consciência pura, o ideal do sétimo chakra, é impossível estabelecer um limite em torno dela e dizer: "esta é a minha, e aquela é a sua". Informações e ideias são como o ar que respiramos — elas são como que um campo invisível que nos rodeia, de onde tiramos o que precisamos. Não há separações nesse campo. Cada passo para cima diminui os limites e a separação e nos aproxima da unidade. *Alcançamos essa unidade por meio da capacidade da consciência de fazer conexões.*

A comunicação é um ato de conexão. É um dos princípios unificadores dos chakras superiores. Quando faço uma palestra sobre cura para um grupo de pessoas, eu junto as consciências delas em torno de certas ideias, mesmo que apenas por um instante. Devido à comunicação que aconteceu, agora existe um subconjunto de informações que é compartilhado por todas as pessoas da plateia quando elas saem do salão. Se faço a palestra várias vezes, esse subconjunto de consciência compartilhada aumenta ainda mais. Mentes que eram divergentes passam a ter informações em comum depois que a comunicação ocorre.

A comunicação é uma forma de nos estendermos além dos nossos limites comuns. Por meio dela as informações que estão no seu cérebro, e não no meu, tornam-se acessíveis para mim. Talvez você nunca tenha ido à China, por exemplo, mas, pela comunicação de livros, filmes, imagens e conversas, você é capaz de ter algum conhecimento sobre os costumes e paisagens do país. Já que a comunicação une, ela também expande e permite que o nosso mundo aumente. Essa expansão reflete o padrão da corrente ascendente da consciência.

Na direção descendente dos chakras nós nos movemos rumo à limitação e à manifestação e tornamos os padrões de pensamento mais específicos pelo processo de *dar nomes*. Nomear concentra a consciência por definir limites em torno de algo, dizendo que é isso e não aquilo. Nomear uma coisa é esclarecê-la, definir seus limites, especificar. O nome dá estrutura e significado aos nossos pensamentos.

A comunicação molda nossa realidade e cria o futuro. Se eu lhe disser "traga um copo d'água para mim", eu crio em um futuro em que tenho um copo d'água na mão. Se eu disser: "por favor, deixe-me em paz", eu crio um futuro sem você. A comunicação cria o mundo a cada momento, seja com discursos presidenciais, reuniões do conselho corporativo, brigas conjugais ou lendo para as crianças na hora de dormir.

É claro que a comunicação pode orientar a consciência em ambas as direções do espectro dos chakras. *A comunicação pode ser considerada um sistema simbólico que serve de mediador entre a ideia abstrata e a manifestada.* Ela transforma nossos pensamentos em vibrações físicas controladas, que, por sua vez, podem criar manifestações no plano físico. Com as palavras, a consciência tem uma ferramenta por meio da qual pode ordenar ou organizar o universo ao seu redor, inclusive ela mesma! Assim, esse chakra ocupa um lugar crucial no portal entre a mente e o corpo. Não é um lugar de equilíbrio como o coração; em vez disso, ele reflete as propriedades transformadoras do fogo — é um meio-termo na transição de uma dimensão para outra.

Neste capítulo exploraremos a comunicação indo da teoria à prática. Examinaremos os princípios de vibração, sons, mantras, linguagem, telepatia, criatividade e a mídia como pétalas no lótus do quinto chakra.

VISHUDDHA — O PURIFICADOR

Ó Devi! Ó Sarasvati!
Sempre morem nas minhas palavras.
Sempre morem na ponta da minha língua.
Ó Mãe Divina, concessora da poesia sem defeitos.

Swami Sivananda Radha[97]

O chakra da comunicação, comumente chamado de chakra laríngeo, encontra-se na região do pescoço e dos ombros. Sua cor é azul — um azul que é claro, cerúleo, e que contrasta com o índigo do chakra seis. É um lótus de dezesseis pétalas que contém todas as vogais do sânscrito. Nessa língua, normalmente se considera que as vogais representam o espírito, enquanto as consoantes representam as coisas duras compostas pela matéria.

Esse lótus chama-se *Vishuddha*, o que significa "purificação". Isso implica duas coisas a respeito do centro: 1) para realmente alcançar e abrir o quinto

---

97. Swami Sivananda Radha, *Kundalini Yoga for the West*, p. 231.

chakra, o corpo precisa chegar a um certo nível de purificação. Os aspectos mais sutis dos chakras superiores requerem mais sensibilidade, e a purificação do corpo se abre diante dessas sutilezas. 2) O som, como uma vibração e uma força inerente a todas as coisas, tem uma natureza purificadora. O som pode afetar e realmente afeta a estrutura celular da matéria, além de ter a capacidade de harmonizar frequências dissonantes dentro de nós e ao nosso redor. Examinaremos melhor esses princípios mais à frente.

Dentro do chakra, mais uma vez encontramos Airavata, o elefante branco de muitas presas. Ele encontra-se dentro de um círculo que, por sua vez, está no interior de um triângulo invertido que simboliza a manifestação da palavra. As divindades são o deus Sadasiva (uma versão de Shiva, também conhecida como Pancanana, aquele que é quíntuplo) e a deusa Gauri (um epíteto que significa bela, amarela ou brilhante). Gauri também é o nome de uma categoria de deusas que inclui *Uma, Parvati, Rambha, Totala* e *Tripura*.[98] Cada uma das divindades desse chakra é representada com cinco rostos (ver Figura 6.1, página 200).

O elemento associado ao quinto chakra é o *éter*, também conhecido como *Akasha* ou espírito. É no quinto chakra que refinamos nossa consciência o bastante para perceber o campo sutil de vibrações conhecido como plano etérico. Esse plano é o campo vibratório da matéria sutil, que funciona como causa e resultado dos nossos pensamentos, emoções e estados físicos.

Poucas pessoas, especialmente à luz das pesquisas parapsicológicas modernas, podem negar que exista uma espécie de plano onde acontecem regularmente fenômenos impossíveis de se explicar pelas leis da realidade comum. Exemplos de visão remota, comunicação telepática e cura a distância são apenas alguns dos tipos de fenômenos que ocorrem por meios paranormais. A fotografia Kirlian é uma tecnologia que registra visualmente o campo normalmente invisível que cerca as coisas vivas, mostrando como esse campo revela estados de saúde ou de doença. O doutor Richard Gerber, em seu livro inovador *Vibrational Medicine*, descreve como "na realidade, é o princípio organizador do corpo etérico que mantém e sustenta o crescimento do corpo físico".[99] As doenças tendem a aparecer primeiramente no campo etérico antes de se manifestar nos tecidos. Da mesma maneira, a cura pode ser provocada por técnicas que tratam principalmente o corpo sutil, como acupuntura, homeopatia e cura psíquica.

O elemento éter representa um mundo de vibrações — são as emanações das coisas vivas que vivenciamos como a aura, o som e o plano sutil das impressões mentais que cerca nossas realidades mais sólidas.

Embora a maioria dos sistemas metafísicos postulem quatro elementos (terra, água, fogo e ar), o éter ou espírito costuma ser o elemento universal acrescentado

---

98. Stutley, Margaret e James, *Harper's Dictionary of Hinduism*, p. 96.
99. Richard Gerber, *Vibrational Medicine*, p. 302.

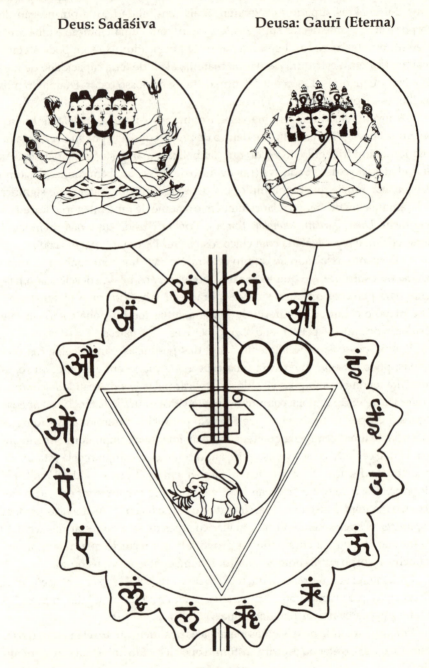

Figura 6.1
Chakra Viśuddha

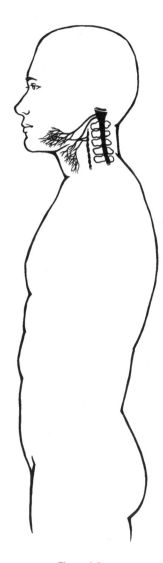

Figura 6.2
Chakra cinco.

quando o sistema tem cinco elementos. Em alguns casos, ele é chamado de "espaço" e é o elemento não físico, além de terra, ar, fogo e água. Nesses sistemas, os quatro elementos descrevem o mundo físico, e o espírito é deixado para o domínio não físico e inexplicável.

O quinto chakra é o último dos sete chakras a ter algum elemento relacionado a ele, segundo as associações clássicas, então o plano espiritual é compartilhado pelos três chakras superiores. Na minha interpretação do sistema, o elemento correlacionado a esse chakra é o *som*, pois o som é a representação grosseira de um campo invisível de vibrações e funciona de maneira parecida com as vibrações sutis. Como diz Arthur Avalon em *The Serpent Power*: "O som... é aquilo por meio do qual se conhece a existência do éter".[100] Em seguida, associei *luz* e *pensamento* aos chakras seis e sete, respectivamente, como um fenômeno vibracional cada vez mais sutil.

O MUNDO SUTIL DA VIBRAÇÃO

Todas as coisas...
são agregações de átomos que dançam
e, com seus movimentos, elas produzem sons.
Quando o ritmo da dança muda,
o som produzido também muda...
Cada átomo canta sua canção perpetuamente,
e o som, em cada momento,
cria formas densas e sutis.

Fritjof Capra[101]

O éter pode ser igualado ao campo unificador e abrangente das vibrações sutis encontradas pelo universo. Qualquer vibração, seja uma onda sonora ou uma partícula dançante, está em contato com outras vibrações, e todas as vibrações podem se afetar e se afetam. Entrar no quinto chakra é sintonizar nossa consciência com o campo vibracional sutil ao nosso redor.

Consideremos algo que todos nós conhecemos: o automóvel. Sabemos que nossos carros são propulsionados por um motor com diversas peças. Temos matéria sólida na forma de pistões e válvulas, gás, líquido e óleo, velas disparando e ar comprimido (os primeiros quatro elementos). O movimento cronometrado com exatidão permite que todas essas partes trabalhem juntas em relações precisas. No entanto, quando abrimos o capô, vemos apenas vibração. Como não enxergamos as pequenas peças dentro do motor, nós o vemos apenas de uma perspectiva mais ampla. Um motor em ação parece um bloco de metal vibrando e zunindo. Podemos saber se nosso carro está funcionando bem pelo som que ele faz. Quando o som é diferente do que deveria ser, é sinal de que há algo errado.

---

100. Arthur Avalon, em sua discussão sobre os *bhutas*, ou elementos, *The Serpent Power*, p. 71. Mais adiante, ele cita o *Hatha Yoga Pradipika* [Svāmin Svātmārāma, *Haṭha-Yoga-Pradīpikā*. São Paulo, Mantra, 2017. (N.E.)], "tudo que é ouvido na forma de som é Sakti... enquanto houver a noção de éter, o som é ouvido". Cap. IV, versos 101, 102, citado em *The Serpent Power*, p. 99.
101. Fritjof Capra, *The Tao of Physics*. Nova York, Bantam Books, 1975, p. 229.

Da mesma forma, sentimos as vibrações gerais de uma pessoa ou situação apesar de não percebermos os mínimos detalhes. Sabemos quando há algo errado. A soma total das vibrações *inclui* todos os níveis dentro dela. No quinto chakra, à medida que refinamos nossa consciência, começamos a notar essas mensagens vibracionais sutis. O campo etérico é uma espécie de planta baixa para os padrões vibracionais de nossos tecidos, órgãos, emoções, atividades, experiências, memórias e pensamentos.

Até mesmo os aspectos mais sólidos da matéria vibram sem parar em alta velocidade. Na verdade, é somente por esse movimento constante que percebemos o vazio da matéria como um campo sólido. O movimento das partículas atômicas, restrito a um espaço bem pequeno, parece mais uma vibração ou oscilação, vibrando a cerca de 10^{15} Hz[102] (Hz = ciclos por segundo). A vibração, mesmo em nossas unidades mais fundamentais, existe em todas as formas da matéria, da energia e da consciência.

A vibração é uma manifestação do ritmo. Dion Fortune, em *The Cosmic Doctrine*, descreve a vibração como "o impacto do ritmo de um plano na substância de outro".[103] À medida que subimos pela coluna dos chakras, diz-se que cada plano vibra em um nível mais elevado, rápido e eficiente do que o chakra inferior. A luz é uma vibração mais rápida do que o som (por cerca de quarenta oitavas), e o pensamento é uma vibração mais sutil do que a luz. Nossa consciência vibra por cima da substância dos nossos corpos, com a energia afetando o movimento e o movimento afetando a matéria.

No século XIX, um cientista chamado Ernst Chladni fez alguns experimentos demonstrando como a vibração afeta a matéria. Chladni pôs areia em cima de uma placa de aço fixa e depois esfregou um arco de violino resinado ao longo da borda da placa. Ele descobriu que a vibração que era "tocada" no disco fazia a areia "dançar" em belos padrões parecidos com mandalas. Quando a frequência da vibração variava, o padrão também variava (ver Figura 6.3, página 204). Uma camada de areia sobre um som estéreo também produzirá padrões semelhantes se os tons tiverem uma frequência simples.

É um nítido exemplo da maneira como o som afeta a matéria — um exemplo do ritmo de um plano afetando a substância de outro. Todavia, o padrão criado por esses tons não é aleatório, e sim uma estrutura semelhante a uma mandala, organizada geometricamente em torno de um ponto central — como o padrão de um chakra. É inevitável nos perguntarmos qual é o efeito que o som tem nas minúsculas estruturas celulares e atômicas ou no campo etéreo, menos visível.

Experimentos posteriores mostraram que ondas sonoras projetadas em vários meios, como água, pós, pastas ou óleo, produzem padrões bem semelhantes

---

102. Itzhak Bentov, *À espreita do pêndulo cósmico*. São Paulo, Pensamento, 1990.
103. Dion Fortune, *The Cosmic Doctrine*, p. 57.

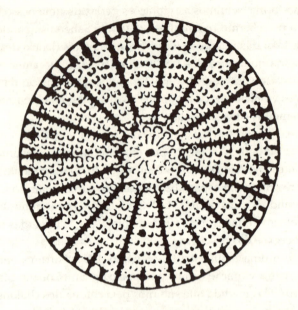

A bactéria *Arachnoidiscus* (x 600)

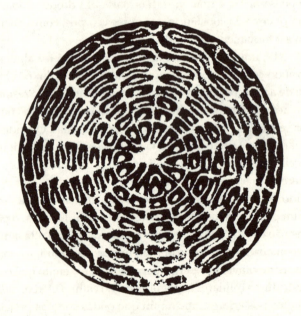

Uma imagem de Chladni formada pela vibração de um disco coberto de areia em frequências específicas.

Figura 6.3

às formas encontradas na natureza, como as galáxias espirais, a divisão celular de um embrião ou a íris e a pupila do olho humano. O estudo desse fenômeno é chamado *cimática* e foi bastante desenvolvido pelo cientista suíço Hans Jenny.[104]

Os hindus acreditam que a vibração, por atravessar vários níveis de densidade, indo de *Brahma*, o criador, até *Vaikhari*, o som audível, é a emanação básica a partir da qual a matéria foi criada. Na verdade, escrituras hindus dizem: "OM — o mundo inteiro é essa sílaba!... Para isso, Brahma é o todo".[105] Apesar de o hinduísmo diferir muito do cristianismo em vários aspectos, não se pode negar a semelhança com a declaração em João I: "No princípio era a Palavra, e a Palavra estava com Deus, e a Palavra era Deus".[106] Ambas as frases descrevem como o som, como uma emanação do divino, cria o mundo manifesto.

Todas as vibrações são caracterizadas pelo ritmo, um padrão repetido e regular do movimento no tempo e no espaço. Esses padrões rítmicos são funções profundamente arraigadas da nossa consciência. Alguns exemplos são a mudança das estações, os ritmos do dia e da noite, os ciclos da Lua, a menstruação das mulheres, o movimento da respiração e o batimento constante do nosso coração. Nenhum ser vivo escapa desses ritmos. O ritmo, bem como a mudança, é um aspecto fundamental de toda a vida e da consciência.

Agindo com base no quinto chakra, a pessoa conscientiza-se das coisas em um nível vibracional. Podemos responder mais ao tom de uma voz do que às palavras ditas. O efeito do plano mais "abstrato" na nossa consciência é mais sutil do que o das ações grosseiras, mas não é menos profundo. Infelizmente, a maioria de nós não percebe conscientemente nossas ações e reações nesse plano.

Até mesmo nossas percepções, por qualquer um dos sentidos, são uma função da percepção do ritmo. Ouvir ondas sonoras e ver ondas de luz são apenas duas delas. O próprio mecanismo pelo qual as fibras nervosas transmitem informações para o nosso cérebro emprega pulsações energéticas rítmicas. Das primeiras contrações no ventre da nossa mãe aos nossos últimos suspiros, somos criaturas dançantes e rítmicas, dançando o que Ram Dass chama de "a única dança que existe".

George Leonard, em seu maravilhoso livro *The Silent Pulse*, define o ritmo como "o jogo das frequências padronizadas contra a matriz do tempo".[107] Ele afirma que o papel principal do ritmo é integrar várias partes de um sistema. Somos como uma orquestra sinfônica: os vários aspectos do sistema são as cordas, as trompas, as madeiras e a percussão, mas é somente pela força unificadora do ritmo que a música é criada. O ritmo é a pulsação do sistema!

---

104. Para se deleitar visualmente com esse fenômeno, veja o vídeo *Cymatics: The Healing Nature of Sound*, feito por MACROmedia, P.O. Box 279, Epping, NH, 03042.
105. Patrick Olivelle, *The Early Upanishads: Annotated Text and Translation*, Mandukya Upanishad. Nova York, Oxford University Press, 1998, p. 475.
106. João I, Bíblia King James.
107. George Leonard, *The Silent Pulse*, p. 10.

O que falta na vida de muitos de nós é esse ritmo ressonante, o aspecto integrador que conecta o âmago do nosso ser ao batimento cardíaco do universo. Assim, estamos dessintonizados com o mundo e conosco. Faltam-nos coordenação, coesão e graciosidade.

Ademais, os ritmos, como os padrões dos chakras, tendem a se perpetuar. A pessoa que começa o dia em um estado mental calmo e centrado tem interações mais calmas e centradas. Por outro lado, alguém que dirige para o trabalho toda manhã na hora do *rush*, que tem um emprego acelerado e de alta pressão, enfrenta diferentes tipos de vibrações diariamente. Esse ritmo afeta até mesmo o nível celular da pessoa e necessariamente seus pensamentos, ações e emoções. Depois de trabalhar o dia todo e dirigir para casa na hora do *rush*, é inevitável manifestar esse ritmo na vida doméstica, nos hábitos alimentares e nas interações com os outros. O cônjuge e os filhos são bombardeados por esse ritmo e podem ser estimulados ou se sentir incomodados com ele, consciente ou inconscientemente. Eles podem (e provavelmente irão) reagir no mesmo nível vibracional, agravando-o. Se o batimento cardíaco conduz nossos ritmos internos, não é de surpreender que tantos executivos tenham infartos!

Todos nós afetamos os outros e tudo que nos cerca com as vibrações que temos em nossas mentes e corpos. Apesar de não receberem tanta atenção — pois estão em um nível sutil, difícil de especificar ou descrever —, elas nos afetam profundamente mesmo assim. Pouquíssimas pessoas se esforçam conscientemente para moderar essas vibrações, mas há muitas técnicas relativamente simples e muitos princípios que tornam isso factível para qualquer um. Aproveitando-as, podemos beneficiar o desenvolvimento da nossa própria consciência e também o bem-estar evolutivo de todos ao nosso redor.

RESSONÂNCIA

No coração de cada um de nós, quaisquer que sejam nossas imperfeições,
há uma pulsação silenciosa de ritmo perfeito,
um complexo de formas de ondas e ressonâncias
que é absolutamente individual e único, mas que nos conecta a tudo no universo.
O ato de entrar em contato com essa pulsação transforma nossa experiência
pessoal e, de certa maneira, altera o mundo ao nosso redor.[108]

George Leonard

Todos os sons podem ser descritos como formas de onda vibrando em uma frequência particular. A *sincronização dos ritmos*, também conhecida como *vibração simpática*, ou simplesmente *ressonância*, ocorre quando duas formas de onda de frequências similares "entram na mesma fase", ou seja, oscilam juntas

---

108. George Leonard, *The Silent Pulse*, p. xii.

exatamente no mesmo ritmo. A onda resultante é uma combinação das duas ondas originais: ela tem a mesma frequência, mas amplitude aumentada (ver Figura 6.4, abaixo). A amplitude é a distância que uma onda percorre da crista ao vale. Nas ondas sonoras, uma amplitude maior significa mais energia e volume, como na música amplificada. Em outras palavras, a potência e a profundidade aumentam quando as formas de onda estão em ressonância.

Podemos entender isso com uma visita a alguma loja que venda relógios de pêndulo. Suponha que entramos numa delas, mas que não deram corda em nenhum dos relógios. O vendedor, para nos mostrar que os relógios realmente funcionam, anda pela loja dando corda em cada um deles e fazendo os pêndulos se moverem. No início, o tique-taque de um segundo de cada pêndulo não estará sincronizado com os outros, podendo estar defasado por um quarto de segundo ou meio segundo. Com o passar do tempo, percebemos menos tique-taques e logo todos os pêndulos estão balançando em uníssono. Os ritmos deles se sincronizaram.

Duas vibrações oscilantes, *contanto que estejam em frequências próximas*, terminam se sincronizando. Os corais de música, por exemplo, mantêm a última nota até as vozes alcançarem a ressonância. Quando se tem um ouvido treinado, é possível perceber essas pulsações como batidas sutis. É isso que cria aquele tinido nítido e claro que ecoa pelo auditório quando a nota é interrompida. As ondas sonoras estão numa mesma fase, criando uma ressonância que é agradável escutar.

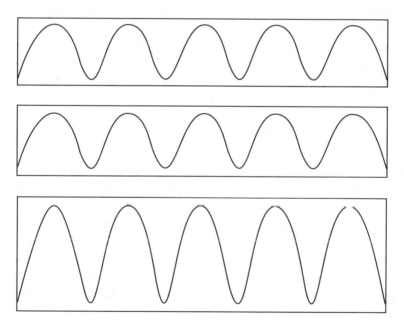

Figura 6.4
Interferência construtiva de ondas sonoras.

Esse princípio da sincronização do ritmo também ocorre quando apenas uma onda desencadeia uma vibração em uma fonte em repouso. Se, por exemplo, nós dois estivermos com os violinos afinados no tom de um concerto, posso fazer a corda ré do seu violino vibrar apenas tocando a minha própria corda ré perto dela. É assim que os diapasões são usados em televisões com controle remoto. Quando pressionamos o botão, ele emite um tom que é ativado remotamente no aparelho de TV a alguns metros de distância.

Apesar de ondas semelhantes entrarem em fase umas com as outras, criando ressonância, ondas de frequências diferentes podem criar dissonância. O tom puro de uma flauta, por exemplo, é uma onda sinusoidal coerente que se afinará com outras flautas. O barulho de um ônibus é constituído por muitas ondas sonoras complexas que são dissonantes.

As vibrações sutis de pessoas que moram numa mesma casa terminam se sincronizando. Sabe-se que mulheres que moram juntas há tempo o bastante costumam menstruar na mesma época do mês. Pessoas casadas há muito tempo muitas vezes se parecem e têm um ritmo de fala semelhante. Quanto à cultura, entramos no mesmo ritmo que nossos vizinhos, amigos e semelhantes. Nosso ambiente nos influencia não apenas com fatores visuais, psicológicos e fisiológicos (como *outdoors*, pressão social e poluição do ar), mas também num nível subconsciente e profundo de vibrações internas.

A Sociedade de Meditação Transcendental, mais conhecida como MT, tem uma filosofia de meditação que se fundamenta nesse princípio. Eles acreditam que os ritmos das ondas cerebrais criados pela meditação com mantras podem influenciar positivamente o mundo de quem não medita. Quanto mais meditadores, maior a probabilidade de ocorrer essa sincronização de ritmos. Essa suposição foi até testada em Atlanta, na Geórgia, onde todas as noites, a uma certa hora, os meditadores concordavam em meditar. Demonstrou-se que houve uma redução notável na criminalidade durante aquela hora.[109]

Toda fala tem ritmo. Assim, toda conversa também está sujeita aos princípios da sincronização do ritmo, com algumas implicações fascinantes, como revela o trabalho do doutor William S. Condon, da Escola de Medicina da Universidade de Boston, descrito a seguir.

Para observar com mais precisão os aspectos mais sutis da comunicação, o doutor Condon filmou várias conversas e depois analisou os filmes em velocidades muito lentas (1/48 de segundo). Ao dividir palavras simples em unidades de som fundamentais (como a palavra *sound* sendo s-ah-oo-nnn-d), com cada uma durando uma fração de segundo, ele descobriu que os movimentos corporais do ouvinte e do interlocutor *estavam em sincronia com a voz* em todos os momentos

---

109. Arthur Aron, em uma publicação disponibilizada pelo Center for Scientific Research, Maharishi International University, Fairfield, Iowa.

da comunicação. São movimentos como erguer as sobrancelhas, inclinar a cabeça ou dobrar o dedo. A cada novo conjunto de sons, um novo conjunto de movimentos ocorria. O que é mais surpreendente é que os movimentos do ouvinte estavam *sincronizados* com os do interlocutor, em vez de ocorrerem como uma reação tardia. O doutor Condon fez o seguinte comentário:

> *Observou-se que os ouvintes se moviam em sincronia com a fala do interlocutor. Parece ser uma forma de sincronização, pois não há nenhum atraso perceptível nem a 1/48 de segundo... Também parece ser uma característica universal da comunicação humana, e talvez caracterize boa parte do comportamento animal em geral. A comunicação, portanto, é como uma dança, com todos envolvidos em movimentos complexos e partilhados em muitas dimensões, mas, estranhamente, eles não percebem que fazem isso. Essa sincronização é constatada até mesmo entre desconhecidos...*[110]

Ele também afirma que o conteúdo da mensagem só parece ser transmitido depois que há sincronização. Antes disso, costuma haver desentendimentos. Na década de 1960, George Leonard e o doutor Price Cobbs, um psiquiatra negro, conduziram encontros inter-raciais nos fins de semana em que participantes negros e brancos apresentavam nítidas variações em seus ritmos de fala. Os participantes eram incentivados a expressarem seus medos, ressentimentos e raivas. O início da maratona era desestimulante e sofrido, mas, em um dado momento do fim de semana, observava-se que os ritmos se aproximavam da euforia, com todos falando, gritando e batendo os pés, alcançando um clímax intenso. Eles descrevem:

> *Perto do fim da seção, alguns dos gritos e xingamentos começaram a se transformar em gargalhadas. Depois acontece algo estranho: o grupo inteiro de repente para, e recomeça, e para, e recomeça mais calmamente — tudo num ritmo perfeito. Depois disso, o encontro é retomado com um novo tom de suavidade e tranquilidade. É como se os pêndulos da compreensão oscilassem juntos, com as células do coração batendo como se fossem uma só.*[111]

A comunicação só começou a ocorrer depois que o grupo entrou em ressonância. Talvez a comunicação seja realmente uma dança rítmica, e não um fenômeno de estímulo-resposta como costumamos pensar. Vemos que o ouvinte não está *reagindo* ao interlocutor, mas, sim, *ressoando* com ele enquanto a comunicação de fato ocorre.

Outros estudos do doutor Condon examinaram o comportamento de crianças autistas e com distúrbios em relação a essa sincronização do ritmo auditivo. Elas tiveram um intervalo entre o ouvinte e o interlocutor e agiram como se

---

110. William S. Condon, "Multiple Response to Sound in Dysfunctional Children". *Journal of Autism and Schizophrenia*, vol. 5, n. 1, 1975, p. 43.
111. George Leonard, *The Silent Pulse*, p. 23.

estivessem reagindo a um eco dos sons originais. Por causa de seus micromovimentos, elas não entram em harmonia com o mundo ao redor e, por isso, sentem a alienação e a confusão que caracterizam sua condição. George Leonard, em sua análise desses dados, conclui: "Nossa capacidade de ter um mundo depende de nossa capacidade de nos sincronizar com ele".[112]

Esse conceito é muito importante para a compreensão do quinto chakra. Se não conseguimos entrar em sintonia com as frequências vibratórias ao nosso redor, não sentimos nossa conexão com o mundo. Se não há sincronização, não nos comunicamos. E sem comunicação ficamos isolados e separados da energia nutritiva que é tão vital para a saúde. Assim como os hindus acreditam que o som cria toda a matéria, a comunicação — seja ela oral, química, mental ou elétrica — cria e mantém a vida. Sem ela, nós morremos tanto espiritual como fisicamente.

Talvez nosso conceito de intercâmbio verbal como algo que abrange os aspectos mais significativos da comunicação seja meramente outra manifestação da grande Maya, que oculta a natureza de sua realidade subjacente. Talvez a comunicação não passe de um intercâmbio rítmico. Todavia, a linguagem é a ponta do iceberg da comunicação e também nossa maior indicação do que é esse iceberg e de onde ele se encontra.

Se uma mera vibração pode fazer a matéria se mover em padrões coerentes e harmônicos, as vibrações ressonantes aprofundam esse efeito. Quando realmente ressoamos com algo, isso nos afeta profundamente. Conhecendo esse princípio da vibração simpática, podemos desempenhar nosso papel na evolução de nosso meio ambiente. Nossas próprias vibrações podem desencadear um novo pensamento ou vibração em algo que está em repouso, despertando a consciência no outro. Podemos escolher contribuir com vibrações "boas" ou "más": aquelas que estão em harmonia com as vibrações ao nosso redor ou aquelas que se encontram fora de fase, em desarmonia.

Os chakras também exibem padrões vibracionais que vão das vibrações mais lentas e densas da matéria sólida no primeiro chakra às vibrações mais elevadas e rápidas da consciência pura. Um chakra ativo em uma pessoa pode, com suas vibrações, provocar a abertura de um chakra inativo em outra.

Em San Francisco, há um local chamado "Exploratorium", com muitas exposições científicas que ensinam envolvendo o observador. Uma delas, criada por Tom Tompkin, chama-se "Resonant Rings" ("Anéis Ressonantes") e demonstra a vibração simpática. É um belo exemplo de como os chakras vibram no corpo.[113]

Presas a uma superfície de borracha, em cima de um alto-falante, encontram-se várias faixas circulares de metal, cada uma descrevendo um círculo cujo tamanho varia entre aproximadamente 5 cm e 15 cm (ver Figura 6.5, página 211).

---

112. George Leonard, *The Silent Pulse*, p. 18.
113. Tom Tompkin, Exploratorium, Palace of Fine Arts, San Francisco, California, 1986.

O observador pode girar um botão que emite som pelo alto-falante e faz a placa vibrar em uma determinada frequência. A frequência é ajustável pelo botão.

Em frequências baixas, apenas os círculos grandes vibram com um movimento lento e ondulante, emitindo um som grave. Em frequências mais altas, somente os círculos pequenos vibram, emitindo um zunido agudo. As frequências intermediárias fazem os círculos do meio vibrarem. Você pode controlar quais círculos vibram ajustando o botão nas diferentes frequências.

Nossos corpos são a "superfície" que faz os chakras vibrarem. O padrão vibracional geral da nossa vida — nossas ações, pensamentos, emoções, hábitos alimentares e ambiente — ativa as vibrações dos nossos chakras. Podemos ativar diferentes deles mudando o ritmo vibracional das nossas vidas. O que é lento possibilita a abertura do primeiro chakra. Já as frequências mais altas estimulam o terceiro chakra. Além disso, devemos lembrar que lidamos com vibrações mais sutis — mover o corpo físico mais rapidamente não abrirá os chakras superiores, mas a meditação pode permitir que o cérebro assimile vibrações "mais elevadas". Quando saímos das limitações do tempo e do espaço, nossas vibrações são menos obstruídas. Em um nível de vibração, a iluminação pode ser considerada como a onipresença de uma forma de onda de frequência e amplitude infinitas.

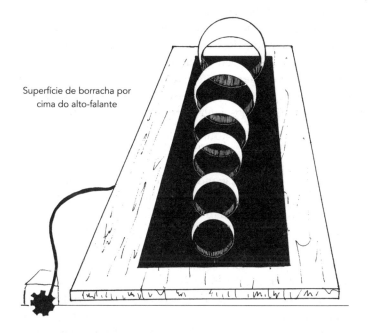

Superfície de borracha por cima do alto-falante

Figura 6.5
Anéis ressonantes.

MANTRAS

A essência de todos os seres é a terra, a essência da terra é a água,
a essência da água são as plantas,
a essência das plantas é o homem, a essência do homem é a fala,
a essência da fala é o Conhecimento Sagrado (Veda),
a essência do Veda é Sama-Veda (palavra, tom, som),
a essência de Sama-Veda é OM.

Chandogya Upanishad

O disco de Chladni e os princípios da sincronização dos ritmos nos mostram que as ondas sonoras podem afetar e afetam a matéria. Não é de surpreender que elas também afetem a consciência.

Essa é a ideia básica por trás dos sons sagrados, chamados *mantras*, que são usados na meditação e na entoação. A palavra vem de "man", que significa mente, e "tra", que quer dizer proteção ou instrumento. Assim, um mantra é uma ferramenta para proteger nossas mentes das armadilhas dos ciclos não produtivos de pensamentos e ações. Ele serve para concentrar a mente, deixando-a focalizada e calma. A vibração do mantra foi comparada à vibração de alguém que sacode seus ombros para acordá-lo.[114] O objetivo do mantra é acordar a mente do seu sono habitual da ignorância.

Assim como uma vibração em particular do disco de Chladni criou uma mandala a partir de um monte de areia, entoar um simples mantra como o OM muda nosso monte aleatório de pensamentos e emoções, dando-lhes um padrão coesivo e gracioso. Não precisamos intelectualizar o significado ou a simbologia de um mantra para que seu som tenha esse efeito sobre nós. O ritmo do som funcionará em um nível subconsciente e permeará nossos ritmos internos. Na verdade, não pensar sobre o significado do mantra faz parte da sua magia, pois assim transcendemos os aspectos fragmentados da mente consciente e percebemos uma completude subjacente.

No entanto, quando se atribui sentido a um determinado som, como no uso de uma afirmação que repetimos para nós mesmos todos os dias, a exemplo de: "Eu sou amor", o ritmo da repetição ajuda a inculcar esse sentido em nossa consciência.

Quando dito em voz alta por alguns minutos pela manhã, um mantra eficaz pode passar o dia inteiro reverberando em silêncio na mente, carregando consigo as marcas da sua vibração, da sua imagem e do seu sentido. A cada reverberação, acredita-se que o mantra está agindo na estrutura da mente e do corpo, criando mais ordem e harmonia. As ações podem passar a ter um novo ritmo, dançando ao rufo do mantra. Se um mantra rápido é escolhido, ele pode ser usado para gerar energia e superar a inércia. No caso de um mantra lento e tranquilo, ele pode ajudar a provocar um estado de relaxamento e calma ao longo do dia.

---

114. Arthur Avalon, *The Serpent Power*, p. 97.

212

OS SONS SEMENTES DOS CHAKRAS

A metafísica hindu determina que tudo no universo é constituído de som. Em cada coisa há uma representação simbólica dos padrões energéticos que a compõem, conhecida como som semente ou *bija* mantra. O propósito desses mantras é fazer com que a pessoa que os entoa entre em ressonância com o objeto do som semente. Conhecendo os *bija* mantras, a pessoa adquire controle sobre a essência da coisa em questão e, por conseguinte, torna-se capaz de criá-la, destruí-la ou alterá-la de outro modo. Hazrat Inayat Khan disse: "Aquele que conhece o segredo dos sons conhece o mistério do universo inteiro".[115]

Cada chakra tem seu próprio som semente, e dizem que ele contém a essência do chakra e, portanto, seus segredos. Como cada chakra tem seu elemento associado, acredita-se que os sons semente dão acesso aos atributos desse elemento. Os sons semente ou *bija* mantras de cada chakra são os seguintes:

Chakra um	Terra, *Muladhara*	*Lam*
Chakra dois	Água, *Svadhisthana*	*Vam*
Chakra três	Fogo, *Manipura*	*Ram*
Chakra quatro	Ar, *Anahata*	*Yam* (ou *Sam*)
Chakra cinco	Éter, *Vishuddha*	*Ham*
Chakra seis	*Ajna* (luz)	*Om*
Chakra sete	*Sahasrara* (pensamento)	(sem mantra)

O M em cada um desses sons representa o aspecto materno e material do universo. O som A, por sua vez, representa o Pai, o imaterial. O L (*lam*, terra) é um som pesado, de conclusão, enquanto o H de HAM (éter) é um som leve, aéreo e etéreo, e o R (*ram*, fogo) é um som energético, incandescente. Além dos sons semente, cada chakra tem um número específico de pétalas, e cada uma delas tem o nome de uma letra do alfabeto sânscrito. Normalmente, as consoantes passaram a refletir os aspectos materiais e duros do mundo, enquanto as vogais representam os aspectos espirituais ou etéricos. O chakra cinco, portanto, carrega sons vocálicos, pois há apenas vogais em suas pétalas. Diz-se que o controle dessas letras está nas mãos da deusa *Kali*, cujo nome significa "tempo". Kali é o aspecto destrutivo das deusas hindus e destrói o mundo removendo as letras das pétalas dos chakras, também removendo, por conseguinte, o som ou a fala.[116] Sem o som, que é a essência de todas as coisas, nada pode existir.

Não somos vítimas indefesas de vibrações desarmoniosas — podemos emitir nossas próprias vibrações. Pronunciar mantras é uma forma de

---

115. Hazrat Inayat Khan, *The Sufi Message*. 2. ed, vol. 2. London: Barrie and Rockliff, 1972.
116. Arthur Avalon, *The Serpent Power*, p. 100.

assumir o controle dos nossos ritmos e de orientar o desenvolvimento de nossa mente e de nosso corpo no nível etéreo fundamental.

A tabela a seguir lista alguns mantras comumente usados e seus propósitos. A lista é minúscula em comparação com as possibilidades que existem para mantras eficazes. A importância de um mantra encontra-se no seu ritmo e na sua vibração geral. Os mantras são sentidos internamente — você pode perceber quais deles são eficazes para o seu caso conforme os testa. No entanto, um mantra precisa de um certo tempo para se tornar totalmente eficaz. Para avaliar direito o verdadeiro benefício de um mantra, repita-o por uma semana ou um mês.

- **OM ou AUM**: o grande som primordial, o som original a partir do qual o universo foi criado, o som de todos os sons juntos (para os cristãos, o mantra AMÉM é similar ao AUM).
- **OM AH HUM**: três silabas muito potentes usadas com os objetivos de purificar uma atmosfera antes de iniciar um ritual ou meditação ou transformar oferendas materiais em seus equivalentes espirituais.
- **OM MANI PADME HUM**: "a joia do lótus reside no interior". MANI PADME representa a joia no lótus, a sabedoria essencial que se encontra no cerne da doutrina budista, a essência divina; já HUM representa a realidade ilimitada que encarna dentro dos limites do ser individual. HUM une o indivíduo ao universal.
- **GATE GATE PARAGATE PARASAM GATE BODHI SWAHA**: sutra tibetano do coração.
- **EU SOU O QUE SOU**: outra versão com o propósito de unir o individual ao universal.
- **OM NAMA SHIVAYA**: "em nome de Shiva". Um dos muitos mantras que proferem nomes de deuses. Qualquer nome de deus ou deusa pode ser usado para criar um mantra.
- **ÍSIS, ASTARTE, DIANA, HÉCATE, DEMÉTER, KALI — INANNA**: canto pagão popular com nomes de deusas, do álbum de Charlie Murphy chamado *The Burning Times*. Versos subsequentes podem ser acrescentados a esses, para o deus: NETUNO, OSÍRIS, MERLIN, MANANNAN, HÉLIO — DEUS CORNÍFERO (o travessão indica uma breve pausa).
- **TERRA, ÁGUA, FOGO E AR — VOLTE, VOLTE, VOLTE, VOLTE**: é um ritual que reconhece os elementos, assim como o mantra das deusas acima.

Existem milhares de cantos e mantras de diferentes culturas e religiões no mundo. Alguns têm semelhanças de tom e ritmo; já outros, não. O valor mais profundo de um mantra tem a ver com o quanto investimos nele — com o quanto o usamos nas nossas meditações, no nosso trabalho e nos nossos pensamentos ao longo do dia. Se muitas pessoas usam um mesmo mantra, o som acumula ressonância nos planos sutis e se torna mais potente. Cada vez que usamos um mantra ficamos mais sincronizados com ele.

Apesar de existirem mantras que têm sido usados há séculos para criar efeitos específicos, não há nada de errado em inventar os seus. As afirmações, quando colocadas na forma de um mantra, têm um efeito mais potente porque, em qualquer linguagem, as palavras são uma forma da estrutura interna do objeto. Assim, a afirmação "serei forte" carrega em si os aspectos particulares da força que buscamos. Porém, a afirmação "eu sou forte!" cria ainda mais força com uma pequena mudança nas palavras. Os mantras devem ser escolhidos com cuidado para criar os efeitos que desejamos. Na maioria das escolas místicas, eles têm sido uma tradição esotérica secreta. O poder deles é sutil e não costuma ser detectado por uma pessoa não sensitiva ou não iniciada. Ele é sentido somente pela experiência, seu uso requer a simples técnica da repetição, e seus benefícios podem ser sentidos por qualquer buscador sincero. Eles são uma chave básica e fundamental que permite aos seres humanos destravarem alguns dos mistérios da sua própria harmonia interna.

SONS DAS VOGAIS E OS CHAKRAS

O som semente de cada chakra listado previamente difere apenas quanto à consoante, então o som prolongado da vogal de cada som semente é o mesmo (à exceção do chakra seis). Pela minha experiência, para que os chakras ressoem é mais eficaz trabalhar com vários sons de vogais. Embora pesquisas indiquem diferenças entre um sistema e outro, a lista a seguir representa a correlação mais comum dos sistemas distintos. Você pode confirmar as informações a seguir fazendo os sons por conta própria e sentindo quais chakras parecem vibrar com quais sons.

Esses sons são igualmente eficazes, ou talvez até mais, quando usados como mantra silencioso ou como um recurso de meditação. Escolha os chakras (ou chakra) com que deseja trabalhar mais e use os sons das vogais para ajudar a despertá-los.

Muladhara	*o* como em Om
Svadhisthana	*u* como em "útil"
Manipura	*u* como em "vá"
Anahata	*e* como em "peito"
Isuddha	*i* como em "bicho"
Ajna	*mm*
Sahasrara	*nng* como em "*shopping*", ou apenas silêncio

TELEPATIA

A chave para o domínio é sempre o silêncio, em todos os níveis,
pois no silêncio discernimos as vibrações;
e discerni-las é captá-las.

Sri Aurobindo[117]

A telepatia é a arte de se comunicar pelo tempo e pelo espaço sem usar nenhum dos cinco sentidos "normais". Existem relativamente poucas pessoas que adotam essa forma de comunicação, mas é algo a que todos nós respondemos em um nível subliminar. Com o quinto chakra bem desenvolvido, esse tipo de comunicação torna-se acessível.

À medida que aprendemos a refinar nossos chakras, acalmar nossas mentes e aquietar nossos pensamentos, a estrutura da nossa consciência se torna cada vez mais suave. As vibrações passam a ser mais estáveis, e as percepções, mais diretas. Nesse estado, é muito mais fácil percebermos as ondulações mais sutis das vibrações no nosso campo energético. Os níveis mais silenciosos da comunicação telepática evidenciam-se quando as vibrações mais densas das nossas vidas não criam mais interferência.

Façamos uma analogia da comunicação telepática amplificando o nosso fenômeno. Numa festa barulhenta onde todos estão falando ao mesmo tempo, com música alta e pessoas dançando, você tem de aumentar consideravelmente a voz para poder conversar. Se, por algum motivo estranho, seu parceiro sussurrar, você não vai escutá-lo. Para isso, você teria de estar numa sala silenciosa, onde houvesse poucos padrões de interferência na sua comunicação (ou nenhum).

A telepatia pode ser definida como *a arte de ouvir os sussurros da mente de outra pessoa*. Para fazer isso, devemos ficar quietos em nossas próprias mentes. A maioria de nós, por natureza, tem uma festa acontecendo dentro da cabeça. Estamos sempre conversando sozinhos ou pensando em alguma coisa. Quando acrescentamos isso ao barulho habitual ao nosso redor, a receptividade do quinto chakra diminui. Estamos acostumados a usar aparelhos tecnológicos para enviar mensagens além dos limites das nossas vozes, mas não a ouvir as sutis agitações do éter, que podem nos trazer alguma comunicação através do tempo e do espaço.

E por que nos acostumaríamos a isso? A comunicação física grosseira não é mais precisa e específica, estando menos sujeita a perdas ou erros? Ao enviar uma mensagem telepática, como ter certeza de que ela foi recebida? Ou recebida com precisão?

A consciência não é realmente um processo verbal. Para nos comunicarmos, devemos transformar nossa consciência numa estrutura simbólica. Para receber

---

117. Citado por Satprem em *Sri Aurobindo or The Adventure of Consciousness*, p. 71.

uma comunicação, devemos traduzir os símbolos de volta para a consciência. Embora possa parecer algo imediato, rebaixamos a consciência da sua forma mais pura. Como qualquer linguista bem sabe, a essência de uma comunicação muitas vezes é distorcida na tradução.

Sob essa perspectiva, a comunicação telepática pode ser mais precisa e imediata do que a verbal, que contém mentiras e omissões com frequência.

Apesar de poucas pessoas serem realmente adeptas dessa forma de comunicação, muitas já a experimentaram. Duas pessoas que dizem a mesma coisa ao mesmo tempo, ligar para o seu amigo e ouvir o sinal de ocupado porque ele também está ligando para você ou receber uma mensagem psíquica de algum parente em perigo são maneiras comuns de se comunicar telepaticamente.

Se aceitarmos o éter como um campo que conecta vibrações densas e sutis, a comunicação ocorrerá por meio de uma alteração perceptível nesse campo. A comunicação telepática é apenas uma alteração mais sutil, que só é perceptível quando as vibrações mais grosseiras são silenciadas. A telepatia pode ocorrer quando duas ou mais mentes estão sincronizadas quanto ao ritmo, fazendo com que a variação no padrão de um ritmo cause uma variação semelhante em outro. Ritmos sincronizados aumentam a amplitude da onda. Uma onda de maior amplitude é mais potente e tem mais chance de ser escutada.

Seja qual for a explicação, os exemplos de comunicação telepática indicam uma espécie de conexão mental que paira pelo éter e que permite uma troca de informações em um plano não físico. À medida que os pensamentos se tornam mais densos, eles começam a se manifestar — eles são reconhecidos por uma mente, depois por duas, e ficam cada vez mais densos até passarem a ser reais. O velho ditado de que "pensamentos são coisas" torna-se verossímil.

Quer sejamos iniciadores ou receptores, há pouca dúvida de que existe um meio pelo qual podemos acessar um plano onde as vibrações das mentes convergem. Refinando nossos chakras e prestando atenção ao mundo vibracional que nos cerca e nos cria, podemos adquirir acesso a esse nível unificador da consciência. Quando nos aproximamos dos chakras superiores, estamos perto de uma universalidade da mente que transcende as limitações físicas de tempo e espaço que nos mantêm separados. Não precisamos criar essa universalidade. Basta aquietarmos nossas mentes e ouvi-la. Ela já está aqui, e já desempenhamos um papel dentro dela. Podemos escolher nos conscientizar desse papel.

CRIATIVIDADE

A comunicação é um processo criativo. Quanto mais aderimos a essa arte, mais criativo é o processo. Quando uma criança aprende a falar, ela apenas imita as palavras dos pais. Logo mais, no entanto, ela entende que certas palavras provocam resultados específicos e começa a experimentar. À medida que seu vocabulário aumenta, ela tem mais elementos com os quais pode usar sua criatividade — começa a usar palavras, sons e gestos para criar sua realidade e fará isso pelo resto da vida.

Embora muitas pessoas tenham associado a criatividade ao segundo chakra (pois é onde geramos os bebês), acredito que a criatividade é basicamente uma forma de *expressão* relacionada ao chakra cinco. Gerar vida no útero não é um processo consciente. Não decidimos criar dedos das mãos ou dos pés, olhos azuis ou castanhos. Os estados emocionais do segundo chakra podem alimentar impulsos criativos, mas, para criar, é preciso haver força de vontade (chakra três)[118] e consciência abstrata (chakras superiores em geral).

As artes sempre existiram em momentos de virada da cultura. Seja ela visual, auditiva, cinestésica, dramática ou até mesmo literária, a arte, precisamente por seu caráter não regulamentado e não conformista, é capaz de alcançar o vasto domínio desconhecido do futuro e ilustrar ideias e conceitos, afetando a consciência num nível cerebral imediato e completo.

Nas palavras de Marshall McLuhan, grande analista da mídia:

> *Fico curioso para saber o que aconteceria se a arte de repente fosse vista pelo que ela é, isto é, informações exatas sobre como reestruturar a psique a fim de antecipar o próximo golpe das nossas habilidades ampliadas... O artista está sempre escrevendo uma história detalhada sobre o futuro, pois ele é a única pessoa que tem consciência da natureza do presente.*[119]

As formas de arte costumam ser mais abstratas do que outras formas de comunicação. Deixando espaço para a imaginação, elas nos convidam a participar dos componentes mais inovadores da nossa consciência. Se dissermos menos, talvez possamos ouvir mais. Quando nos aproximamos dos planos mais abstratos da consciência, convém recorrermos aos nossos meios de comunicação mais abstratos a fim de assimilar esses planos.

O processo de criação é um processo de descoberta interior. Ao criarmos uma obra de arte, nós nos abrimos para os mistérios do universo e nos tornamos canais de informações espirituais, aprendendo uma língua mais universal do que as línguas humanas.

O processo de criatividade é delicado. Vidas muito estruturadas não combinam com isso e se sentem ameaçadas por ele. A criatividade libera nosso poder

---

118. Algumas pessoas, como Edgar Cayce e Carolyn Myss, situam a força de vontade no quinto chakra. Acredito que a força de vontade ocorre muito antes, caso contrário nem chegaríamos ao quinto chakra. Ademais, assim a comunicação fica totalmente de fora do sistema dos chakras. Podemos expressar nossa força de vontade por esse chakra, mas o poder interno e a força de vontade são, inicialmente, processos silenciosos.

119. Marshall McLuhan, *Understanding Media*, p. 70-71.

interior assim como a linguagem "libera o desconhecido do limbo, possibilitando que todo o cérebro o conheça".[120]

Hoje em dia temos observado o surgimento de novas terapias que usam o processo criativo. Com artes visuais, psicodrama, movimento, dança e o efeito calmante da música podemos acessar as regiões mais profundas, e geralmente mais saudáveis, da mente e do corpo, enquanto as frustrações internas que fragmentam nossa completude são colocadas para fora.

No século XXI, a sobrevivência e a saúde exigirão inovação e flexibilidade, e criatividade é a chave para desbloquear essas qualidades. Devemos honrá-la em nós mesmos e nos outros. Devemos honrar os meios que a possibilitam e nos proteger contra os fenômenos que ameaçam desligar essa força vital básica. Nosso futuro depende disso.

MÍDIA

A televisão, o rádio, os jornais e outras formas públicas de comunicação podem ser considerados a expressão cultural do quinto chakra, atuando como um sistema nervoso que conecta todos nós. Se a comunicação é a passagem do conhecimento e da compreensão, o conteúdo de massas da nossa consciência coletiva é, para o bem ou para o mal, fortemente influenciado pela mídia e por quem a controla. Quer sejamos obrigados a escutar informações sobre a vida sexual de um político, a ver incontáveis assassinatos na televisão ou a ouvir dados sinceros sobre o meio ambiente, a mídia direciona a atenção do público para temas arquetípicos que *ela considera* importantes para a consciência pública. A mídia direciona nossa atenção e, aonde a atenção vai, o resto da energia geralmente vai atrás. Se a mídia acha mais apropriado que nossos filhos vejam cenas de violência do que cenas de sexo, ela estabelece valores culturais para todos nós.

A mídia também é o meio de transformação cultural mais potente que temos. Ela pode ser um poderoso sistema de *feedback*, permitindo-nos ver como nós mesmos somos — com nossa beleza e nossa ignorância. Foram as fotos nos noticiários sobre a Guerra do Vietnã que fizeram com que as pessoas vissem suas atrocidades, enquanto elas ainda aconteciam, e organizassem os protestos contra o conflito. A mídia nos mostra o estado da ecologia do planeta e a condição das pessoas em outros lugares, além de ajudar a conectar o cérebro global.

A mídia também pode revelar diferentes maneiras de ser. Um filme pode fazer uma realidade hipotética parecer bastante real e encher nossa imaginação de novas possibilidades. A mídia pode expressar criatividade, comunicando algo que vem das profundezas do inconsciente coletivo. Ela pode indicar a fronte da

---

120. Marilyn Ferguson, *The Aquarian Conspiracy*, p. 80.

transformação cultural, trazendo à tona os inovadores e permitindo que suas vozes sejam ouvidas.

É importante exigirmos integridade de quem controla a mídia. Se ela é o sistema nervoso cultural que mais influencia a maneira como vivemos nossa realidade coletiva, precisamos evitar que ela seja poluída com tolices sem sentido, fofocas sensacionalistas, propaganda e mentiras. Caso contrário, corremos o risco de sermos coletivamente manipulados por quem, na verdade, tem mais poder do que a maioria dos políticos eleitos. Se o nome do quinto chakra é *Vishuddha*, que significa purificação, nosso quinto chakra coletivo tem de ser purificado pela ressonância da verdade que pode iluminar todos nós.

EXERCÍCIOS DO CHAKRA CINCO

JOGO DE ADIVINHAÇÃO

Passe uma hora com alguém em total silêncio, mas se comunicando ativamente. Escolha temas desafiadores para essa comunicação. Perceba os métodos que você usa, como gestos, símbolos com as mãos, manipulação física, movimentos oculares. Perceba como fica mais fácil quando a hora está perto de acabar. Perceba que questões são especialmente difíceis. Esse exercício ajuda a fortalecer a comunicação entre duas ou mais partes.

VOTO DE SILÊNCIO

Ouvir é um componente essencial da comunicação que costuma ser esquecido. Os iogues costumam fazer votos de silêncio por longos períodos para purificar as vibrações de seus sons audíveis e melhor sintonizar os sons sutis. Ao evitar a comunicação verbal, abrem-se outras vias de comunicação, isto é, a comunicação com a consciência superior. Comece com algumas horas, depois tente ficar assim por um dia inteiro ou mais.

GRAVAÇÃO DA VOZ

Grave sua voz durante uma conversa normal. Veja o quanto você fala e o quanto ouve, se você interrompe, se hesita ao falar. Observe o tom da sua voz. Se você não conhecesse essa pessoa, o que acharia dela com base na sua voz?

CÍRCULOS COM O PESCOÇO

O pescoço é a parte mais estreita do tronco. Na maior parte do tempo, ele funciona como filtro entre o abundante fluxo energético que há entre a mente e o corpo. Assim, ele se sujeita bastante a tensões e rigidez. Relaxar o pescoço é um começo fundamental para qualquer trabalho com o quinto chakra.

Erga a cabeça, afastando-a dos ombros, depois faça lentamente um movimento circular com a cabeça, alongando o pescoço. Pare em qualquer ponto que parecer tenso ou desconfortável e o massageie com os dedos. Pare nas áreas rígidas até elas relaxarem um pouco e depois prossiga. Faça os movimentos nos sentidos horário e anti-horário (ver Figura 6.6., abaixo).

ERGUER A CABEÇA

Esse exercício estimula a tireoide e ajuda a fortalecer o pescoço.

Deite-se de costas e relaxe. Erga a cabeça lentamente, deixando os ombros no chão, para olhar os dedos dos seus pés (ver Figura 6.7, abaixo). Mantenha a posição até sentir a energia chegar ao seu pescoço.

Figura 6.6
Círculos com o pescoço.

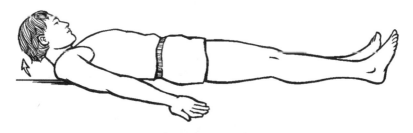

Figura 6.7
Erguer a cabeça.

POSTURA DA VELA

Para que a postura não force demais o pescoço, é recomendável usar inicialmente uma manta ou toalha (de 5 cm a 8 cm de espessura) para que, ao se deitar, sua cabeça encoste no chão e suas vértebras superiores fiquem em cima da manta.

Deite-se de costas, com os braços ao lado do corpo, e relaxe. Dobre os joelhos e leve as pernas na direção do peito, encurvando as costas.

Quando seus quadris subirem, dobre os cotovelos e segure sua cintura com as mãos.

Lentamente, estenda as pernas por cima do seu corpo, usando os braços para se sustentar. Permaneça na posição pelo tempo que for confortável (ver Figura 6.8, abaixo).

POSTURA DO ARADO

Se você conseguiu fazer a postura da vela, pode tentar a postura do arado.

Volte para a postura da vela.

Leve as pernas para trás da cabeça, encostando os pés no chão e mantendo os joelhos retos o quanto for possível (ver Figura 6.9, página 223).

Para corpos menos flexíveis, você pode usar uma cadeira atrás da cabeça e encostar as coxas nela.

Figura 6.8
Postura da vela.

POSTURA DO PEIXE

Essa postura costuma ser feita após a postura da vela ou do arado, pois complementa o alongamento do pescoço e das costas. Ela também ajuda a abrir a caixa torácica e estimula a tireoide.

Deite-se de costas. Com as mãos nos quadris, erga o tronco se apoiando nos cotovelos, levantando o peito na direção do teto e arqueando o pescoço para trás até sua cabeça encostar no chão (ver Figura 6.10, abaixo).

Figura 6.9
Postura do arado.

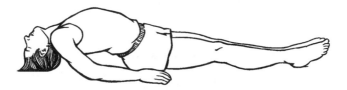

Figura 6.10
Postura do peixe.

LEITURAS SUPLEMENTARES RECOMENDADAS SOBRE O CHAKRA CINCO

Gardner, Kay. *Sounding the Inner Landscape: Music as Medicine*. Stonington: Caduceus Publications, 1990.

Gardner-Gordon, Joy. *The Healing Voice*. Freedom: The Crossing Press, 1993.

Gerber, Richard. *Medicina Vibracional*. São Paulo: Cultrix, 1992.

Hamel, Peter Michael. *O autoconhecimento através da música*. São Paulo: Cultrix, 1991.

Leonard George. *The Silent Pulse*. Nova York: E.P. Dutton, 1978.

CHAKRA SEIS

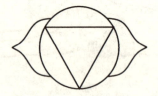

LUZ
COR
VISÃO
INTUIÇÃO
VISUALIZAÇÃO
IMAGINAÇÃO
CLARIVIDÊNCIA
PERCEPÇÃO

Capítulo 7
CHAKRA SEIS: LUZ

MEDITAÇÃO INICIAL

Está escuro. De olhos fechados, ficamos deitados como se estivéssemos dormindo, sem nenhum sonho, ignorando tudo ao nosso redor. Flutuando em um mar de vacuidade, somos embalados na escuridão — sem nada ver, sem nada saber, em paz. Respiramos lentamente, inspirando e expirando, inspirando e expirando, alongando e relaxando nossos corpos enquanto nos acomodamos na escuridão morna e sossegada que há por dentro. Estamos no nosso lar. Estamos seguros. Estamos dentro de nós mesmos, sentindo, escutando, sendo — mas sem ver ainda.

Torne-se essa escuridão — onisciente, mas, sem saber disso, vazia e livre. Deixe-se ser tomado pela escuridão, que o acalma enquanto você esvazia sua mente no infinito do vazio, no útero da escuridão — onde nascem nossos futuros sonhos.

Em algum lugar, na escuridão, ouvimos um som — uma nota distante, uma voz, o ruído de movimentos. Sentimos o sopro de uma brisa no rosto, sentimos um calor nos ombros, sentimos o impulso de subir, fluir e seguir, mas não sabemos para onde. Nossos corpos não conseguem ver e não ousam se mexer. Eles estão escuros e imóveis.

Eles nos chamam em busca de direção, sabedoria, orientação. Chamam a inteligência, a memória, clamam por um esclarecimento do padrão. Chamam a luz.

Temendo deixar a escuridão e a segurança de nossa ignorância, ouvimos esse chamado.

Ouvimos esse chamado e nossa própria mente, ávida por respostas, busca do lado de fora. Ansiamos por ver, saber e contemplar as maravilhas que nos cercam. Por preencher nossas mentes com o reconhecimento, com certos passos do conhecimento, com a segurança e a paz que a luz também pode trazer.

Abrimos nossa mente. Abrimos nossos olhos. Olhamos ao redor.

Jorram imagens em uma miríade de formas caleidoscópicas, caindo para dentro, com um padrão em cima do outro, entrelaçando-se sem cessar.

Cores e formas refletem o espaço ao nosso redor, refletem-no de volta para nós, registrando a vida em padrões que nossas mentes enxergam com clareza.

A mente se abre e recebe.

Mas é demais, e a luz a ofusca.

Chamamos a escuridão para nos resguardar da luz, para amenizá-la, para conectar os padrões com algum significado.

E a escuridão vem suavemente, de mãos dadas com a luz, definindo, sombreando, entrelaçando, estruturando.

Agora a luz chega mais delicadamente, com as cores do arco-íris, curando, acalmando, iluminando, vindo à vontade. Amarelo ativo, verde curativo, azul apaziguante, violeta potente. Tudo que está vivo resplandece com luz. É o formato e a essência, na forma que nos é revelada para que a vejamos e conheçamos.

O que desejamos ver? O que convocamos para a nossa visão interna? O que a luz traz consigo?

Beleza dos sóis a abundar, beleza de uma lua singular,
Padrões da vida que levamos, toda a verdade que notamos.
Nas asas da claridade, nossas pétalas vibram na obscuridade,
Alcançando mundos afastados, eventos futuros, dias passados.
A rede da matriz holográfica escapará dos limites que o tempo estabelecerá,
Tudo que é verdade pode ser contido pelos padrões na mente retidos,
Azul e amarelo, verde e vermelho, entrelaçam-se em tons que não se assemelham.
Formas e intuições a se revelar; nada pode continuar a se ocultar;
Da visão interna há uma extensão; vemos a verdade e removemos a indecisão.
Nós nos abrimos e nos pomos a esperar, e as sábias visões nosso destino irão determinar.
A iluminação revela nossa via; nossa luz interna transforma a noite em dia.
E embora a escuridão vá voltar, não a tememos porque aprendemos já
Como se combinam luz e escuridão, permitindo que haja nos padrões uma definição;
Escuridão vira luz, e noite vira dia,
Em nossas mentes, iluminamos nossa via.

CHAKRA SEIS — SÍMBOLOS E CORRESPONDÊNCIAS

Nome em sânscrito	*Ajna*
Significado	perceber, comandar
Localização	centro da cabeça, logo acima do nível dos olhos
Elemento	luz
Forma essencial	imagem
Função	visão, intuição
Glândula	pineal
Outras partes do corpo	olhos
Mau funcionamento	cegueira, dores de cabeça, pesadelos, vista cansada, visão embaçada
Cor	índigo

Som semente	*om*
Som de vogal	neste caso não é uma vogal; "mmmm"
Pétalas	duas
Sefirot	Binah, Chokmah
Planetas	Júpiter, Netuno
Metal	prata
Alimentos	enteógenos
Verbo correspondente	eu vejo
Caminho do yoga	yantra yoga
Ervas para incenso	artemísia, anis-estrelado, acácia, açafrão
Minerais	lápis-lazúli, quartzo, safira-estrela
Animais	coruja
Guna	*sattva*
Símbolos do lótus	Duas pétalas brancas ao redor de um círculo, no qual há um triângulo dourado invertido (*trikuna*), contendo o linga e o som semente *om*; no pericarpo, a Shakti, Hakini, com seis rostos vermelhos e seis braços, sentada num lótus branco; acima dela, uma lua crescente, o ponto da manifestação (*bindu*), Shiva na forma de relâmpagos.
Divindades hindus	Shakti Hakini, Paramasiva (forma de Shiva), Krishna
Outros panteões	Têmis, Hécate, Tara, Ísis, Íris, Morfeu, Belenos, Apolo

O PERCEPTOR ALADO

Imaginação é mais importante do que conhecimento.

Albert Einstein

Desde priscas eras, a escuridão e a luz têm se entrelaçado para nos proporcionar um dos maiores presentes da consciência: a capacidade de ver. Para testemunharmos as maravilhas do universo, sejam estrelas resplandecentes a anos-luz de distância ou flores desabrochando em nosso quintal, o dom da visão nos permite contemplar a beleza da criação. Enxergar nos permite assimilar instantaneamente muitas informações sobre nossos arredores. As formas condensadas em ondas de luz criam um mapa interno do mundo que nos cerca. Dos nossos sonhos surgem imagens do inconsciente que nos conectam à alma. Com a intuição, enxergamos qual é o nosso caminho nas situações e recorremos à sabedoria para nos guiar em momentos difíceis.

É esse dom de ver — tanto interna quanto externamente — que é a essência e a função do chakra seis. Com a visão temos um meio de internalizar o mundo externo e uma linguagem simbólica para exteriorizar o mundo interno. Por meio da nossa percepção das relações espaciais, temos pilares tanto para a memória do passado quanto para a imaginação do futuro. Assim, esse chakra transcende o tempo.

O "chakra frontal", como costuma ser chamado, situa-se no centro da cabeça, atrás da testa — na altura dos olhos ou logo acima, variando de pessoa para pessoa. Está associado ao terceiro olho, um órgão etérico da percepção psíquica que flutua entre nossos dois olhos físicos. O terceiro olho pode ser considerado o órgão psíquico do sexto chakra, assim como nossos olhos físicos são ferramentas de percepção para o cérebro. O próprio chakra inclui uma tela interna e um vasto armazém de imagens que constituem nosso processo de pensamento visual. O terceiro olho enxerga além do mundo físico, trazendo-nos intuições adicionais, da mesma maneira como ler nas entrelinhas de um material escrito nos propicia uma compreensão mais profunda.

O nome em sânscrito desse chakra é *Ajna*, que originalmente significava "perceber" e, depois, "comandar". Isso revela a natureza dupla desse chakra: a assimilação de imagens pela percepção e também a formação das imagens internas a partir das quais comandamos nossa realidade, o que é conhecido como visualização criativa. Manter uma imagem na nossa mente aumenta a probabilidade de ela se materializar. Ela torna-se como um vitral, através do qual brilha a luz da consciência em seu caminho para a manifestação. Se não há interferência, a forma no plano manifesto é justamente o que visualizamos, como a imagem projetada por um vitral quando não há móveis no caminho. Uma das razões pelas quais nossas visualizações nem sempre se manifestam é porque, muitas vezes, encontramos interferências no decorrer da descida até a manifestação. Podem ser as circunstâncias de outra pessoa, medos do inconsciente ou simplesmente uma falta de clareza na nossa visualização.

Embora o número das nossas pétalas tenha aumentado à medida que subimos pelo *sushumna*, no chakra *Ajna* elas são apenas duas[121] (ver Figura 7.1, na página 229). Existem muitas interpretações possíveis para elas: os dois mundos da realidade, o manifesto e o não manifesto; os nadis enroscados, *ida* e *pingala*, que se

---

121. Leadbeater postula 96 pétalas para o chakra frontal, que é o dobro do total das pétalas inferiores ou 2 x (4 + 6 + 10 + 12 + 16) = 96. C. W. Leadbeater, *Os Chakras*. São Paulo, Pensamento, 1960.

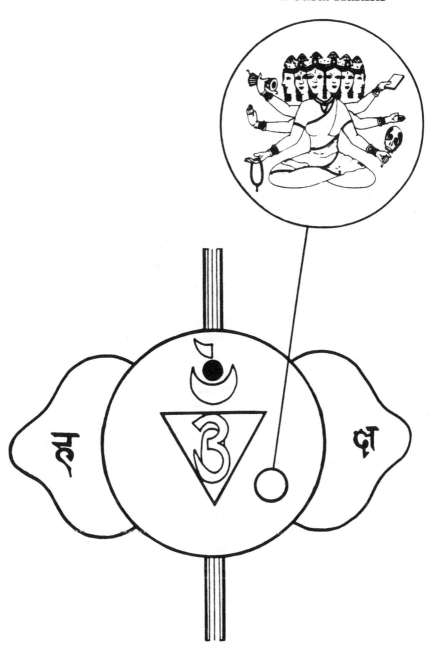

Figura 7.1
Chakra Ājñā

encontram nesse ponto; e os dois olhos físicos que cercam o terceiro olho. As pétalas também parecem asas e simbolizam a capacidade desse chakra de transcender o tempo e o espaço, permitindo ao espírito interno "voar" para tempos e lugares distantes. É interessante observar que, comparando o caduceu com os chakras e os nadis, as duas asas se situam onde estaria o sexto chakra. Uma outra interpretação é que as duas pétalas, cercando um círculo, lembram a parte branca do próprio olho, que envolve a íris.

O elemento correspondente ao sexto chakra é a luz. Pela interpretação sensorial da luz, obtemos informações sobre o mundo ao nosso redor. O quanto conseguimos enxergar depende do nível de abertura ou desenvolvimento desse chakra, incluindo, até certo ponto, a acuidade da nossa visão normal. A gama de habilidades visuais e psíquicas vai das pessoas extremamente observadoras do mundo físico àquelas dotadas de percepção psíquica, capazes de ver auras, chakras e detalhes do plano astral e de ter precognição ("ver" acontecimentos futuros) e visualização remota (ver coisas em outros lugares).

Diferentemente dos cinco chakras inferiores, situados no corpo, o chakra frontal localiza-se na cabeça. Portanto, sua natureza é mais mental do que a dos chakras anteriores. Nossas percepções visuais têm de ser traduzidas para outras formas, como linguagem, ações ou emoções, a fim de que possam ser compartilhadas de forma tangível. À medida que nos tornamos mais mentais, deixamos para trás as limitações do tempo e do espaço e entramos em uma dimensão transpessoal.

Como cada chakra corresponde a uma glândula, o chakra seis tem a ver com a *glândula pineal*, uma minúscula glândula cônica (10 mm x 6 mm) situada no centro geométrico da cabeça, aproximadamente na altura dos olhos (ver Figura 7.2, página 231). É possível que, antigamente, essa glândula estivesse perto do topo da cabeça. Em algumas espécies de répteis, ela ainda se encontra nessa região, formando uma espécie de órgão perceptivo sensível à luz, assemelhando-se a outro olho.[122]

A glândula pineal, às vezes chamada de "assento da alma", atua como fotômetro do corpo, transformando as variações de luz em mensagens hormonais que são transmitidas para o corpo pelo sistema nervoso autônomo. Mais de cem funções corporais têm seus ritmos diários influenciados pela exposição à luz.[123] A glândula pineal atinge o ápice do desenvolvimento aos 7 anos de idade, e acredita-se que ela influencia a maturação das glândulas sexuais.[124] No embrião, a glândula pineal surge de um terceiro olho que começa a se desenvolver no início e que se degenera posteriormente.[125] A glândula pineal tem um efeito tranquilizante sobre o sistema nervoso, e sua remoção pode predispor um animal a convulsões.

---

122. *Encyclopedia Americana*, "pineal gland" [em inglês].
123. Jacob Lieberman, *Luz, a medicina do futuro*. São Paulo, Siciliano, 1994.
124. *Ibidem*. Isso impede que as características sexuais se desenvolvam antes do tempo.
125. Arthur C. e Guyton, *Tratado de fisiologia médica*. São Paulo, Elsevier, 2011.

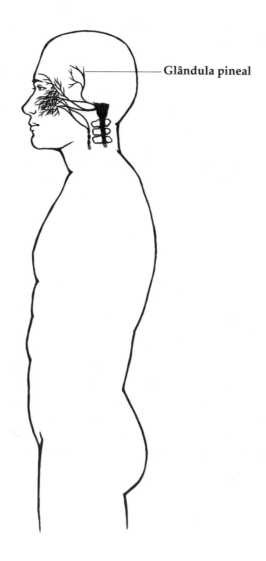

Figura 7.2
Chakra Seis.

    A melatonina, um hormônio relevante para as células pigmentares, foi isolada da glândula pineal. Há indícios de que a produção da melatonina seja desencadeada pela exposição dos olhos à luz, mesmo em pequenas quantidades.[126] Hoje em dia a melatonina é bastante pesquisada por auxiliar o sono, fortalecer o sistema imunológico, reduzir o estresse e retardar o envelhecimento.[127] A produ-

---

126. Jacob Lieberman, *op. cit.*
127. Alan E. Lewis e Dallas Clouatre, *Melatonin and the Biological Clock*, p. 7-8.

ção da melatonina diminui à medida que envelhecemos, e baixos níveis de melatonina costumam ser encontrados na depressão e, em contrapartida, em estados maníacos seus níveis são mais altos do que o normal.[128]

Como a glândula pineal se situa logo acima da pituitária, algumas pessoas relacionam esta última ao chakra seis e a primeira ao chakra sete. Acredito piamente que, como a pituitária é a glândula principal que controla as outras, ela está relacionada ao principal chakra, o chakra da coroa. E como a glândula pineal é um órgão sensível à luz, parece evidente que ela esteja relacionada ao chakra seis.

Será que a imaturidade da nossa cultura no nível do sexto chakra é relevante para a atrofia da glândula pineal? Teria ela alguma função mística que hoje em dia se encontra dormente, à espera de algum tipo de despertar espiritual ou cultural? Estudos têm mostrado que a luz tem um efeito bem definido sobre a saúde e o comportamento de plantas e mamíferos.[129] É possível que a glândula pineal desempenhe algum papel secreto na relação entre a luz e a química do corpo?

A esta altura, as evidências não possibilitam que afirmemos nada. Como sonífero, a melatonina aumenta os sonhos, o que demonstra que ela tem alguma relevância para a visão interna. A melatonina é quimicamente semelhante a plantas indígenas conhecidas por induzir visões, e ela pode se transformar em um composto denominado 10-metóxi-harmalano, possível alucinógeno. Algumas drogas psicotrópicas como o LSD aumentam a síntese de melatonina.[130] Em seres humanos mais avançados, talvez realmente existam propriedades químicas associadas à glândula pineal que provoquem o fenômeno da visão interna. Agora que a melatonina se tornou um sonífero de uso tão comum, será interessante ver o efeito que isso poderá causar nas nossas glândulas pineais ou na nossa sensibilidade psíquica com o passar do tempo.

LUZ

Se teu olho é são, todo o teu corpo será iluminado.

Mateus 6:22

No nível de consciência do quinto chakra, sentimos a vibração como uma manifestação subjacente da forma. No chakra seis, encontramos uma vibração mais alta e rápida do que a do som, apesar de ser fundamentalmente diferente. Aqui, consideramos a parte do espectro eletromagnético que percebemos como a luz visível. A radiação ultravioleta, as ondas de rádio, as radiografias e as micro-ondas são apenas algumas das muitas formas de ondas dentro desse espectro que não são visíveis ao olho nu. A luz é a forma diretamente perceptível pela

---

128. Alan E. Lewis e Dallas Clouatre, *Melatonin and the Biological Clock*, p. 16.
129. John N. Ott, *Health and Light*.
130. Alan E. Lewis e Dallas Clouatre, *Melatonin and the Biological Clock*, p. 23.

consciência. Enquanto o som se expressa por uma oscilação ondulatória das moléculas do ar, a luz é uma energia vibracional muito mais sutil, produzida por emissões radiativas de sistemas atômicos e moleculares que ocorrem quando eles passam por transições entre níveis energéticos. Em um sentido muito real, a luz é a voz dos átomos e moléculas, enquanto o som é a voz das estruturas maiores.[131]

A luz visível é constituída de pacotes de ondas chamados fótons, que exibem propriedades de onda ou de partícula, dependendo do método de observação. Como a luz tem propriedades de onda, alguns dos princípios que discutimos sobre as ondas sonoras se aplicam também à luz, como formas de onda que podem ser coerentes. As variações na frequência proporcionam cores diferentes, assim como a frequência no som origina tons diferentes. Como a luz também tem propriedades de partícula, podemos pensar nela como pacotes discretos ou fótons, com cada um deles contendo informações que nos permitem enxergar.

A luz viaja mais rápido do que qualquer um dos elementos discutidos até agora. Os ventos extremos, que podem chegar a mais de 320 quilômetros por hora, e até mesmo o som, a 1.160 quilômetros por hora, são deixados para trás pela luz, que viaja a 300 mil quilômetros por segundo — a velocidade mais rápida conhecida entre todos os fenômenos materiais.[132] Novamente, a cada nova dimensão nos afastamos mais um pouco das limitações físicas do tempo e do espaço, e a velocidade extrema da luz distorce e transcende nossa própria percepção do tempo. De fato, se alguém viajasse na velocidade da luz, o tempo pararia. Isso também é importante no sexto nível, pois, assim como o chakra *Vishuddha* transcendia a distância, o chakra *Ajna* transcende o tempo. Portanto, podemos ver uma estrela no céu, a milhares de anos-luz de distância, que talvez já tenha se tornado uma nova e desaparecido — mas a luz desse fenômeno ainda não alcançou nossos olhos.

Luz é energia eletromagnética. Apesar de os fótons não terem massa, a luz pode induzir uma corrente elétrica ao atingir um metal, em um fenômeno conhecido como efeito fotoelétrico. Os fótons, ao colidirem com o metal, deslocam os elétrons que existem nele, induzindo uma corrente. O que esse efeito tem de interessante é que as frequências mais baixas da luz — como a luz vermelha, por exemplo — não têm energia suficiente para induzir uma corrente, independentemente da sua intensidade. Em frequências mais altas, como azul ou violeta, produz-se uma corrente que variará com a intensidade da luz.

Isso significa que, na dimensão da luz que quase não é física, a quantidade da luz importa bem menos do que sua qualidade, e a qualidade depende da frequência, que nós vemos como cores. Por isso, qualquer estudo sobre a luz precisa incluir uma análise sobre as cores.

---

131. Stephanie Sonnleitner, conversa pessoal.
132. Existem partículas subatômicas hipotéticas chamadas táquions. Acredita-se que elas se desloquem a uma velocidade superior à da luz, mas são incapazes de desacelerar até esse nível.

COR

*A cor acompanha as mudanças das emoções,
assim como as feições.*

Pablo Picasso[133]

A cor é a forma pela qual percebemos a luz. Vívidas, abundantes e profundas, as cores criam a estrutura da nossa visão. Ela é produzida por diferentes frequências dos comprimentos de onda da luz. As cores "mais quentes" — como vermelhos, laranjas e amarelos — têm uma frequência mais baixa do que as cores "mais frias" — como verde, azul e violeta —, por isso seus fótons têm menos energia (quente e frio são avaliações subjetivas nossas e nada revelam a respeito da verdadeira energia da luz).

A luz é produzida quando os elétrons se estimulam e desestimulam dentro do átomo. Eles perdem ou ganham energia "saltando" entre os níveis energéticos. Cada salto é chamado de salto quântico, uma quantidade de energia muito semelhante aos degraus de uma escada. Ao saltar para um nível superior, o elétron absorve certa quantidade de energia. Quando volta novamente para o núcleo, a energia é liberada como um fóton de luz. Um elétron que desce dois níveis libera mais energia do que aquele que desce apenas um. Assim, o fóton emite uma luz de frequência mais alta, proporcionando os azuis e violetas dos chakras superiores.

A cor carrega efeitos psicológicos bem definidos. O vermelho, que estimula fisiologicamente o coração e o sistema nervoso, também é associado a energias agressivas e iniciais — raiva, sangue, os começos das coisas. Os azuis, por sua vez, são associados à paz e à tranquilidade e têm exatamente esse efeito para a maioria das pessoas. Até mesmo comprimentos de onda que estão fora do espectro visível afetam nossa saúde e estado de espírito. Já se demonstrou, por exemplo, que lâmpadas fluorescentes, que não contêm a radiação ultravioleta invisível, afetam negativamente a saúde de plantas e de animais.[134] Em contrapartida, a luz solar, que contém o espectro completo, ajudou a curar alguns casos de artrite, câncer e outras doenças.[135]

Considerando que grande parte das informações chega até nós visualmente e que as informações visuais são percebidas como padrões de cores, mudanças sutis na frequência da luz devem afetar imensamente nossas mentes e corpos.

Se as ondas sonoras afetam a estrutura física da energia sutil, as cores, uma oitava tão alta da manifestação material, podem influenciar a matéria da mesma

---

133. Pablo Picasso, "Conversations avec Picasso", *Cahiers d'Art*, n. 10, vol. 10, Paris, 1935. Traduzido em *Picasso, Fifty Years of his Art*, de Alfred H. Barr Jr., 1946.
134. John N. Ott, "Color and Light: Their Effects on Plants, Animals, and People", *Journal of Biosocial Research*, n. 7, parte 1, 1985.
135. John N. Ott, *Health and Light*.

maneira. Por isso, as cores têm sido usadas para a cura com grande sucesso. Estudos recentes mostram que algumas cores da luz podem ser 500% mais eficazes no estímulo de certas enzimas corporais.[136] Essa arte era conhecida pelos curandeiros do início do século (antes que essas coisas fossem ridicularizadas pela medicina), como testemunha um médico especialista na arte da cromoterapia:

Há cerca de seis anos tenho prestado bastante atenção na ação das cores na restauração das funções do corpo, e digo com total sinceridade que, após quase 37 anos trabalhando com medicina e cirurgias, em hospitais e clínicas particulares, obtenho resultados mais precisos e rápidos com as cores do que com qualquer outro método — e exigindo menos do paciente. Em muitos casos, as funções foram restauradas depois que os remédios tradicionais falharam... Torções, contusões e traumas de todos os tipos reagem mais às cores do que a qualquer outro tratamento. As condições sépticas produzem resultado, independentemente do organismo específico. O tratamento alivia lesões cardíacas, asma, rinite alérgica, pneumonia, inflamações nos olhos, úlceras de córnea, glaucoma e catarata.[137]

No último século, várias teorias sobre os efeitos curativos da cor foram escritas e registradas. Alguns métodos tiveram um efeito curativo impressionante em muitos casos, como fazer a pessoa tomar um banho de sol com a luz passando por um vitral de uma cor específica ou beber água que recebeu a luz solar dentro de um vidro colorido. Tratamentos com a luz azul, por exemplo, são conhecidos por proporcionar alívio permanente nos casos de dor ciática e inflamações. Em um caso, o paciente tinha sintomas constantes há onze anos, que passaram após uma semana de tratamento com cores, sem recaídas.[138] Já em outros casos, a luz amarela foi usada para propiciar clareza mental, a vermelha para combater exaustão física e o dourado-alaranjado para ajudar diabéticos.[139] Se as doenças começam no nível sutil, elas também não deveriam ser tratadas no nível sutil, recorrendo a coisas como as cores, especialmente em combinação com a visualização positiva?

As cores dos chakras seguem uma progressão lógica ao longo do espectro, correlacionando a frequência mais baixa da luz, a vermelha, ao chakra mais baixo, e combinando também o restante dos chakras ao espectro. Esse parece ser o sistema de coordenação dos chakras mais universal e apropriado, mas *não é de modo algum o único sistema* e não deve ser confundido com as cores que os chakras parecem ter quando vistos pela clarividência nem com as cores descritas nos textos tântricos. Alguns estudos sobre clarividência, no entanto, como os

---

136. K. Martinek e I. V. Berezin, "Artificial Light — Sensitive Enzymatic Systems as Chemical Amplifiers of Weak Light Signals", *Photochemistry and Biology* 29, mar. 1979, p. 637-650. Citado em Jacob Lieberman, *Luz, a medicina do futuro*. São Paulo, Siciliano, 1994.
137. Kate Baldwin, membro do American College of Surgeons, *The Atlantic Medical Journal*, abr. 1927, citado em *The Ancient Art of Color Therapy*, de Linda Clark, p. 18-19.
138. Edward W. Babbitt, *The Principles of Light and Color*, p. 40.
139. Linda Clark, *op. cit.*, p. 112.

conduzidos por Valerie Hunt, corroboram completamente o sistema de "arco-
-íris" descrito na citação a seguir:

> *Os chakras, com frequência, tinham as cores definidas pela literatura metafísica, isto
> é: kundalini — vermelho; hipogástrio — laranja; baço — amarelo; coração — verde;
> garganta — azul; terceiro olho — violeta; coroa — branco. A atividade de certos chakras
> parecia estimular um aumento da atividade em outro. O chakra cardíaco era o mais
> constantemente ativo.*[140]

Ademais, Jacob Lieberman descobriu em sua pesquisa que, quando as pessoas não aceitavam bem alguma cor em particular, isso sempre tinha a ver com
estresse, doenças ou lesões na parte do corpo relacionada ao chakra daquela cor.[141]

De acordo com o espectro do arco-íris, as cores dos chakras (segundo os
sistemas modernos) são as seguintes:

Chakra um	vermelho
Chakra dois	laranja
Chakra três	amarelo
Chakra quatro	verde
Chakra cinco	azul
Chakra seis	índigo
Chakra sete	violeta

Vários textos tântricos descrevem os chakras de forma diferente e dizem que
o primeiro chakra é amarelo; o segundo, branco; o terceiro, vermelho; o quarto,
esfumado; o quinto, azul; o sexto, dourado; e o sétimo, furta-cor. Talvez, à medida
que evoluímos, as vibrações dos nossos chakras mudem de frequência, e agora as
cores estejam se tornando mais alinhadas com as cores puras do espectro.

Quando os chakras são observados pela clarividência, é igualmente improvável que a pessoa veja uma série de chakras que reflete exatamente a descrição do arco-íris mencionada acima, pois essas são as cores ideais que ocorrem
em chakras totalmente desenvolvidos e nítidos (no estudo de Valerie Hunt,
pessoas foram observadas durante semanas de terapia *rolfing* — as cores mais
nítidas foram observadas somente no fim da terapia).[142] Pela minha experiência,
é muito mais comum ver muitas cores em cada chakra, entrando e saindo deles e
formando padrões e imagens que se correlacionam à vida da pessoa.

---

140. Valerie Hunt, "A Study of Structural Integration from Neuromuscular, Energy Field, and Emotional
Approaches", publicado em *Wheels of Light: A Study of the Chakras*, Rosalyn Bruyere. Sierra Madre, Bon
Productions, 1989.
141. Jacob Lieberman, *Luz, a medicina do futuro*. São Paulo, Siciliano, 1994.
142. Valerie Hunt, *op. cit.*

Você também pode usar as cores associadas como recursos para a memória ou para a meditação, a fim de acessar seus chakras ou descobrir mais sobre eles. Primeiro, podemos fazer uma pequena leitura dos nossos chakras examinando as cores com as quais costumamos nos cercar — como nas nossas roupas e na decoração da nossa casa. Você sempre escolhe roxos e azuis ou costuma preferir os vermelhos e laranjas vibrantes? Gosta mais de cores claras ou escuras? Será que é mera coincidência alguns monges que praticam o celibato usarem vestes de açafrão (laranja claro), uma cor relacionada ao segundo chakra?

Em segundo lugar, podemos escolher cores que complementam os chakras que achamos que estão mais fracos. Durante muito tempo, eu soube que faltava amarelo no meu campo áurico, algo que foi confirmado por muitos amigos e médiuns que me olhavam. Ao mesmo tempo, eu tinha distúrbios de metabolismo e muitos problemas relacionados ao terceiro chakra, como energia baixa e sensação de impotência. Descobri que usar uma pedra amarela (topázio) e roupas amarelas ajudou imensamente o meu comportamento, e até outras pessoas notaram essa melhora. No nível sutil, isso equilibrou meu sistema energético pessoal.

As cores podem ser usadas na visualização para a autocura. No caso acima, especialmente em dias mais escuros, eu me sentava e visualizava minha aura como se fosse amarelo-clara, e em dias ensolarados, imaginava raios dourados de energia vindos do Sol até mim. O que eu projetava para fora terminou se manifestando ao meu redor. Quando Selene Vega e eu fazemos nossos workshops sobre os chakras, incentivamos os alunos a usarem roupas que combinem com o chakra que estamos estudando em cada dia. Assim, nós nos envolvemos com o espectro vibracional daquele chakra em particular. As cores, assim como os sons associados a cada chakra, são outra forma de expressão dos sete planos associados a esse sistema.

A TEORIA HOLOGRÁFICA

No Céu de Indra, dizem que há uma rede de pérolas
dispostas de tal maneira que, ao olhar para uma delas,
você enxerga todas as outras refletidas nela.
Do mesmo modo, cada objeto no mundo não é apenas ele mesmo,
mas envolve todos os outros objetos
e, na verdade, é todos os outros objetos.

Sutra hindu[143]

Como a luz e o processo visual se conectam com o que vivenciamos na percepção? Por que tantos místicos afirmam ver padrões luminosos enquanto

---

143. Citado em *The Holographic Paradigm and Other Paradoxes*. Ken Wilbur (ed.), p. 25.

meditam de olhos fechados? Por que as imagens dos sonhos parecem tão reais? E o que constitui a memória?

A teoria mais plausível para responder a essas perguntas é de um neurocientista chamado Karl Pribram e se baseia em um modelo em que a mente é um holograma. Um holograma é uma imagem tridimensional formada por dois feixes de laser que se entrecruzam. É como soltar duas pedras em um lago em locais diferentes e congelar rapidamente a água. As interseções das ondulações ficariam permanentemente registradas no gelo, assim como as interferências dos feixes de luz ficam registradas na placa holográfica.

Na criação de um holograma, um feixe de luz produzido por um laser se reflete em um objeto e é registrado em uma placa sensível à luz. A placa também recebe outro feixe de mesma frequência, denominado *feixe de referência*, que vai diretamente da fonte para a placa. Olhando a própria placa, veríamos apenas um padrão aleatório de redemoinhos escuros e claros — é a informação codificada da interseção dos dois feixes, da mesma forma como as ranhuras em um vinil são a representação codificada de uma faixa de música.

Quando a placa é "reencenada" posteriormente por um feixe de referência com a mesma frequência do laser original, a imagem do objeto em holograma aparece sinistramente na sua frente em três dimensões. Você pode se mover para o lado do holograma e ver o lado do objeto como se ele realmente estivesse ali, mas, como é somente luz, é possível passar a mão por dentro dele.

Os hologramas têm muitos aspectos impressionantes. O primeiro é que a informação é armazenada na placa com "onipresença". Em outras palavras, se a placa se partisse em pedacinhos, qualquer um deles poderia reproduzir a imagem inteira, mas com cada vez menos detalhes à medida que as peças diminuem de tamanho. O segundo aspecto impressionante dos hologramas é que eles não são espaciais. Muitos hologramas podem ser sobrepostos um ao outro em um "espaço", ou em uma placa, usando lasers de diferentes frequências. A teoria de Karl Pribram afirma que o próprio cérebro funciona como um holograma, interpretando constantemente os padrões de interferência entre as ondas cerebrais. É fundamentalmente diferente dos antigos modelos cerebrais, em que cada informação é armazenada em um lugar específico. Essa teoria abalou os fundamentos da física e da fisiologia, criando uma mudança de paradigma no estudo da consciência. Suas consequências são abrangentes para a compreensão da mente e também do mundo ao nosso redor. Esse modelo parece particularmente relevante para entendermos o chakra *Ajna*. Analisemos como essa teoria se desenvolveu:

Pribram começou pesquisando o cérebro de ratos e macacos em 1946. Trabalhando com Karl Lashley, dissecou vários cérebros a fim de procurar a misteriosa unidade básica de memória, chamada engrama. Como muitos daquela época, eles pensavam que as lembranças eram armazenadas em várias células

238

nervosas do cérebro e esperavam que algumas lembranças seriam apagadas com a remoção do tecido cerebral.

Não foi assim. Em vez disso, eles descobriram que a lembrança parecia estar armazenada em todo o cérebro de maneira onipresente, assim como a placa armazena informações holográficas. Quando o tecido foi removido, as lembranças tornaram-se confusas, mas não desapareceram. Isso explicava por que lembranças sobrevivem a graves lesões cerebrais, por que o cérebro consegue armazenar uma vida inteira de lembranças e por que elas costumam ser acionadas por certas associações, ou "feixes de referência".

Quando vemos um objeto, a luz transforma-se em padrões de frequência neural no cérebro. O cérebro tem cerca de 13 bilhões de neurônios, e o número de possíveis conexões entre esses neurônios está na casa dos trilhões. Antes os cientistas achavam os neurônios importantes para a atividade cerebral, mas agora eles têm analisado as *junções entre os neurônios*. Enquanto as células reais exibem um tipo de ato reflexo de liga-desliga, as junções das terminações nervosas têm qualidades ondulatórias quando vistas como um todo. Nas próprias palavras de Pribram: "Quando você olha toda uma série dessas de terminações nervosas, elas constituem uma frente de onda. Uma vem por aqui, outra por ali, e elas interagem. E, de repente, você tem seu padrão de interferência!".[144]

Enquanto os impulsos se deslocam pelo cérebro, suas propriedades ondulatórias criam o que vivenciamos como percepção e memória. Essas percepções são armazenadas no cérebro como frequências de frente de onda codificadas e podem ser ativadas por um estímulo apropriado, provocando as formas de onda originais. Isso explicaria por que um rosto familiar é reconhecido mesmo que esteja diferente da última vez que você o viu, porque mencionar rosas nos faz lembrar de um cheiro específico e porque cobras provocam medo mesmo quando não há nenhuma ameaça específica.

Nossa percepção do mundo ao redor parece ser a reconstrução de um holograma neural dentro do cérebro, e isso se aplica à linguagem, ao pensamento e a todos os sentidos, e também à percepção da informação visual. Nas palavras de Pribram: "A mente não está localizada em um lugar específico. O que temos é um maquinário semelhante a um holograma que produz imagens, e nós as percebemos como se elas existissem em algum lugar fora do maquinário".[145]

Como esse modelo sugere que cada cérebro tem acesso a todas as informações, mesmo de outras dimensões do tempo, ele explica muitas coisas que estão além das funções normais da memória e da percepção, como visão remota, clarividência, visões místicas e precognição.

---

144. Karl Pribram, "Interview". *Omni Magazine*, out. 1982, p. 170.
145. *Ibidem*, p. 172.

Contemporâneo à teoria holográfica do cérebro de Pribram, o físico teórico David Bohm criou um modelo que sugere que o próprio universo pode ser uma espécie de holograma,[146] que ele chamou de holofluxo, já que um holograma é estático e não seria adequado para um universo tão cheio de movimentos e mudanças.

Segundo Bohm, o universo está espalhado por uma espécie de meio cósmico, como se fosse uma clara de ovo dentro de uma massa de bolo. Esse encobrimento possibilita infinitas capacidades de interferência, dando-nos as formas e energias que vivenciamos com nossas mentes holográficas. Nesse contexto, o próprio cérebro é parte de um holograma maior e, portanto, contém informações sobre o todo. Assim como percebemos o mundo de um modo holográfico, o próprio mundo também pode ser um holograma maior do qual nós somos partes pequenas. Mas, como partes, cada um de nós reflete o todo.

Se isso for verdade — se há um mundo externo e um mundo interno, ambos refletindo a criação inteira em todas as suas partes — nós, como partes, contemos as informações do todo, bem como tudo ao nosso redor. Não apenas um grão de areia descreve o universo em que ele se encontra, mas cada uma das nossas mentes contém informações codificadas de uma inteligência superior, à espera do feixe de referência correto para ativar a imagem. Talvez seja por isso que gurus são capazes de ativar o *shaktipat* e que vibrações simpáticas provocam estados alterados da consciência.

Se os mundos interno e externo parecem funcionar como hologramas, temos de perguntar: há alguma diferença entre eles? Seríamos nós hologramas também? Quando dissolvemos lentamente os limites do ego que nós mesmos criamos e adotamos estados de ser mais universais, estamos fundindo nossa consciência com um holograma maior? Se cada parte do holograma contém informações sobre o todo, embora menos claramente, é por isso que adquirimos clareza sempre que uma nova informação se encaixa no quebra-cabeça? À medida que crescemos e expandimos nossa compreensão, não passamos a enxergar as coisas mais e mais como uma rede de energias que se interpenetram, como uma imagem só?

No momento, essas perguntas não têm respostas definidas. Algumas pessoas poderiam argumentar que o que consideramos "externo" influencia nossas percepções, pensamentos e lembranças, tornando-se "interno". Já outros diriam que existe dentro de nós uma estrutura que abrange energias que se encontram acima e além do mundo externo. E essa estrutura interna, por sua vez, não influenciaria o mundo externo? A construção dos nossos hologramas mentais não

---

146. "The Enfolding-Unfolding Universe: A Conversation with David Bohm", entrevista conduzida por Renee Weber em *The Holographic Paradigm and Other Paradoxes*. Ken Wilbur (ed.), p. 44-104.

seria projetada para assumir uma forma nos planos materiais? Karl Pribram parece pensar assim, e de uma maneira um tanto prática:

> *Não apenas construímos nossas percepções do mundo, mas também saímos e construímos essas percepções no mundo. Fazemos mesas, bicicletas e instrumentos musicais porque somos capazes de pensar neles.*[147]

É esse princípio que melhor exemplifica as habilidades do chakra *Ajna* — perceber e comandar —, bem como a recepção psíquica e a projeção de imagens no mundo exterior.

VISÃO

> *Tudo que vemos são nossas visualizações.*
> *Não vemos com os olhos, mas com a alma.*[148]

Já se estimou que, para uma pessoa que enxerga, 90% das informações chegam pelos olhos — mais do que por qualquer outro órgão ou meio sensorial. Assim, grande parte de nossa memória e dos nossos processos de pensamento também são codificados com informações visuais. É claro que varia de pessoa para pessoa, pois algumas delas tendem a se orientar mais pela visão do que outras. Embora a experiência visual do mundo muitas vezes possa ser limitada ou enganosa, trata-se de um nível da consciência fundamentalmente importante.

As informações visuais podem ser definidas como um padrão que comunica relações espaciais, que chegam até nós sem a necessidade de contato físico (como no toque). Essas relações descrevem o aspecto físico, como tamanho, forma, cor, intensidade, localização, movimento e comportamento.

Os olhos físicos enxergam focalizando na retina os raios luminosos refletidos. Quem focaliza é a córnea, que pega um padrão luminoso maior e o reduz, invertendo-o, dentro da retina. A retina é composta de bastonetes e cones que são estimulados por diferentes intensidades da luz. Quando a luz atinge essas células, há uma reação química que dispara impulsos nervosos, que são conduzidos pelo quiasma óptico até o córtex cerebral na forma de impulsos elétricos. Nenhuma luz real chega a entrar no cérebro.

Não são realmente nossos olhos que enxergam, mas nossas mentes. Os olhos são apenas lentes focais que transcrevem informações do mundo externo para o interno. O cérebro não recebe fótons de luz, e sim impulsos elétricos codificados. Cabe à mente ou ao cérebro interpretar como padrões significativos esses impulsos que

---

147. "The Enfolding-Unfolding Universe: A Conversation with David Bohm", *op. cit.*, p. 44-104. Semelhante também à teoria dos campos morfogenéticos de Rupert Sheldrake.
148. Mike Samuels, *Seeing with the Mind's Eye*, xviii.

se deslocam pelos nervos ópticos. É uma habilidade que se aprende. Em pessoas cegas de nascença, cuja visão é restaurada por cirurgia posteriormente, verifica-se que suas primeiras percepções são apenas da luz — elas têm de se esforçar para aprender a criar imagens significativas a partir dessas percepções.[149]

Também precisamos lembrar que o que percebemos não é matéria, mas luz. Quando olhamos o mundo ao nosso redor, achamos que vemos objetos, mas o que realmente estamos vendo é a luz refletida por esses objetos — vemos o que eles não são, os espaços entre eles, os espaços ao redor deles, mas não os próprios objetos. Se vemos vermelho, o objeto absorve todas as frequências, *exceto* a luz vermelha. Confirmamos sua presença pelo toque — mas nossa mão se move pelo espaço vazio. Ela também não sente o objeto, mas apenas a beira dele. O que ela sente são os limites texturizados do espaço vazio. Segundo essa perspectiva, a matéria pode ser considerada uma espécie de terra de ninguém — um mundo que só nos dá acesso, talvez, a finíssimas camadas suas —, penetrável pela luz sob um microscópio ou através de vidros e cristais. Vivenciamos o nosso mundo por uma dimensão do espaço vazio.

CLARIVIDÊNCIA

Para enxergar, você precisa parar de se colocar no meio da imagem.

Sri Aurobindo[150]

O aspecto mais importante da consciência, no nível do sexto chakra, é o desenvolvimento de habilidades psíquicas. Embora a percepção psíquica nem sempre seja visual, como na clariaudiência (chakra cinco) ou na clarissenciência (chakra dois), a atemporalidade das informações clarividentes permite que ela abranja um escopo maior do que as habilidades psíquicas discutidas até agora.

O termo clarividência significa ver — ver aquilo que não é embaralhado pelo mundo opaco dos objetos materiais que costuma definir nosso senso limitado de espaço e tempo. As palavras *clareza* e *visão* descrevem com precisão os processos envolvidos: para sermos clarividentes, precisamos ver os espaços que são claros; os *campos* energéticos, não os próprios objetos; as relações, não as coisas; o mundo como um todo, e estender nossas mentes com clareza na direção da informação que desejamos. Quanto mais clareza temos em nós mesmos, mais conseguimos enxergar as propriedades sutis do mundo ao redor.

Ver implica uma percepção bem mais profunda do que olhar — como bem exemplifica Don Juan na série de Carlos Castaneda. Quando Castaneda olhava uma pessoa, ele percebia apenas um corpo, expressões faciais, roupas. Mas

---

149. Mike Samuels, *Seeing with the Mind's Eye*, p. 57-59.
150. Satprem, *Sri Aurobindo or The Adventure of Consciousness*.

quando aprendeu a *ver*, ele passou a perceber um ovo luminoso que cercava o corpo — uma rede de energias que se interpenetram e que é chamada de aura. Quando Don Juan olhou seu irmão morrendo, ele se sentiu profundamente triste, mas, quando passou a vê-lo, ele entendeu o processo maior que havia ali e pôde aprender com a situação.

Olhar é diferente de ver, mas ver é internalizar a imagem e transformá-la em compreensão. Consideremos, por exemplo, a expressão comum "estou vendo". Ela costuma significar que alguém conseguiu pegar uma pequena informação e encaixá-la no todo. Assim como cada parte do holograma esclarece a imagem inteira, cada coisa nova que olhamos é incorporada na mesma hora ao nosso senso de completude, trazendo mais clareza para a nossa imagem interna.

Como fazemos isso? Segundo o modelo do holograma de Pribram, nossa mente ou cérebro age como uma espécie de palco em que nossas imagens visuais se apresentam. Quando a deixa certa é dada (o feixe holográfico de referência), as imagens aparecem no palco. Mas onde estão os atores, e o que são eles?

Os atores são os *slides*, armazenados como hologramas, a exemplo das cores, formas, sons e padrões táteis. Não há um projetor carrossel no cérebro guardando imagens completas e separadas, e sim porções do cérebro que produzem características como vermelho, quente, rápido ou silencioso. Essas características se combinam de maneiras únicas, criando as imagens que vemos.

Podemos pensar no terceiro olho como uma tela mental em que projetamos nossos *slides*. Ao fechar os olhos e pensar no seu primeiro carro, talvez você consiga ver a cor, a textura do banco, talvez um pequeno amassado na lateral. Na sua mente você consegue dar a volta no carro e ver a frente e a traseira dele, como o efeito tridimensional de um holograma. O verdadeiro carro não precisa existir; a imagem existe separadamente. Quando concentramos a atenção, a imagem é recuperada.

Na sua mente você vê o que escolhe. Se eu lhe pergunto qual é a cor do cabelo do seu parceiro, você consegue recuperar mentalmente esse *"slide"*, olhá-lo e responder. Nossas lembranças são holográficas.

Você consegue criar uma imagem igualmente vívida de um carro que gostaria de ter? Consegue visualizar a cor, a forma e a placa? Consegue se visualizar dirigindo-o por uma estrada no interior e sentindo o volante nas suas mãos?

Talvez você nunca tenha esse carro, então sua visualização é chamada de *imaginação*, apesar de parecer tão real quanto sua lembrança. Mas se você ganhasse um sorteio e passasse a ter um carro igual ao que imaginou, sua visualização seria considerada *precognitiva* — uma forma de clarividência. A diferença está no resultado, *mas o processo é o mesmo*. Com o desenvolvimento da visualização e da imaginação, desenvolvemos também a habilidade da clarividência.

O processo da clarividência é uma visualização específica. É ser capaz de evocar informações relevantes sistematicamente, quer elas já sejam conhecidas ou não. A mente usa um feixe de referência que ela criou na forma de uma pergunta para recuperar dados previamente desconhecidos no banco holográfico de lembranças. Por exemplo, você pode olhar a área ao redor do chakra cardíaco de uma pessoa e pensar em uma pergunta específica que precisa de resposta, como algo relacionado à saúde ou a algum relacionamento dela. Essa pergunta se torna o feixe de referência que "acende" essa informação em particular no padrão holográfico.

Afirmamos que transcendemos o tempo no sexto chakra. Não precisamos limitar as informações acessíveis àquilo que aprendemos no passado — também podemos recuperar informações do futuro. A única diferença é que, assim, criamos ativamente o feixe de referência que provocará a imagem, em vez de esperar um momento futuro em que a circunstância faria isso. Citando a romancista Marion Zimmer Bradley, "Eu não decido onde minhas histórias vão parar. Apenas dou uma espiadela no futuro e escrevo o que aconteceu.".[151]

Poucas pessoas acreditam que são capazes de ver algo que esteja fora do conhecimento ordinário, algo que elas próprias não viram nem aprenderam. Elas sentem que não têm permissão para obter essas informações e, como atualmente não há explicação para esse fenômeno, elas nem se dão ao trabalho de procurá-las. Para ver algo, a pessoa precisa saber onde e como olhar. Procuramos as coisas onde elas devem estar. Não precisamos ter colocado essas coisas onde elas estão — *basta entendermos a ordem básica em que elas ocorrem*. O sistema decimal da biblioteca é um excelente exemplo, assim como encontrar um produto específico em um mercado desconhecido. Você examina o estabelecimento, observa a disposição geral das coisas, sabe a qual categoria o produto pertence, sobrepõe as duas imagens mentais e se dirige a uma seção em particular para olhá-la mais de perto. *Voilà!* Suas referências mentais se encaixam quando o local do produto é compatível com seu nicho mental pré-criado.

Acessar informações mentais não é diferente. Ao tentar lembrar-se de quem lhe contou uma piada durante uma festa, você pensaria nas pessoas da festa, naquelas com as quais conversou, e manteria a piada na cabeça o tempo inteiro, esperando os dados certos se encaixarem. Quando a lembrança correta vem à tona, a imagem "se acende" em sua mente — como se estivesse sendo iluminada por uma clareza que as outras imagens não têm. Nesse processo, examinamos milhares de *bits* de dados, classificando e decifrando, até "vermos" as peças que se encaixam.

Depois que sabemos *onde* procurar os dados, precisamos saber *como* procurá-los. Quantas vezes você não procurou uma coisa que sabia que estava em um determinado lugar e não conseguiu encontrá-la? Quantas vezes não olhou

---

151. Marion Zimmer Bradley, conversa pessoal.

diretamente para uma coisa e não conseguiu vê-la? Quantas vezes acessou sua memória e não conseguiu trazer as informações que sabia que estavam lá?

Acessar a memória é um processo de encontrar o código certo (o feixe de referência certo) para que a imagem holográfica venha à tona outra vez. Assim como um computador guarda dados que só podem ser acessados com o comando correto, nossas imagens mentais requerem a imagem mental apropriada para desbloqueá-las.

O desenvolvimento da clarividência depende do desenvolvimento da tela visual e da criação de um sistema de ordenação que possibilite o acesso às informações. Se não rotulamos nossos *slides*, não sabemos o que estamos vendo. O desenvolvimento da visualização é a capacidade de recuperar, criar e projetar imagens na tela mental. Depois que isso é feito, *ver é algo que depende em grande parte de fazer as perguntas corretas.*

Não nos limitamos aos *slides* que nós mesmos transformamos em hologramas. Se o modelo holográfico tem alguma validade, isso implica que podemos acessar uma infinidade de imagens, cada uma criada por uma infinidade de padrões de ondas cerebrais. Basta apenas trazê-las à tona encontrando o "feixe de referência" correto.

Muitas pessoas começam pelo tarô, pela leitura de mãos ou pela astrologia para usar uma estrutura que já propicia um feixe de referência. As cartas apresentam uma variedade de imagens, e a pessoa para quem você está lendo também. Que pontos são mais importantes? Que pontos parecem "acender"? Em que local as ondas de informação se cruzam e se tornam mais fortes?

Para vermos algo pela clarividência, não apenas precisamos de um ponto de referência por meio do qual possamos recuperar os dados, mas também de uma tela em branco onde as informações serão vistas. Isso se cria com paciência, prática e uma mente aberta e silenciosa. Quando a mente é esvaziada pela meditação, a pessoa passa a enxergar melhor as imagens que ali existem. E quando aprendemos a focar a mente, criando concentração, podemos olhar mais a fundo e, por conseguinte, enxergar mais. Na clarividência, nada substitui uma mente vazia e silenciosa.

Como essas nuances são bem sutis, é comum que elas sejam ignoradas ou invalidadas. Assim como não escutamos os sussurros da telepatia em um mundo barulhento, não vemos os movimentos sutis dos planos etéricos quando esperamos que eles apareçam destacados em neon. A seguir, apresento uma típica conversa com alguém que começou a estudar clarividência recentemente:

AJ: Você já viu alguma aura?

Aluno: Acho que não. Não consigo ver auras.

AJ: Já procurou alguma vez?

Aluno: Já tentei. Mas não enxergo nenhuma cor em torno do corpo.

AJ: O que você vê quando procura uma aura?

Aluno: Vejo apenas o corpo. Em torno dos limites dele, vejo as coisas no cômodo que estão atrás do corpo.

AJ: Você está olhando através do espaço, e não para a aura. Feche os olhos e a sinta. Depois me diga que cor ela parece ter.

Aluno: Parece escura, sem cor. Acho que tem um pouco de dourado por cima do coração. Mas não sei se estou vendo isso de verdade. Acho que estou vendo um pouco de vermelho nas pernas, especialmente na direita. Mas não sei ao certo.

AJ: Achei que você não conseguisse enxergar auras.

Aluno: Mas eu não consigo. Somente de olhos fechados. É só minha imaginação, não é?

AJ: Não sei. Por que não dá uma conferida primeiro? Pergunte à pessoa o que ela está sentindo e veja se as cores combinam. Tente visualizá-la, faça um teste.

Outra pessoa: Bem, eu estava correndo sob o Sol hoje, o que adoro fazer, mas tropecei numa raiz e caí. Eu meio que machuquei um pouco o joelho, ainda está dolorido. Acho que isso é relevante.

(Hora do elogio!)

Aluno: Caramba! Eu realmente tinha visto alguma coisa! Pois é, o vermelho estava ao redor do seu joelho. (Depois, timidamente) Bateu a cabeça também?

Outra pessoa: Na verdade, bati. Mas não com tanta força.

AJ: Como você sabia?

Aluno: Bem, não consegui ver isso, mas a cabeça parecia um pouco dolorida. Não era nenhuma cor, era só uma sensação.

AJ: Dava para ver que ela estava dolorida, mas você não viu. Tudo bem. Agora olhe aquela pessoa ali.

Aluno: (de olhos semicerrados) Bem, vejo verde ao redor da cabeça dela, azul na garganta — nada na barriga, mas muita luz nas mãos.

AJ: Ainda acha que não consegue enxergar auras?

Não importa se um parapsicólogo consideraria esse tipo de visão um "sucesso" ou uma fraude, pois a interação não é com um clarividente mais desenvolvido, mas com um aluno iniciante que está aprendendo a ver. O processo começa com a pessoa aprendendo a perceber o que ela já vê, o que é intensificado pela confirmação das sutilezas. A melhor maneira de confirmar é perguntando! Quanto mais testamos nossas percepções, mais aprendemos sobre nossas habilidades e mais podemos confiar em nossos pontos fortes e desenvolver os pontos fracos. Em um mundo tão bombardeado pelos estímulos visuais físicos, e que tanto ignora as imagens internas, a confirmação é fundamental.

Na busca pela confirmação, também é importante perceber que não há problema algum em errar — pelo menos durante o aprendizado. Errar não significa que é impossível nem que você não tem habilidade psíquica. Em vez disso, use o *feedback* para aguçar sua visão: examine o que você achou que tinha visto; procure a verdade; veja se consegue encontrar alguma correlação na sua mente com as informações objetivas que recebeu. Muitas vezes, quando as pessoas "adivinham" erroneamente, a reação delas é: "droga! Essa resposta foi minha primeira impressão, mas descartei-a!". A menos que você esteja apenas arriscando a esmo, costuma haver um pouco de verdade em todas as percepções sinceras.

Assim, a clarividência é uma questão de ver as relações internas das coisas — o encaixe da parte no todo. Para isso, procura-se o ponto de cruzamento ou o padrão de interferência entre a nossa pergunta (o feixe de referência) e a informação que melhor se encaixa no espaço que criamos para ela. A potência da imagem que se encaixa é o que a diferencia das infinitas respostas possíveis. Com meditação, visualização e treinamento, podemos desenvolver nossas habilidades a fim de percebermos a sutil diferença entre as informações que solicitamos e as inúmeras outras possibilidades.

EXERCÍCIOS DO CHAKRA SEIS

EXERCÍCIO PARA OS OLHOS DO YOGA

Esse exercício serve para fortalecer e centrar os olhos físicos; também é bom para vista cansada, para melhorar a visão e para o cansaço geral após muito tempo de leitura ou trabalhando com papelada.

Comece sentado em posição de meditação, com a coluna ereta. Feche os olhos e afunde-os na escuridão. Traga sua atenção para o ponto entre os olhos, no centro da cabeça. Sinta a escuridão nesse ponto e se permita aproveitar essa calma tranquila.

Quando se sentir centrado, abra os olhos e focalize a vista à sua frente. Lentamente, desvie-a para cima, estendendo os olhos para o céu sem mover a cabeça. Em seguida, faça uma linha reta para baixo, chegando o mais baixo que sua visão puder alcançar, ainda sem mover a cabeça. Repita o movimento para cima e depois para baixo novamente, volte os olhos para o centro e feche-os, voltando à escuridão.

Abra os olhos outra vez e centralize-os. Em seguida, repita os movimentos, indo de um canto para o outro, primeiro da direita superior para a esquerda inferior, duas vezes, depois da esquerda superior para a direita inferior, também duas vezes. Volte de novo para a escuridão.

Repita mais uma vez, movendo-se da extrema direita para a extrema esquerda e retornando à escuridão depois de duas vezes. Na última vez, após centrar os olhos, faça semicírculos, primeiro na parte superior e depois na parte inferior, e termine fazendo uma rotação completa com eles, esticando-os o máximo possível tanto no sentido horário quanto no anti-horário.

Feche os olhos novamente. Esfregue as palmas das mãos fortemente até sentir que elas esquentaram. Quando estiverem mornas o bastante, posicione-as por cima das suas pálpebras e deixe seus olhos se deleitarem com o calor e a escuridão (ver Figura 7.3, abaixo). Enquanto o calor se dissipa, acaricie lentamente as pálpebras e massageie a testa e o rosto. Depois, você pode começar a meditar profundamente ou voltar para o mundo externo.

Figura 7.3
Palmas sobre os olhos.

MEDITAÇÃO DAS CORES

É uma visualização simples, feita para curar e limpar os chakras e para desenvolver a habilidade do olho interno de criar e perceber as cores.

Comece em uma posição de meditação, de preferência sentado. Aterre e centre sua energia.

Quando estiver suficientemente aterrado, imagine um disco brilhante de luz branca flutuando logo acima de sua cabeça, a partir do qual você pode desenhar todas as cores.

Deixe a primeira cor ser o vermelho e puxe-o para baixo, através do chakra da coroa, fazendo-o descer por toda a coluna vertebral e preenchendo o primeiro chakra com um vermelho vibrante. Mantenha essa cor no seu primeiro chakra por alguns instantes. Observe como seu corpo se sente com ela. Ele gostou? Parece energizado ou desconfortável?

Em seguida, volte para a área acima do chakra da coroa e retire a luz laranja do disco branco. Faça-a percorrer seu corpo e observe o efeito que ela tem sobre você. Traga-a para o segundo chakra e preencha sua barriga com um laranja vibrante.

Volte para a coroa e encontre uma luz amarelo-dourada. Faça-a descer pelo corpo até o terceiro chakra. Imagine um brilho dourado e morno saindo do seu plexo solar, com raios atravessando cada parte do seu corpo, enchendo-o e aquecendo-o. Como o terceiro chakra está relacionado à distribuição energética por todo o corpo, esses raios são importantes para espalhar a sensação de fogo interno.

Agora chegamos ao coração e à cor verde. Sinta essa cor se derramar sobre você, trazendo uma sensação de amor e de afinidade pelo mundo ao seu redor. Enxergue-a como um brilho esmeralda e morno ao redor do seu coração.

Depois, nós retiramos do nosso disco branco a cor azul e a puxamos até o chakra laríngeo. Permita que ela acalme sua garganta e relaxe seus braços e ombros. Sinta os raios azuis se estendendo ao redor da sua garganta, comunicando-se com tudo ao seu redor.

Em seguida, chegamos ao terceiro olho, que costuma apresentar uma cor índigo escuro. Sinta a frieza dessa cor enquanto ela se derrama por cima do seu terceiro olho. Permita-a apagar imagens estranhas, purificando e apaziguando sua tela interna.

Por último, o chakra da coroa é visto em um violeta vibrante. Sinta essa luz violeta entrando no seu chakra da coroa e equilibrando cada chakra.

Confira se todos os chakras estão retendo suas cores. Dê uma olhada no seu corpo inteiro e veja se você não consegue "vê-lo" como um arco-íris contínuo. Ao verificar seu corpo, observe quais cores estão mais fortes ou brilhantes. Observe como as diferentes cores são sentidas, quais são mais nutritivas ou revigorantes. As cores que você melhor acolheu devem representar as energias de que você mais precisa no momento. As cores que você não acolheu tão bem representam áreas que você costuma evitar ou onde pode haver alguma dificuldade. Cores fracas ou desbotadas representam áreas fracas; cores fortes, pontos de força e solidez. Brinque internamente com as cores até elas parecerem equilibradas. Isso também ajuda a equilibrar a aura.

PISCAR DE OLHOS

Esse exercício é uma maneira simples de sentir a aura de alguém se você não costuma enxergá-la. Também ajuda a melhorar a observação visual.

Posicione bem à sua frente a pessoa que você deseja olhar, a cerca de 2 a 3 metros de distância. Feche os olhos e esvazie sua tela mental. Espere se sentir aterrado e centrado, sem nenhum pensamento ou imagem passando pela sua mente.

Abra e feche os olhos muito rapidamente uma vez — o oposto de um piscar de olhos —, de modo a obter apenas um rápido vislumbre da pessoa à sua frente, criando uma espécie de "fotografia" congelada na sua mente. Prenda-se a essa imagem e examine-a. Que características você percebe? Consegue ver alguma pós-imagem ou brilho em torno do corpo? Alguma cor ou posição do corpo se destaca? Quando a imagem estiver esvaecendo, abra e feche os olhos com rapidez de novo para fortalecê-la. Veja quantos detalhes você consegue decifrar nessa "pós-imagem". Que partes esvaecem primeiro e que características perduram? Tudo isso revela os pontos fortes e fracos da aura da pessoa.

MEDITAÇÃO

O exercício mais útil para fortalecer o terceiro olho é a meditação simples, focalizando a atenção no centro da cabeça ou no ponto entre as sobrancelhas. Você pode acrescentar visualizações de cores ou formas ou pode simplesmente se concentrar na limpeza da tela da mente até esvaziá-la.

Quando a tela estiver vazia, as visualizações podem ser sugestionadas em resposta às suas possíveis perguntas. Se quiser saber sobre a saúde de uma pessoa, por exemplo, visualize a forma do corpo dela e permita que o preto ou o branco revelem as áreas de saúde e de doença. Tenha criatividade na hora de encontrar uma metáfora visual para a sua pergunta. Os limites desse sistema são apenas os limites da sua imaginação, e, quanto mais abrimos esse centro, mais a expandimos!

Outra forma de perceber como nos sentimos a respeito de uma decisão em particular é formular a pergunta de modo que ela possa ser respondida com um simples sim ou não. Em seguida, faça uma visualização para representar cada resposta — ponha o sim de um lado da tela e o não do outro. Depois, imagine um medidor com uma agulha apontando para cima e, após contar até três, deixe a agulha apontar para a resposta mais adequada. Não controle a agulha; deixe-a ir aonde ela quiser. Talvez você se surpreenda!

Observação: A capacidade de visualizar depende da prática constante, como se fosse um músculo. Crie o hábito de imaginar um rosto antes de atender ao telefone; pense em todos os passos que você dá para chegar ao trabalho de manhã, como se estivesse olhando de fora; reconstrua lembranças relacionadas ao seu quarto de infância, às crianças que brincavam com você ou ao seu primeiro namorado. Visualize uma tarefa concluída antes de iniciá-la e descubra se isso a facilita; visualize números maiores em seu talão de cheques; visualize-se conhecendo alguém.

Visualizar é sonhar ativamente. Quanto mais visualizamos, mais vívidas e hábeis são as criações da nossa mente. As oportunidades para praticar são infinitas, e quando a visualização se torna um hábito, ela se desenvolve naturalmente.

LEITURAS SUPLEMENTARES RECOMENDADAS
SOBRE O CHAKRA SEIS

Clark, Linda. *The Ancient Art of Color Therapy*. Nova York: Pocket Books, 1975.

Friedlander, John e Hemsher, Gloria. *Desenvolvimento psíquico básico*. São Paulo: Pensamento, 2001.

Gawain, Shakti. *Visualização criativa*. São Paulo: Pensamento, 2003.

Lieberman, Jacob. *Luz, a medicina do futuro*. São Paulo: Siciliano, 1994.

Samuels e Samuels. *Seeing with the Mind's Eye*. Nova York: Random House, 1976.

Wallace, Amy e Henkin, Bill. *The Psychic Healing Book*. Wingbow Press, 1981.

Wilber, Ken. *O paradigma holográfico e outros paradoxos*. São Paulo: Cultrix, 1995.

CHAKRA SETE

CONSCIÊNCIA
PENSAMENTO
INFORMAÇÕES
CONHECIMENTO
COMPREENSÃO
TRANSCENDÊNCIA
IMANÊNCIA
MEDITAÇÃO

Capítulo 8
CHAKRA SETE: PENSAMENTO

MEDITAÇÃO INICIAL

Você fez uma jornada.
Você tocou, provou, viu e escutou.
Você amou e perdeu e amou de novo.
Você aprendeu. Cresceu. Chegou intacto ao seu destino.
E agora, no final da jornada, você está quase em casa.
Só falta um passo — o maior e o menor de todos eles.
É o maior porque nos leva mais longe.
É o menor porque já estamos lá.
Há mais uma porta a ser aberta — e ela contém a chave para tudo o que está além.
Você está segurando essa chave, mas não consegue enxergar isso. Não é uma coisa, não é um caminho.
É um mistério.
Permita-se revisitar os lugares que você conheceu...
Lembrando o toque da carne na Terra, o fluxo do movimento e do poder, a canção do amor no seu coração, as memórias impressas na sua mente...
Quem é que se lembra?
Quem fez essa jornada?
Foi o seu corpo? Então, o que guiou você? O que é que se desenvolveu?
O que fez você se deslocar?
Quem segura agora a chave que não pode ser vista, a chave que não tranca?
A resposta é a própria chave.
Toda a sabedoria está dentro de você. Nada está além de você. O reino existe antes de você, dentro de você, ao seu redor. Ele está na sua mente, que é uma única mente em um mar de muitas; conectada, contida, inteligente, divina.
É o assento dos deuses, o padrão da criação, a imensidão do infinito, as incontáveis pétalas do lótus a se desdobrarem, florescendo totalmente e conectadas à Terra.
Nós o encontramos em nossos pensamentos.

Além da forma, além do som, além da luz, além do espaço, além do tempo, nossos pensamentos fluem.

Por baixo, por trás, por cima e ao redor, nossos pensamentos fluem.

Por dentro, por fora, antes e depois, nossos pensamentos fluem.

Gotículas em um mar sem fim, a canção da mente é infinita.

Fechamos o círculo, e o padrão está completo.

Somos os pensamentos que criam o padrão,

e somos o padrão que cria os pensamentos.

De onde surgem nossos pensamentos?

Aonde eles vão quando descansam?

E quem é que os percebe?

Bem no nosso fundo, encontramos um lugar para abrir nossa mente.

Através dos céus estrelados sempre em ascensão, os fios sólidos da matéria se desatarão.

Muito além dos véus celestiais, o Pai governa a trilha iluminada pelas estrelas siderais.

Em padrões brilhantes percebidos pela visão, nossos pensamentos transformam dia em escuridão, e por meio do nosso pensamento, sempre ligando, enrolando, tecendo, com as teias da sabedoria a se formar,

Padrões antigos passam a fluir e a escoar.

Senhor Shiva com sua auspiciosidade, suas meditações nos levam à profundidade

Do nosso interior onde há a sabedoria ancestral, nosso lugar sagrado inicial,

E também final, e para cá retornaremos; reconectados, aprendemos

A conhecer a divindade interior e a apresentá-la com um orgulho superior.

Nas nossas mentes a chave estará dos mistérios que iremos revelar;

Portal para os mundos que além estão,

No espaço sagrado e na paz, há nossa união.

CHAKRA SETE — SÍMBOLOS E CORRESPONDÊNCIAS

Nome em sânscrito	Sahasrara
Significado	com mil partes
Localização	topo da cabeça
Elemento	pensamento
Manifestação	informação
Função pessoal	compreensão
Estado psicológico	bem-aventurança
Glândula	pituitária
Outras partes do corpo	córtex cerebral, sistema nervoso central
Mau funcionamento	depressão, alienação, confusão, tédio, apatia, incapacidade de aprender
Cor	do violeta ao branco

Som semente	nenhum
Som de vogal	também neste caso, não é uma vogal; *nng*, como em "shopping"
Pétalas	alguns dizem 960, outros, mil. Para os hindus, números com um e zero, como cem, mil ou dez mil, indicam o infinito. Assim, as mil pétalas são uma metáfora para o infinito, enquanto 960 equivale ao total dos cinco primeiros chakras juntos (4 + 6 + 10 + 12 + 16) multiplicado pelas duas pétalas do chakra seis, vezes dez.
Sefirá	Kether
Planeta	Urano
Metal	ouro
Alimentos	nenhum, jejum
Verbo correspondente	conhecer
Caminho do yoga	jnana yoga ou meditação
Ervas para incenso	lótus, centelha asiática
Guna	*sattvas*
Minerais	ametista, diamante
Símbolos do lótus	dentro de *Sahasrara* há a lua cheia, sem a marca da lebre, resplandecente como se estivesse em um céu límpido. O luar é abundante, úmido e frio, como o néctar. Dentro dele, brilhando constantemente como o relâmpago, há o triângulo em cujo interior reluz o Grande Vazio, que é servido em segredo por todos os Suras.[152] Algumas pessoas dizem que as pétalas apontam para cima, para os céus. Os textos antigos dizem que apontam para baixo, cercando o crânio. Acredita-se que as pétalas são de um branco lustroso.
Divindades hindus	Shiva, Ama-Kala (Shakti que ascende), Varuna
Outros panteões	Zeus, Alá, Nut, Enki, Inanna, Odin, Mímir, Ennóia

---

152. Verso 41 do *Sat-Chakra-Nirupana*, traduzido por Arthur Avalon, *The Serpent Power*, p. 428.

O LÓTUS DE MIL PÉTALAS

*O universo é o que pensamos que ele é —
e justamente por isso.*

John Woods[153]

Finalmente chegamos ao ápice da jornada séptupla, subindo até o lótus de mil pétalas que floresce no topo da cabeça. Aqui encontramos o assento profundamente cósmico da consciência que é conhecido como o sétimo chakra ou chakra da coroa. Ele nos conecta à inteligência divina e à origem de toda a manifestação. É o meio pelo qual alcançamos a compreensão e encontramos significado. Como objetivo final da nossa corrente libertadora, é o local da libertação suprema.

Como um rei cuja coroa significa ordem para o reino, o chakra da coroa representa o princípio governador da vida — o lugar onde a ordem subjacente e o sentido de todas as coisas terminam sendo percebidos. É a consciência que permeia, pensa, raciocina e proporciona forma e foco para as nossas atividades. É a verdadeira essência do ser como a consciência que mora dentro de nós. No inconsciente, é a sabedoria do corpo. Na mente consciente, é o intelecto e nossos sistemas de crenças. No superconsciente, é a consciência do divino.

Em sânscrito, o chakra da coroa chama-se *Sahasrara*, o que significa mil partes, em referência às infinitas pétalas que se desdobram no lótus. Os breves vislumbres desse chakra que tive o privilégio de ver revelam um padrão de tanta magnitude, complexidade e beleza que é quase avassalador. Suas pétalas desabrocham em padrões fractais que se sobrepõem, infinitamente emaranhados uns nos outros, pendendo como um girassol para pingar o néctar da compreensão na consciência do ser. Cada pétala perfeita é uma mônada da inteligência, e juntas elas formam a *gestalt* de uma inteligência divina e abrangente que também é sensível, atenta, receptiva e infinita. Seu campo é delicado — o menor pensamento faz as pétalas ondularem como se fosse o vento em um campo de grama. As joias brilhantes no fundo do lótus reluzem apenas em um estado de suprema quietude. Testemunhar esse milagre é algo profundo.

Quando alcançamos esse nível, a semente da nossa alma já brotou de suas raízes na terra, cresceu por meio dos elementos água, fogo, ar, som e luz, e agora chega à fonte de tudo, a própria consciência, vivenciada pelo elemento de pensamento. Cada nível nos traz novos graus de liberdade e consciência. Agora o chakra da coroa floresce com a consciência infinita, tendo suas mil pétalas como antenas e alcançando dimensões superiores.

É esse chakra que a filosofia do yoga considera o assento da iluminação. Seu estado supremo da consciência está além da razão, dos sentidos e dos limites do

---

153. John Woods, conversa pessoal, 1982.

mundo ao nosso redor. A prática do yoga aconselha o recolhimento dos sentidos (*pratyahara*) a fim de obtermos a quietude mental necessária para perceber esse estado supremo. A filosofia tântrica, por outro lado, considera que os sentidos são um portal para o despertar da consciência. A teoria dos chakras nos diz que os sentidos são as duas coisas — um estímulo da inteligência para nos dar informações e um recolhimento interno em que a informação é filtrada para se tornar o conhecimento supremo. Nosso lótus de mil pétalas deve manter suas raízes na terra para continuar florescendo.

O elemento desse chakra é o pensamento, uma entidade fundamentalmente distinta e incomensurável, a primeira e mais simples manifestação do campo maior da consciência que nos cerca. Portanto, a função de *Sahasrara* é *conhecer* — assim como outros chakras estão relacionados a ver, falar, amar, fazer, sentir ou ter. É pelo chakra da coroa que alcançamos o corpo infinito de informações e o passamos por nossos outros chakras, a fim de levá-lo ao nível do reconhecimento e da manifestação.

O sétimo chakra está associado àquilo que sentimos como a mente, especialmente à consciência que a usa. A mente é o palco para a peça da consciência e pode apresentar uma comédia ou tragédia, entusiasmo ou tédio. Somos a plateia que tem o privilégio de assistir à peça, mas às vezes nos identificamos tanto com os personagens no palco (com nossos pensamentos) que esquecemos que é uma mera peça.

Observando essa peça dos pensamentos, nossa mente transforma a experiência em significado e constrói nossos sistemas de crenças. Estas, por sua vez, são os programas principais a partir dos quais construímos nossa realidade (assim, o chakra da coroa é o principal chakra e está relacionado à principal glândula do sistema endócrino, a pituitária).

Fisiologicamente, o chakra da coroa está relacionado ao cérebro, especialmente à sua parte superior ou córtex cerebral. Nosso incrível cérebro humano contém cerca de 13 bilhões de células nervosas interconectadas, capazes de fazer mais conexões entre elas do que o total de estrelas no universo.[154] É uma afirmação impressionante. Nossos cérebros, como instrumentos da consciência, são praticamente ilimitados. Porém, existem 100 milhões de receptores sensoriais *dentro do corpo* e 10 trilhões de sinapses no sistema nervoso, tornando a mente cem mil vezes mais sensível ao seu ambiente interno do que ao externo.[155] Então é realmente a partir de um lugar *interno* que recebemos e assimilamos grande parte do nosso conhecimento.

Por dentro, nós acessamos uma dimensão que não se encontra no tempo nem no espaço. Se postulamos que cada chakra representa uma dimensão que

---

154. Bloomfield, *Meditação transcendental*: a descoberta da energia interior e o domínio da tensão. Nova Fronteira, 1976.
155. Michael Talbot, *Mysticism and the New Physics*, p. 54.

tem uma vibração menor e mais rápida, alcançamos hipoteticamente, no chakra da coroa, um plano onde há uma onda de velocidade infinita e sem comprimento de onda, permitindo que ela esteja em todos os lugares ao mesmo tempo. Assim, os estados supremos da consciência são ditos onipresentes — reduzindo o mundo a um sistema de padrões sem dimensão física, nossa capacidade de armazenar seus símbolos é infinita. Em outras palavras, *carregamos o mundo inteiro dentro das nossas cabeças.*

Esse lugar interno é o assento da consciência e a origem da nossa corrente manifestante. Todos os atos de criação começam pela concepção. Primeiramente precisamos conceber uma ideia para que ela possa ser concretizada. É um processo que se inicia na mente e desce pelos chakras até a manifestação. A concepção nos proporciona o padrão, e a manifestação o enche de substância, dando-lhe uma forma. Padrão implica ordem. Para os hindus, a ordem é a realidade universal subjacente. Na verdade, quando olhamos a natureza e o universo celeste, a aparente inteligência da sua ordem extraordinária é surpreendente.

Padrão tem a ver com a palavra *pater*, que significa pai. O pai proporciona a semente (o DNA), a informação ou padrão que estimula a criação da forma. A concepção inicia-se quando um padrão é recebido adequadamente. Então, o aspecto materno dá substância ao padrão (e também metade do DNA). Mãe vem de *mater*, bem como a palavra matéria. Para que algo tenha importância, ele tem de se materializar, se manifestar, "ter uma mãe". Assim, Shiva fornece a forma ou padrão, enquanto Shakti, como a mãe do universo, fornece a energia bruta que faz a forma se materializar.

Podemos pensar que a consciência é invisível, mas basta olhar ao redor — para a estrutura das nossas cidades, os móveis das nossas casas ou os livros nas nossas estantes — para notar a incrível versatilidade da consciência em sua forma manifesta. Se queremos saber como é a consciência, nosso mundo — tanto o natural quanto o criado pelo homem — é a expressão dela. A consciência é o campo de padrões de onde nasce a manifestação.

Então o que é a consciência "superior"? É a percepção de uma ordem superior ou mais profunda — uma que é mais inclusiva. A consciência superior às vezes é chamada de consciência cósmica, referindo-se à consciência de uma ordem cósmica ou celestial. Enquanto os chakras inferiores têm milhões de *bits* de informações sobre o mundo físico e seus ciclos de causa e efeito, a consciência cósmica alcança as galáxias e além delas, abrindo-se para a consciência das verdades unificadoras. É a percepção dos meta padrões, os princípios organizacionais abrangentes de nosso sistema de ordenamento cósmico. A partir desse lugar, podemos descer outra vez para as ordens menores, com uma compreensão inata da estrutura e da função delas como subconjuntos desses meta padrões.

Em *Sahasrara*, é onde estamos mais distantes do mundo material — e, por consequência, das limitações do espaço e do tempo. Assim, o sétimo chakra tem a maior versatilidade e o maior escopo de todos os chakras, e é daí que vem seu estado de libertação. Com nossos pensamentos, podemos saltar da antiga Idade da Pedra para as visões do futuro. Podemos imaginar que estamos no nosso quintal ou pensar em uma galáxia longínqua, tudo em um mero instante. Podemos criar, destruir, aprender e crescer — tudo a partir de um lugar interno, sem precisarmos de movimentos ou mudanças do lado de fora.

Alguns dizem que *Sahasrara* é o assento da alma, uma testemunha eterna e adimensional que permanece conosco no decorrer das nossas vidas. Já outros dizem que é o ponto por meio do qual a faísca divina de Shiva entra no corpo, trazendo a inteligência. É o principal processador de toda a consciência — o portal para mundos internos e para mundos que estão além, a circunferência adimensional que abrange tudo que existe. Independentemente de como o descrevemos, devemos lembrar que seu alcance é muito maior do que nossas palavras podem transmitir. É algo que só pode ser vivenciado.

CONSCIÊNCIA

A Força Universal é uma consciência universal.
É isso que o buscador descobre.
Depois de ter contato com a corrente da consciência
dentro de si mesmo,
ele pode acessar qualquer plano da realidade universal,
em qualquer ponto dela, e perceber e entender
a consciência que ali está, ou até mesmo agir sobre ela,
pois é a mesma corrente da consciência por toda parte,
com diferentes modalidades vibratórias.

Satprem, sobre Sri Aurobindo[156]

Cada chakra é uma manifestação da consciência em diferentes camadas da realidade, com a terra sendo a mais densa e o sétimo chakra, o oposto, a pura consciência não manifesta — conhecida na filosofia do yoga como *purusha*. No chakra sete, precisamos nos perguntar: o que é a consciência? Qual é o propósito dela? Como a acessamos?

Essas perguntas certamente são importantes e têm sido feitas por homens e mulheres desde o princípio dos tempos. No entanto, para entrarmos na nossa última dimensão — a dimensão da mente, consciência, pensamento, inteligência

---

156. Satprem, *Sri Aurobindo or The Adventure of Consciousness*, p. 64.

e informação — devemos começar a investigar, *pois a faculdade que pergunta é a própria consciência — o objetivo da nossa busca.*

É quando nos perguntamos "Quem está cuidando da loja?" que olhamos para dentro e percebemos a consciência interna. Não podemos reclamar dos produtos na loja sem fazer essa pergunta. Se queremos uma mudança, devemos estar dispostos a apresentá-la ao gerente. Alguns a chamam de *testemunha*, um ser consciente que está sempre presente no mistério do eu. Quando testemunhamos nossa própria ciência, começamos a sondar a misteriosa posse da consciência.

Esse fenômeno é simplesmente milagroso. Uma faculdade que todos temos — mas que não podemos ver, tocar, medir ou segurar — é a realidade indelével que nos torna vivos. Sua imensa capacidade de regular o corpo, tocar música, falar várias línguas, fazer desenhos, recitar poesia, lembrar números de telefone, apreciar um pôr do sol, resolver um quebra-cabeça, sentir prazer, amar, desejar, agir, ver — a faculdade da consciência tem infinitas habilidades. Quando realmente concentramos nosso olhar nesse milagre, entramos nas infindáveis pétalas do lótus a se desdobrarem e na verdadeira fonte do Eu.

Esse Eu tem uma memória armazenada, um conjunto de sistemas de crenças e uma capacidade de receber novos dados e integra todas essas informações, transformando-as em um *significado* coerente. Essa busca pelo significado é a força motriz da consciência e a procura pela unidade subjacente da experiência. Quando nossas próprias vidas têm significado, elas se tornam parte de uma estrutura maior. Quando algo não tem significado, ele não corresponde a nada. O significado é o padrão que conecta e nos aproxima da unidade. Ele conecta o indivíduo ao universal, o verdadeiro significado do yoga. Creio que essa busca pelo significado é a motivação básica do chakra da coroa em todas as experiências anteriores ao *samadhi* (em que o significado se torna óbvio).

Do mundano ao místico, a busca pelo significado está por trás da maioria das atividades da mente. Se sua chefe está zangada com você, você pode se perguntar o que isso significa, se ela está tendo um dia ruim, se você fez algo de errado, se ela está sendo exigente demais, se você está no emprego errado... Quando as pessoas sofrem acidentes, adoecem ou vivenciam alguma coincidência auspiciosa, elas buscam um significado para ajudar a integrar a experiência. Como terapeuta, escuto diariamente os acontecimentos das vidas dos meus clientes. E várias vezes eles perguntam "O que isso significa?".

Quando discernimos o significado de uma situação, sabemos melhor o que fazer ou como agir, e podemos fluir junto com ela outra vez. Assim temos o nosso sistema operacional básico, que nos conecta a um senso de ordem abrangente e integra o restante de nossa experiência à completude.

A consciência é uma força relacionada ao *guna sattva*. É uma força de unidade, ordem e organização. É o projeto, o padrão, a inteligência. Seja nas formas de ondas que se cruzam no cérebro, na estrutura das moléculas, nos edifícios ou nas cidades, a consciência é o princípio ordenador inerente a todas as coisas. A própria existência não passa de um vórtice da organização consciente.

Quando acessamos esse imenso campo da consciência, ele desce, envolve as estruturas existentes e se transforma em informações. As informações são as linhas de ordem percebidas que constituem o sistema operacional pessoal de um indivíduo. O próprio ato de pensar é o processo de seguir linhas de ordem. Como veículos da consciência, tendemos naturalmente a expressar essas informações — a usá-las e manifestá-las. A expressão máxima delas é a forma física, apesar de ser a mais limitada. Em virtude da sua limitação, a consciência, após se manifestar, deseja se libertar das amarras do físico e retornar outra vez à sua fonte — o não físico, onde ela pode brincar com sua diversidade infinita. Assim, por natureza, a consciência manifesta e liberta, na eterna dança de Shiva e Shakti.

TIPOS DE CONSCIÊNCIA

Aquilo dentro de nós que busca conhecer e progredir não é a mente; é algo por trás dela, que a usa.

Sri Aurobindo[157]

Percepção implica o foco da atenção. Você pode falar comigo enquanto estou dormindo, mas eu não percebo — minha atenção está em outra coisa. Vejo cenas passarem do meu lado enquanto dirijo, mas não as percebo, e talvez eu nem as reconheça ao vê-las de novo. Para abrir essa percepção, precisamos perceber aonde vai nossa atenção, pois assim podemos expandi-la ou concentrá-la quando desejarmos.

Há uma grande quantidade de informações ao nosso redor em todos os momentos das nossas vidas. Para usá-las, concentramos um pouco da nossa atenção de cada vez. Para ler este livro, você se concentra nele e se afasta de outras coisas, como o trânsito, crianças barulhentas ou pessoas conversando.

A consciência do chakra da coroa pode ser dividida em dois tipos, dependendo do foco da nossa atenção: aquilo que desce e se transforma em informação concreta, cuja manifestação é útil para o mundo, e aquilo que se expande e se desloca rumo aos planos mais abstratos. A primeira categoria é orientada para o mundo das coisas, dos relacionamentos e do eu concreto. É um resultado da limitação da atenção. É a consciência que, ativamente, pensa, raciocina, aprende e armazena informações. É nossa *Consciência Cognitiva*. Podemos pensar nela como o foco inferior do chakra da coroa, que organiza quantidades finitas de detalhes dentro de estruturas maiores.

---

157. Sri Aurobindo, em *Sri Aurobindo or The Adventure of Consciousness*, p. 30.

O segundo tipo de consciência é o que chamo de *Consciência Transcendente*. Ela é a interface de um plano que está além do mundo das coisas e dos relacionamentos. É a consciência sem um objeto, sem uma ciência, sem uma referência ao eu individual, sem as amplas flutuações que ocorrem nos padrões de pensamento lógicos e comparativos da Consciência Cognitiva. Em vez disso, essa consciência flutua na metaciência, abrangendo todas as coisas simultaneamente sem se concentrar em nenhum objeto em particular. Ela flutua por abrir mão dos "objetos da consciência" normais, tornando-se livre e sem peso.

A Consciência Cognitiva requer que a ciência se concentre no finito e no particular, organizados e reunidos segundo uma ordem lógica. A Consciência Transcendente requer a abertura da ciência além da cognição. Perceber uma ordem superior significa um maior distanciamento do trivial, do particular. Paradoxalmente, essa abertura além da cognição provoca um aumento no escopo da nossa atenção focada. Quando esvaziamos a mente, aquilo que permanece se destaca, como se estivéssemos observando uma pessoa sozinha em um campo coberto de neve, e não no meio de uma rua cheia.

INFORMAÇÕES

As coordenadas do espaço-tempo
não são coordenadas primárias da realidade física,
e sim princípios organizadores evocados pela consciência
a fim de ordenar suas informações.

Robert Jahn[158]

Com base nas nossas experiências, construímos uma matriz pessoal de informações nas nossas mentes. Do primeiro vislumbre do rosto da nossa mãe às teses de doutorado, passamos nossas vidas tentando notar alguma ordem no que vemos ao nosso redor. Cada informação que recebemos é incorporada a essa matriz, tornando-a cada vez mais complexa. À medida que isso acontece, ela tende a se "reorganizar" periodicamente, encontrando níveis maiores de ordem que simplificam seu sistema. Sua base desmorona, há uma reestruturação e, depois disso, a energia é usada com mais eficiência. É o familiar reflexo *"a-há!"* — pequenos esclarecimentos que surgem quando alguma peça se encaixa, permitindo que uma nova completude seja percebida. A iluminação é a compreensão progressiva de uma completude cada vez maior. Em nosso paradigma holográfico, cada informação nova deixa a imagem básica mais clara.

---

158. Robert Jahn, no boletim informativo da "Foundation for Mind-Being Research", *Reporter*, ago. 1982. Cupertino, p. 5.

As estruturas matriciais são criadas a partir do significado que obtemos da experiência. Elas passam a ser nossos sistemas de crenças pessoais e os princípios organizadores de nossas vidas. Somos uma parte dessa ordem e organizamos tudo que encontramos segundo essa matriz, preferindo manter uma coerência entre experiências internas e externas. Se meu sistema de crenças diz que as mulheres são inferiores, manifestarei isso em todas as minhas ações e até encontrarei outras pessoas que corroborem isso. Se acredito que hoje é meu dia de sorte, é mais provável que eu manifeste coisas positivas ao longo do dia.

Nossos sistemas de crenças são compostos de vários significados que obtemos das nossas experiências. Se falhamos repetidas vezes e dizemos para nós mesmos que isso significa que somos burros, acabamos gerando essa crença na nossa própria burrice. Esses sistemas de crenças formam a matriz em que todas as outras informações são canalizadas. Se eu lhe dou um *feedback*, você analisa esse dado com base no conhecimento que já tem e o acrescenta aos seus sistemas de crenças. Você pode dizer: "ih, nunca faço nada certo" ou "nunca consigo agradá-lo". É uma crença criada a partir do significado que você deduziu. Já outra pessoa, com outro sistema de crenças, pode obter um significado totalmente diferente.

A relação entre significado e crença é tão forte que, se algum dado não se encaixa na nossa matriz interna, podemos dizer: "ah, não acredito em você" e descartar a informação completamente. Se eu contasse para alguém que vi um extraterrestre (não vi), a maioria das pessoas não acreditaria, pois elas não têm uma matriz para uma experiência assim. Mas se eu contasse a mesma informação para alguém em uma conferência sobre OVNIs, talvez esse alguém realmente acreditasse em mim ou atribuísse à minha experiência um significado totalmente diferente.

Essa é uma das armadilhas da mente. Como podemos assimilar novas informações e expandir nossa consciência quando rejeitamos tudo que não se encaixa no nosso paradigma interno atual? E se desconsideramos a matriz interna, como podemos separar verdade de ficção ou organizar a grande quantidade de informações que recebemos a cada momento?

A melhor resposta para isso é a meditação, pois ela permite que a mente classifique seus dados, descarte sistemas de crença obsoletos e informações desnecessárias e reinicie a matriz pessoal com uma unidade subjacente (meditar é como desfragmentar seu disco rígido — assim sobra mais espaço para o sistema operar e gravar informações novas sem travar). A meditação permite ao chakra da coroa abrir a ciência ainda mais sem que a pessoa se sinta confusa ou perdida no infinito. Ela nos ajuda a reter nosso centro, que é a principal matriz organizadora do Eu.

BAIXANDO INFORMAÇÕES

As pesquisas parapsicológicas, a regressão de vidas passadas e outros estudos têm mostrado que certas características da mente existem independentemente do cérebro. Em alguns casos de regressão, as pessoas têm conseguido se lembrar de fatos comprováveis objetivamente. Elas descrevem com precisão uma casa que jamais viram, falam outra língua ou descrevem acontecimentos que depois foram documentados por jornais, cartas ou livros. Obviamente, desde que o corpo humano/*hardware* tem sido completamente modificado, algumas informações ocorrem fora do cérebro.

Todos esses dados implicam a existência de alguma espécie de *campo de informações* independentemente de quem as percebe, assim como as ondas de rádio existem independentemente dos rádios ou a internet existe quer você tenha um computador ou não. O corpo, com seu incrível sistema nervoso e capacidade reativa, é o receptor dessas informações, da mesma maneira como seu computador recebe e baixa informações pela internet.

Apesar de poder ser imaterial no mundo físico, esse campo não deixa de ser um fator muito real e causal, assim como um campo magnético invisível faz as rebarbas de um metal assumirem uma forma específica. É por isso que os planos superiores costumam ser chamados de *planos causais*. Quando "sintonizamos", podemos acessar esse campo de informações e entrar no plano da causalidade.

O biólogo Rupert Sheldrake cunhou um termo que descreve esse fenômeno pelo menos parcialmente: são os "campos morfogenéticos", de *morph*, "forma", e *genesis*, "passar a existir". A teoria dos campos morfogenéticos postula que o universo não funciona baseado em leis imutáveis, mas em "hábitos" — padrões criados pela repetição de eventos com o passar do tempo. A repetição desses hábitos cria um campo em uma dimensão mais "elevada", aumentando a probabilidade de que esses eventos se encaixem nesse padrão. Os campos morfogenéticos são próprios dos objetos e dos comportamentos e podem explicar muito daquilo que chamamos de instinto.

Nos coelhos, esse campo, por exemplo, é criado pelo total de coelhos que existe e que existiu no passado. Tudo que está começando a existir e que é remotamente parecido com um coelho terá uma grande probabilidade de adotar a "coelhice" criada por esse campo. Se você entra em uma loja de ferragens e diz que quer algo que possa segurar para pregar um prego, a probabilidade de o gerente dizer "martelo" é muito alta porque muitos martelos já existiram. Agora que as pistolas de pregos se tornaram mais comuns, talvez elas também possam ser sugeridas. Vinte anos atrás, quando elas eram poucas, isso teria sido improvável.

Os campos morfogenéticos têm a ver com as relações entre a consciência e a manifestação, pois formam um vínculo de mão dupla entre os dois mundos.

O campo se constrói com aquilo que ocorre no mundo tangível, por meio da repetição e do hábito. E uma vez estabelecido, o campo define as futuras formas do mundo material. A tendência à conformidade varia com a força do campo. Diz Sheldrake:

> *Não seria possível um novo campo se estabelecer na presença da influência avassaladora de um hábito preexistente. Pode acontecer de os campos mais elevados integrarem hábitos de níveis inferiores em novas sínteses... A evolução não acontece mudando hábitos básicos, mas pegando esses hábitos básicos que ela recebe e construindo padrões cada vez mais complexos a partir deles.[159]*

Um exemplo disso é a pessoa acima do peso que perde 20 quilos e sente um desejo insaciável de comer até recuperar exatamente essa quantidade de quilos. Você já percebeu que pessoas com sobrepeso tendem a manter o mesmo peso na maior parte do tempo, apesar de fazerem dieta ou comer compulsivamente? O campo morfogenético do corpo quer manter sua forma familiar. Por alcançar um nível diferente, mudar a maneira de pensar é uma forma mais eficaz de se perder peso, pois assim se muda o campo que provoca a forma do corpo.

Quando uma crença é mantida por um grande número de pessoas, seu campo é mais forte, o que diminui a chance de sobrevivência de crenças opostas. O campo criado pela crença na supremacia masculina é um ótimo exemplo, pois ele foi completamente instilado na nossa cultura nos últimos milhares de anos, oferecendo mais vantagens aos homens, que, por conseguinte, realizam mais. À medida que mais mulheres descobrem o próprio poder através do feminismo, gera-se outro campo e o sistema de crenças culturais muda de forma. Mas isso requer um bom tempo, e muitas mulheres e muitos homens precisam se envolver na construção do novo campo. Com o passar do tempo, o campo se fortalece e fica mais fácil para a próxima geração de mulheres e homens manter um novo sistema de crenças.

Os pensamentos são estruturas, assim como corpos e edifícios. Seus detalhes podem mudar entre um momento e outro, mas a matriz estrutural permanece mais ou menos a mesma ao longo de um dado período   especialmente quando sustentada por muitas mentes. Se queremos mudar nossa consciência, devemos acessar os campos de onde ela veio e buscar os níveis mais elevados de ordem que existem dentro deles. A partir de um nível transcendente, podemos acessar novos campos de ordem mais elevada. Assim mudamos nossa matriz e suas manifestações no mundo físico. Esse é o processo de evolução autoconsciente, que só é possível por meio de jornadas pela consciência.

---

159. Rupert Sheldrake, "Morphogenetic Fields: Nature's Habits", *ReVision*, outono 1982, vol. 5, n. 2, p. 34.

TRANSCENDÊNCIA E IMANÊNCIA

Quando a consciência se liberta das milhares de vibrações
mentais, vitais e físicas em que ela está enterrada,
há alegria.

Sri Aurobindo[160]

O chakra da coroa é o ponto de encontro entre o finito e o infinito, entre o mortal e o divino, entre o temporal e o atemporal. É o portal que permite nossa expansão para além do nosso eu pessoal, para além dos limites do espaço-tempo, fazendo-nos sentir a unidade primordial e a bem-aventurança transcendental. Também é o ponto em que a consciência divina entra no corpo e desce, levando a ciência para todos os chakras e nos dando recursos para agirmos no mundo ao nosso redor.

Descrevemos que essas duas correntes criam dois tipos de consciência, a cognitiva e a transcendente. Ademais, ambas produzem dois estados espirituais diferentes, mas complementares: o *transcendente* e o *imanente*. Mais uma vez, a corrente ascendente nos traz a libertação, e a descendente, a manifestação. Para ter uma teoria real sobre a completude, a pessoa precisa desenvolver as duas.

Como avançamos pelos sete níveis da consciência relacionados a cada chakra, transcendemos progressivamente a limitação, a miopia, o imediatismo, a dor e o sofrimento. Essa é a direção mais enfatizada pelo pensamento oriental, em que a prática e a filosofia do yoga constituem um portal essencial para a consciência universal. Acredita-se que a dor e o sofrimento acontecem em virtude da falsa identificação com elementos do mundo finito, obscurecendo a realidade suprema do infinito. É o apego à limitação que cria obstáculos para o nosso crescimento espiritual, então o apego é o principal demônio do chakra da coroa.

A maior característica da Consciência Transcendente é seu vazio. Então, entramos nele quando deixamos o apego de lado. A transcendência nos leva para além do comum, para a ampla extensão da unidade. O observador participa. Não há separação entre o eu e o mundo, tampouco alguma noção de tempo. Assim como o vazio de uma xícara permite que ela seja preenchida, o vazio das nossas mentes cria um canal livre que nos permite vivenciar a transcendência.

A transcendência traz a libertação das armadilhas da ilusão para que possamos entrar em um estado de êxtase e de liberdade. Normalmente, é o ego que cria esses apegos a fim de manter seu senso de identidade e de segurança — mas esse eu é um eu menor, mais limitado, separado da unidade subjacente da consciência que nos constitui.

A corrente descendente da consciência, por ter a realização divina como origem, provoca a *imanência*. Imanência é a consciência do divino dentro de

---

160. Rupert Sheldrake, "Morphogenetic Fields: Nature's Habits", *op. cit.*, p. 66.

nós, enquanto transcendência é a consciência do divino fora de nós. A imanência nos dá inteligência, iluminação, inspiração, brilho, poder, conexão e, por fim, manifestação. O verdadeiro autoconhecimento é compreender que a transcendência e a imanência são complementares e que os mundos interno e externo são um, indelevelmente.

Enquanto a corrente libertadora nos traz a libertação, ou *mukti*, a corrente descendente proporciona o prazer, ou *bhukti*. Segundo *The Serpent Power*, de Arthur Avalon, que é a tradução mais meticulosa dos textos tântricos sobre os chakras:

> *Um dos princípios essenciais do Sakti-Tantra é garantir, por meio do seu Sadhana, tanto a Libertação quanto o Prazer. Isso é possível por meio da identificação do eu, quando ele sente prazer com a alma do mundo.*[161]

Assim como o chakra *Muladhara* é tanto a origem da Kundalini ascendente quanto o lugar onde pressionamos profundamente nossas raízes no solo, *Sahasrara* é a fonte de todas as manifestações e o portal para o além. A transcendência e a imanência não são mutuamente exclusivas; elas representam as oscilações básicas da consciência, a inspiração e a expiração do chakra da coroa, os pontos de entrada e de saída da vida humana.

MEDITAÇÃO: A CHAVE PARA O LÓTUS

Ó Gracioso, espero que sua cabeça seja um casco vazio,
em que sua mente se diverte por toda a eternidade.

Antigo provérbio em sânscrito

Não há melhor prática para o desenvolvimento do sétimo chakra do que a meditação. Por meio dela, a consciência se realiza. Ela é tão essencial para o cuidado do espírito quanto a alimentação e o repouso o são para o corpo.

Existem inúmeras técnicas de meditação. Você pode controlar a respiração, entoar mantras, visualizar cores, formas ou divindades, mover a energia pelos seus chakras, caminhar ou se mover conscientemente, usar uma interface cérebro-computador ou simplesmente olhar para o nada. Para que valha a pena, todas essas formas precisam ter uma coisa em comum: elas precisam intensificar, apaziguar e harmonizar os aspectos vibracionais da mente e do corpo, limpando os resíduos habituais da mente.

Temos a certeza de que precisamos tomar banho, fazer faxina em casa e lavar nossas roupas. Ficamos desconfortáveis se não fazemos essas coisas, sem falar na possibilidade de sermos criticados socialmente. Porém, a mente e seus

---

161. Arthur Avalon, *The Serpent Power*, p. 38.

pensamentos precisam de limpeza, talvez até mais do que nossos corpos. A mente trabalha por mais tempo, encontra dimensões mais amplas e opera o sistema operacional das nossas vidas! Poucos de nós pensariam em jantar com a louça suja da véspera, mas achamos normal resolver um novo problema com a mente desorganizada da véspera. Por isso que nos sentimos cansados, confusos e ignorantes!

A meditação é tanto um fim quanto um meio. Podemos até obter mais clareza e melhorar o humor ou a coordenação física; mas a mente, como comandante inseparável de todo o restante, merece ser tratada da melhor maneira possível.

Como o sétimo chakra existe na dimensão da "interioridade", a meditação é a chave para esse mundo interno. Por meio dela, desligamos sistematicamente o mundo externo e desenvolvemos sensibilidade em relação ao nosso interior. Com essa sensibilidade entramos no ponto de singularidade que conecta todas as coisas. Somos o vórtice de tudo que vivenciamos, e no centro dele se encontra a compreensão.

Harmonizando corpo, respiração e pensamentos, alinhamos nossos chakras e percebemos a essência unificadora de toda a criação. Mas não é um alinhamento da realidade física, mas sim um alinhamento interno de energias arquetípicas, um alinhamento espiritual com a unidade subjacente que descobrimos em cada chakra.

Mas o que a meditação faz exatamente? Quais são os efeitos fisiológicos, estados psicológicos e benefícios que ela provoca? E por que essa estranha prática de ficar sem fazer nada é tão valiosa?

A prática disseminada da Meditação Transcendental (MT) ensinada pelo Maharishi Mahesh Yogi possibilitou que se fizessem estudos sistemáticos sobre os efeitos mentais e físicos em indivíduos variados. A Meditação Transcendental, segundo os ensinamentos da associação da MT, é a simples prática de passar vinte minutos, duas vezes ao dia, sentado em silêncio e dizendo internamente um mantra que é passado pelo professor. Não há posturas estranhas, nem exercícios respiratórios, nem recomendações alimentares, o que torna a prática fácil de aprender e de estudar.

A descoberta mais marcante desses estudos foi indicada pelos encefalogramas que analisavam os padrões das ondas cerebrais. Na consciência comum no estado de vigília, as ondas cerebrais são aleatórias e caóticas e costumam estar na frequência beta. Os dois hemisférios do cérebro podem gerar comprimentos de onda distintos e também pode haver diferenças entre as partes frontal e traseira do cérebro.

A meditação muda isso drasticamente. Logo após o começo, os indivíduos que meditavam tiveram um aumento nas suas ondas alfa (que, nas ondas cerebrais, caracterizam um estado mental de relaxamento), que se iniciava no fundo do cérebro e se deslocava para frente. Após alguns minutos, a amplitude das ondas alfa aumentou. As fases das partes dianteira e traseira do cérebro se sincronizaram, bem como as dos hemisférios direito e esquerdo. Essa ressonância continuou, e em muitos casos apareceram ondas *theta* (um estado mais profundo do que alfa), especialmente em pessoas que tinham mais experiência com a prática. Nos meditadores mais avançados, as ondas alfa foram observadas com uma frequência maior do que no estado de vigília normal, e com uma amplitude também maior. Nessas pessoas, as ondas theta prevaleceram durante a meditação e ocorreram até mesmo durante o estado de vigília normal.[162]

A meditação também tem efeitos fisiológicos. A inspiração de oxigênio diminuiu entre 16% e 18%, o batimento cardíaco, em 25%, e a pressão sanguínea baixou; todos esses fatores são controlados pelo sistema nervoso autônomo (que comanda os processos involuntários).[163] Isso permite que o corpo entre em um estado de repouso profundo — muito mais profundo do que aquele alcançado durante o sono. E esse repouso, por sua vez, possibilita um maior estado de alerta enquanto a pessoa está acordada.

É interessante observar que, quando os meditadores se encontram em um estado de repouso profundo, a atenção/consciência aumenta em vez de diminuir. Quando um som era produzido periodicamente para um não meditador, as ondas cerebrais demonstraram uma adaptação gradual ao ruído — a reação era cada vez menor até que ele fosse "ignorado". Já o meditador, durante a meditação, reagia ao som sempre que ele era produzido.[164] Portanto, enquanto o corpo diminui todas as suas atividades, a mente liberta-se das limitações corporais e fica mais livre para se expandir para novos horizontes.

Foi sugerido que a meditação desestimula o córtex cerebral e o sistema límbico e que, com a ressonância das ondas cerebrais, ela cura a divisão entre o antigo e o novo cérebro.[165] Suspeita-se que essa divisão seja a causa dos estados emocionais de alienação e do comportamento esquizoide, dificuldades próprias dos humanos e praticamente inexistentes nos animais. Uma melhor coordenação entre os dois hemisférios também pode levar ao aumento da capacidade cognitiva e perceptiva.

E os efeitos psicológicos? Além de uma sensação geral de relaxamento, da paz interior e do aumento do bem-estar, os meditadores tinham um melhor desempenho acadêmico, mais satisfação e produtividade no trabalho, menor uso de drogas (tanto prescritas quanto recreativas) e tempos de reação mais rápidos.[166] Tudo isso por simplesmente ficar sentado sem fazer nada!

---

162. Bloomfield, *Meditação transcendental: a descoberta da energia interior e o domínio da tensão.* Rio de Janeiro, Nova Fronteira, 1976.
163. *Ibidem,* Apêndice.
164. *Ibidem.*
165. *Ibidem.*
166. *Ibidem,* Apêndice.

Diante dessas evidências, fica difícil negar que a meditação traz grandes recompensas. Quem não gostaria de ter mais saúde, bom humor e um desempenho melhor? E tudo isso por meio de uma prática que é gratuita, não requer equipamentos e pode ser feita em qualquer lugar! No entanto, por que poucas pessoas meditam com regularidade? E por que até mesmo aqueles que meditam não conseguem praticar tanto quanto gostariam?

Já falamos de ritmos, ressonância e campos morfogenéticos, e como todos os três tendem a se perpetuar do jeito que são. Em um mundo cujo nível vibracional se orienta mais em torno dos três primeiros chakras, atribuindo um valor maior à materialidade, é difícil encontrar tempo, aprovação e até mesmo o desejo de parar e entrar em um comprimento de onda diferente — especialmente quando a recompensa é tão subjetiva. A ideia de que a pessoa "deveria" meditar, somada às milhares de outras coisas que ela também "deveria" fazer e que nos perturbam todos os dias, pode chegar a tornar a prática repulsiva.

Mas a verdadeira meditação é um estado mental, e não um esforço. Depois de alcançado algumas vezes, esse estado começa a criar seus próprios ritmos que se perpetuam, seu próprio campo morfogenético e seu próprio efeito nas vibrações que nos cercam. E então ele se torna parte integrante da vida, permanecendo conosco durante o estado de vigília, o sono e todas as outras atividades. A essa altura, a meditação já se tornou uma alegria, e não uma obrigação. Antes disso, contudo, tudo que podemos fazer é descrever seus efeitos e esperar que eles bastem para despertar a vontade. Pelo menos o preço é justo!

TÉCNICAS DE MEDITAÇÃO

Agora chegamos às instruções. E aqui descobriremos que as técnicas de meditação são tão numerosas quanto as pessoas que as praticam. Em algum momento sugiro que você teste todas e, com base na sua experiência, adapte alguma para que fique perfeita para você. Em seguida, realize apenas essa técnica por um certo período, pois é com o passar do tempo que as práticas de meditação mostram seus maiores resultados.

É importante encontrar um ambiente tranquilo e confortável onde você não será perturbado. Confira se as suas roupas não estão apertadas demais, se não sentirá calor ou frio e se os possíveis ruídos são mínimos. A meditação costuma ser melhor com o estômago mais vazio, mas uma fome intensa também pode distraí-lo.

A maioria das meditações é feita com a pessoa sentada confortavelmente com a coluna ereta, mas não tensa. Você pode usar uma cadeira ou se sentar no chão de pernas cruzadas — na posição do lótus completo ou meio lótus (ver Figura 8.1, página 271) ou da maneira mais simples. O corpo precisa estar em uma posição fácil de ser mantida para poder relaxar, mas ela não deve ser confortável

Figura 8.1
Postura do meio lótus.

demais a ponto de você poder adormecer. Além disso, as costas eretas permitem o alinhamento dos chakras e uma melhor transmissão de energia para cima e para baixo pelo *sushumna*.

Na posição do meio lótus, você pode fazer uma série de coisas: pode acompanhar a inspiração e a expiração, sintonizando-se com o ritmo de ambas; pode encarar uma mandala, a chama de uma vela ou algum outro estímulo visual apropriado; ou pode simplesmente observar seus pensamentos passarem, sem segui-los, pará-los ou julgá-los. Separar o eu dos pensamentos ajuda a pessoa a alcançar o estado transcendente.

Como na técnica da MT, você pode pronunciar internamente um mantra e concentrar sua mente na vibração dele, que percorre seu corpo. Assim você harmoniza os estados vibracionais, como já vimos. Você pode observar seus estados emocionais e se desapegar deles, visualizar várias cores atravessando seus chakras ou se perguntar quem está meditando. Uma prática zen comum é se concentrar em uma afirmação paradoxal, chamada *koan*, que desintelectualiza a mente com sua falta de lógica. "Qual é o som de uma mão batendo palmas?" é um típico *koan*. Outro é "qual era o seu rosto antes de você nascer?". A ideia não é encontrar uma resposta, mas permitir que a pergunta derrube as barreiras do seu modo lógico de pensar, permitindo a percepção de algo maior.

Todas essas formas têm algo em comum: a mente se concentra em UMA coisa. Na consciência normal, no estado de vigília, nossa mente sai voando para várias coisas entre um momento e outro. A concentração da mente é o objetivo da meditação. Cada uma dessas técnicas — seja um som, um objeto ou um *koan* — tem o propósito de servir de foco para a mente, a fim de desviá-la do fluxo normal e imensamente rotineiro da consciência caótica.

É difícil comparar métodos e fazer algum julgamento de valor. Meditações diferentes afetam as pessoas de maneiras diferentes. O principal não é a técnica usada, mas o quanto a pessoa consegue usá-la. Independentemente da técnica, a repetição e a concentração facilitam a prática. É algo que requer disciplina e, como tudo que requer disciplina, fica mais fácil com a prática.

ILUMINAÇÃO — NOSSO LAR, FINALMENTE

O nirvana, na minha consciência liberada,
terminou sendo o começo da minha realização,
um primeiro passo na direção da coisa completa,
e não a única conquista possível ou um final culminante.

Sri Aurobindo[167]

A iluminação não é uma coisa; é um processo. Uma coisa é algo a ser adquirido, já um processo é algo que se é. Se a iluminação fosse uma coisa, seria contraditório dizer que ela foi "encontrada", pois ela é inseparável do eu que procura. Após a realização, percebemos que ela nunca esteve perdida!

Assim como o amor é um conceito difícil de se descrever, mas também uma parte intrínseca de um estado natural e saudável, podemos pensar na iluminação como um estado natural e igualmente difícil de se descrever. Assim, a iluminação seria alcançada por um processo em que desfazemos, e não fazemos. Mantemos a iluminação a distância com nossos próprios bloqueios mentais, assim como um telhado impede o Sol de nos alcançar.

Mas dizer que já temos a iluminação não significa que não ganhamos nada com seu desenvolvimento. O fato de ela existir dentro de nós nem sempre significa que ela está intacta, pois sempre há estados mais profundos, lugares mais elevados e mais para explorar. E quando conseguimos fazer isso onde estamos, certamente alcançamos algo!

Embora a maioria das pessoas pense na iluminação como um estado em que todas as respostas são conhecidas, ela também significa chegar às perguntas certas. Quando vivenciamos o que está além, tudo que nos resta é uma sensação de admiração e espanto. As respostas podem ser coisas, mas as perguntas são o processo.

---

167. Sri Aurobindo citado por Satprem, *Sri Aurobindo or The Adventure of Consciousness*, p. 153.

Quanto aos chakras, a iluminação ocorre quando se completa o caminho que os atravessa. É mais do que uma mera abertura do chakra da coroa ou de qualquer outro chakra no *sushumna*; é sentir a unidade entre todas as coisas e a integração dessa experiência com o *self*. E isso só acontece se o Eu estiver conectado. É um processo de transformação.

E assim chegamos ao fim e descobrimos que ele é apenas mais um começo. Mas por que mais os fins existiriam?

EXERCÍCIOS DO SÉTIMO CHAKRA

ACOMPANHANDO SEUS PENSAMENTOS

Sente-se ou deite-se em uma posição confortável de meditação. Deixe sua mente se acalmar e se aquietar usando a técnica que achar mais eficaz.

Gradualmente, permita-se prestar atenção aos pensamentos que passam pela sua mente. Escolha um e se pergunte de onde ele veio, que pensamentos o precederam. Depois, vá até a origem desse pensamento. Pode ser algo que lhe aconteceu há anos ou algo que o esteja incomodando neste momento. Em seguida, mais uma vez, vá até a origem desse pensamento e de todos os pensamentos. Com o passar do tempo, chegamos a uma espécie de fonte infinita que não tem uma origem objetiva.

Volte e escolha outro pensamento que esteja passando. Repita a mesma sequência, indo cada vez mais a fundo. Veja quantos pensamentos seus emanam de uma mesma fonte — quer seja um problema com que você esteja lidando agora, um antigo professor ou seu próprio local de conexão com o infinito.

Após chegar à origem de alguns pensamentos, veja-os passar sem ir atrás deles. Simplesmente deixe que passem sem negá-los nem se prender a eles. Deixe que voltem à origem, até que não haja mais nenhum pensamento passando e que você próprio tenha voltado à origem. Permaneça lá pelo tempo que parecer apropriado e depois volte lentamente para a consciência normal.

JORNADA AOS REGISTROS AKÁSHICOS

Este exercício deve ser realizado como uma meditação guiada.

Deite-se confortavelmente no chão, com o rosto virado para cima, o pescoço e a cabeça relaxados, e lentamente relaxe as outras partes do seu corpo. Deixe o chão servir de suporte enquanto você relaxa suas pernas... suas costas... sua barriga... seus braços e ombros. Cerre os punhos e depois abra-os, dobrando cada dedo. Estenda os dedos dos pés para a frente e depois relaxe, balançando um pouco cada pé. Lentamente, passe a se concentrar no ritmo da sua respiração... inspire... expire... inspire... expire. Deixe seu corpo flutuar logo acima do chão, com a tensão de cada músculo indo embora.

Enquanto observa sua respiração, perceba seus pensamentos. Veja como eles se contorcem dentro da sua mente, apresentando imagens naturalmente dentro dela. E enquanto faz isso, repare em alguma informação que você gostaria de saber — alguma pergunta que está bem no seu interior. Pode ser sobre seu parceiro, um dilema atual ou uma informação sobre uma vida passada. Pare um instante para se concentrar na sua pergunta e esclarecer o que você deseja saber.

Quando a pergunta estiver clara, deixe-a sair da sua mente. Ela voltará no momento certo.

Enquanto está deitado no chão, sem fazer esforço algum, imagine seu corpo ficando mais leve. A massa sólida da sua carne começa a ficar mais leve e você começa a sentir que está girando, como se estivesse subindo para dentro de uma névoa. Você voa para cima, contorcendo-se e girando dentro da névoa amorfa. Depois de um tempo, ela começa a assumir uma forma, e você percebe uma escada em espiral que sobe. Você segue por ela e sobe cada vez mais, à medida que ela se torna mais sólida. Cada degrau lhe dá a sensação do seu próprio destino, cada degrau o aproxima do que você deseja saber.

Logo seus degraus ficam mais largos e você chega a um imenso edifício que se estende nas alturas até onde seus olhos alcançam. Ele tem uma porta grande e você entra sem fazer nenhum esforço. Você vê mais escadas, longos corredores e muitos cômodos com portas que dão neles. Você para na entrada, faz sua pergunta e a escuta ecoar por todo o edifício. A pergunta volta até você.

Você começa a andar, escutando o eco da sua pergunta e indo atrás do local onde o som está mais alto e nítido. Siga seus passos aonde quer que eles o levem e repita sua pergunta enquanto caminha. Você terminará se vendo dentro de um cômodo. Perceba a porta, a mobília. Há algo escrito na porta? De que cor é a mobília e de que época ela é?

Enquanto olha ao redor, você percebe uma grande estante com muitos e muitos livros. Examine-os e veja se algum deles se sobressai, chamando você. Encontre um que tenha seu nome. Talvez não seja o nome que você usa nesta vida, mas ele deve cair naturalmente nas suas mãos. Diga sua pergunta mais uma vez e abra o livro, deixando-o abrir na página que ele quiser. Leia o trecho que aparecer para você. Pare um instante e reflita sobre seu significado. Depois, folheie as próximas páginas, dando uma olhada. Abra sua consciência para as informações ao seu redor — os cômodos cheios de livros, a sabedoria antiga escondida pelo edifício — e puxe-as para dentro do seu coração. Não tente analisá-las, deixe-as como estão.

Depois, quando se sentir pronto, devolva o livro para a estante, sabendo que poderá encontrá-lo sempre que quiser. Lentamente, vire-se, saia do cômodo e volte para o corredor cheio de portas. Vá para a entrada do edifício, saia dele e, ao chegar do lado de fora, pense na vista incrível que você tem daquela altura. Padrões giratórios fluem e se sobrepõem uns aos outros, com todos os ritmos, cores e formas que você pode imaginar. Seu corpo vai ficando mais pesado enquanto você entra na atmosfera. Lentamente, você desce cada vez mais, deslizando para o plano terrestre, onde seu corpo está deitado confortavelmente no chão neste momento. Examine o que trouxe consigo e, quando se sentir pronto, volte para o cômodo.

Observação: O verdadeiro significado da informação que você encontrou nem sempre é óbvio. É bom refletir sobre ela por um tempo, talvez até alguns dias, antes de compartilhá-la.

LEITURAS SUPLEMENTARES RECOMENDADAS SOBRE O CHAKRA SETE

Satprem. *Sri Aurobindo or The Adventure of Consciousness*. Nova York: Harper & Row, 1968.

Bloomfield. *Meditação Transcendental: A descoberta da energia interior e o domínio da tensão*. Rio de Janeiro: Nova Fronteira, 1976.

Feuerstein, Georg. *Wholeness or Transcendence: Ancient Lessons for the Emerging Global Civilization*. Nova York: Larson Publications, 1992.

Kabat-Zinn, John. *Aonde quer que você vá, é você que está lá*. Rio de Janeiro: Sextante, 2020.

Le Shan, Lawrence. *How to Meditate*. Nova York: Bantam, 1974. Um bom compêndio com muitas técnicas de meditação e perguntas comuns sobre o tema.

Suzuki, Shunryu. *Mente zen, mente de principiante*. São Paulo: Palas Athena, 2015.

Tart, Charles. *States of Consciousness*. Nova York: E. P. Dutton, 1975.

White, John (ed.). *Frontiers of Consciousness*. Nova York: Julian Press, 1974. Bons e diversos ensaios sobre vários aspectos das pesquisas sobre a consciência.

Parte três

CONECTANDO TUDO

Capítulo 9
A JORNADA DE VOLTA

A força universal é uma consciência universal.
É isso que o buscador descobre.
Depois de ter contato com a corrente da consciência dentro de si mesmo,
ele pode acessar qualquer plano da realidade universal,
em qualquer ponto dela, e perceber e entender a consciência que ali está,
ou até mesmo agir sobre ela, pois é a mesma corrente da consciência
por toda parte, com diferentes modalidades vibratórias.

Satprem sobre Sri Aurobindo[168]

Subimos por toda a coluna dos chakras. Completamos nossa corrente ascendente, mas não nossa jornada. Chegamos ao topo da montanha espiritual e conquistamos a vista que só é possível por meio dessa perspectiva. Mas agora nosso desafio é descer de novo e colocar em prática no mundo essa nova compreensão. Como trouxemos as energias dos chakras inferiores para a consciência, agora nossa tarefa é fazer essa consciência avançada descer de volta para os chakras inferiores.

A consciência pura, que entra no indivíduo como *purusha* a partir do vasto campo do plano supramental, condensa-se pelos chakras à medida que desce para o plano de manifestação. Após subir até o topo para abraçar Shiva, Shakti desce pelos chakras, entrando em primeiro lugar na mente e nos sentidos, depois nos cinco elementos da matéria finita. Quando ela atinge o plano final da Terra, não há mais nada a fazer e ela repousa, tornando-se a forma enroscada e dormente da Kundalini-Shakti.[169]

Na jornada ascendente, usamos os chakras como degraus para nossa libertação. Cada degrau nos libertou mais das formas limitadas, dos hábitos repetitivos e dos apegos mundanos, além de expandir nossa consciência e nossos horizontes. Na corrente descendente, os chakras tornam-se "condensadores" da força da consciência, organizando sua energia para troca nos vários planos associados a cada nível. Na descida da consciência, os chakras são como poças que coletam

---

168. Satprem, *Sri Aurobindo or The Adventure of Consciousness*, p. 64.
169. Arthur Avalon, *The Serpent Power*, p. 41.

a chuva à medida que ela cai do céu e escorre pelas montanhas até o mar. Onde há uma cavidade, a água se acumula em poças e pode ser aproveitada. E assim como essas poças, os chakras são câmaras do corpo sutil que permitem que a consciência divina se acumule e se condense em planos de manifestação cada vez mais densos. Se um chakra está obstruído, a quantidade de energia que ele pode acumular é limitada.

Essa analogia também descreve os diferentes conceitos de unidade que podem ser entendidos em ambas as extremidades do espectro. Como a chuva cai do céu a partir de uma nuvem de gotas, ela é como um campo unificado de umidade. Ao cair, ela se divide em milhões de arroios minúsculos. Eles aumentam e se tornam menos numerosos, transformando-se em milhares de pequenos riachos, centenas de afluentes ainda maiores e dezenas de largos rios, até virar um único mar imenso. As gotas descansam em um corpo d'água unificado até subir ao céu outra vez como gotículas que evaporaram. A cada degrau que se desce há a criação de algo maior e mais grosseiro, mas que se move rumo à simplicidade e à singularidade.

Assim, iniciamos nossa jornada para baixo a partir da pura consciência — um campo adimensional que, em seu estado mais elevado, é completo e inabalável. A Consciência Transcendente ultrapassou os altos e baixos da diferenciação até ficar completamente suave, sem ondulações ou flutuações. Assim que ela começa a descer, contudo, temos uma onda que se dissemina para fora, um minúsculo ponto da consciência que se sobressai no vazio. Essa ondulação é o primeiro foco da consciência — o primeiro começo de qualquer existência.

Quando concentramos nossa atenção, as ondas da consciência emanam para fora, formando pequenas flutuações na estrutura do espaço-tempo. Essas flutuações não são acontecimentos isolados; elas estimulam a criação de outras ondas, que propagam ainda mais ondas. Quando se cruzam, essas ondas formam padrões de interferência, e as emanações etéreas da consciência se adensam. O princípio holográfico discutido no chakra seis é um exemplo desses padrões de interferência. Em cada ponto de cruzamento das ondas há um nó que atrai a consciência.

Esse é o nível do chakra seis. A informação bruta começa a ter uma imagem, algo que a consciência consegue "reconhecer" ou "re-conhecer". Agora, a consciência se retroalimenta. Ele percebe essa imagem, reage a ela, talvez a altere. A informação começa a se manifestar, mas, a essa altura, ela é pouco mais do que um pensamento bem formado.

À medida que a mente se concentra nessas imagens construídas, ela emite mais ondulações e constrói mais padrões de interferência. A consciência os reconhece e reage a eles. Os campos se adensam. Nossas ondas, agora bem numerosas, reagem umas às outras e geram campos de consciência, campos de ondulações de frequências ou vibrações distintas. As frequências semelhantes tendem a se harmonizar e a entrar em ressonância, aprofundando sua amplitude.

Agora estamos no chakra cinco, onde a consciência se dobra sobre si mesma mais uma vez. Imagens repetidas ganham nomes quando assumem uma característica vibracional específica. Um nome é uma função de onda que transporta uma ideia de uma mente a outra. Ele distingue e delineia as diferenças do nosso campo de interferência, estabelecendo um limite em torno delas e tornando-as distintas e específicas.

Ao nomearmos uma coisa, nós a definimos dentro do mundo das relações. No chakra quatro descobrimos que vemos ordem nas nossas coisas nomeadas. Existem ondas e interferências. Existem coisas e suas relações. Na relação deve haver um equilíbrio para que algo continue se manifestando.

Agora chegamos ao chakra três e começamos a entrar na dimensão física dos nossos corpos. Nossas ondulações se adensam e se tornam mais ordenadas. Usamos nossa força de vontade para moldar a energia bruta com a forma da nossa intenção. Assim, criamos um campo carregado de energia vital que pode direcionar e manter a forma das matérias-primas conforme uma visão ou intenção. A energia vital da nossa força vital mantém o corpo unido; a energia vital do amor mantém um relacionamento; a energia vital de uma ideia provoca entusiasmo, atraindo o apoio dos outros.

Então atingimos um nível de complexidade e organização que se aproxima da força gravitacional. Quando energia e força de vontade unem substâncias aleatórias, as energias díspares se adensam. E, ao se adensarem, elas criam seu próprio campo gravitacional. O restante acontece por conta própria à medida que a energia bruta é puxada pelas linhas de clivagem, há muito estabelecidas pelos padrões de pensamento. A gravidade puxa nosso campo organizado e, assim, curva a estrutura do espaço-tempo, une massas e causa o movimento que provoca mudanças constantes. Esse movimento busca equilibrar as diferenças e devolver as partes compostas do nosso campo à sua unidade inicial.

Por fim, com essa força gravitacional, nossas ondulações de interferência construtiva se fundem, criando massa. Chegamos ao mundo dos objetos materiais, com peso e volume. Voltamos à Terra, uma das inúmeras massas que flutuam em um mar de estrelas.

Quando comparamos a corrente descendente à ascendente, descobrimos algo muito interessante: o padrão é quase o mesmo. As duas extremidades do espectro são surpreendentemente semelhantes.

No chakra um, nós começamos com uma unidade inicial e passamos dela para a diferença. Da diferença partimos para a escolha e para a vontade, e, da vontade, para o mundo tridimensional do espaço e do tempo, cheio de relações organizadas com precisão.

Já no chakra sete começamos com a unidade inicial da consciência indiferenciada. Assim que há uma mínima ondulação nessa consciência, quebra-se a unidade e se cria a diferença. Ao nomearmos os padrões de pensamento, exercemos nossa vontade e demonstramos criatividade. Essa criatividade organiza seus elementos compostos com precisão, criando padrões de relações.

Na extremidade física do espectro há substâncias compostas de moléculas e átomos. Quando os examinamos de perto, descobrimos que os átomos são campos de energia que contêm nós de energia concentrada, com um imenso espaço vazio entre eles. Ao observarmos as partículas subatômicas, notamos que elas mais parecem ondas, probabilidades entre as variações conceituais dos padrões de pensamento.

Na extremidade etérea do nosso espectro temos a consciência. Em seu estado supremo, ela é indiferenciada, mas, na verdade, é um campo fora do espaço--tempo com minúsculas ondulações que mais parecem ondas, possibilidades entre as variações conceituais dos padrões de pensamento.

Será que confundimos a Kundalini com o Ouroboros? A serpente está com a cauda entre os dentes?

Os hindus falam que há ordem na realidade suprema. As coisas não são reais, tampouco as ações; há apenas a ordem divina, cujas linhas delineiam toda a Maya que vivenciamos como o mundo dos fenômenos. Essa ordem é a força organizadora que age em toda a matéria. Os tantras descrevem as linhas de força que permeiam todo o espaço-tempo como os "cabelos de Shiva", que são o princípio organizador do Akasha, o mundo do espírito imaterial. Como Shiva é o princípio masculino da consciência, os minúsculos fios de cabelo da sua cabeça representam apenas as primeiras e mais simples emanações do pensamento que procedem dessa consciência. A diferença inicial é Shakti, a outra, a fêmea. Com ela, o mundo é criado. A dança se inicia, mas jamais chega ao fim.

E, assim, descobrimos que o fim é o começo. O caminho que percorremos não é linear, mas interpenetrante. Não há um destino; há apenas a jornada.

Agora que consideramos o lado teórico da nossa corrente descendente, podemos colocá-la em prática na nossa vida cotidiana.

Comecemos pelas informações brutas. O zunido aleatório dos pensamentos nos nosso cérebro. Eles estão no fundo da nossa cabeça, coletando outros a fim de se solidificarem. Podemos meditar para deixá-los mais coerentes. Na meditação, alguns pensamentos chamam nossa atenção, podendo até mesmo se transformar em uma ideia. E quando nos concentramos nela, formam-se imagens na nossa mente. Podemos fantasiar, sonhar acordado ou imaginar vários aspectos da nossa ideia. Quando fazemos isso, ela passa a ser uma imagem mental com forma e cor. Nossos pensamentos aleatórios começaram a se solidificar, mas ainda têm um longo caminho a percorrer antes de se manifestar.

Vamos fingir que nossa ideia é construir uma casa. Quando pensamos nisso, começamos a visualizar o tamanho, a forma ou a cor dela. Podemos nos imaginar entrando pela porta da frente ou cozinhando. Nossos pensamentos começam a se acumular no chakra seis quando adornamos nossa ideia com a imaginação. Depois que as imagens se cristalizam, podemos contar a ideia para outra pessoa. Nós a comunicamos (chakra cinco). Agora, podemos descrever o tamanho e a forma da casa e começar a elaborar planos, concretizando ainda mais nossas imagens. Em seguida, devemos transformar nossa ideia em relações (chakra quatro). Não podemos simplesmente construir uma casa em um lugar qualquer; precisamos comprar um terreno, que se situa dentro de uma comunidade que tem suas regras. Devemos ser capazes de nos relacionar com arquitetos, construtores e agentes de crédito. *Para manifestarmos uma coisa, ela precisa ter alguma relação com outras coisas que já existem.*

Nosso projeto não acontecerá somente com visualização e comunicação. Devemos exercer nossa força de vontade do chakra três. Ela direciona a energia bruta, como dinheiro, materiais e pessoas, para um objetivo específico. E isso requer energia na forma de ações repetidas e deliberadas, guiadas pela consciência e alimentadas por processos metabólicos físicos. Quando investimos essa energia, nosso projeto começa a assumir uma forma no plano físico. Movemos coisas como ferramentas e materiais de construção e as juntamos (chakra dois), até finalmente manifestarmos uma construção concluída e alicerçada na Terra (chakra um). A essa altura, estamos completos e — assim como Shakti, que repousa no primeiro chakra — podemos repousar e desfrutar da nossa manifestação.

Com essa descida, muitos pensamentos sobre o projeto da casa são transformados em uma única construção, composta de muitas imagens, conversas, relações, atividades, movimentos e materiais. Manifestação é converter muitas coisas em uma só. Porém, a casa é apenas uma dentre muitas que foram criadas por esse mesmo processo.

Manifestar é deixar nossos pensamentos se adensarem e se solidificarem. Quanto mais pensamos em uma coisa, mais provável é que nós a manifestemos. Mas, como dissemos no chakra um, para manifestarmos precisamos aceitar a limitação, o que exige certa quantidade de repetições. Eu sei tocar uma composição para piano porque a pratiquei muitas vezes. Eu consigo falar uma língua nova depois que repito o vocabulário o bastante para me lembrar dele. Meus relacionamentos mais íntimos são com as pessoas que mais vejo.

A corrente descendente é composta de padrões repetidos que se adensam. *Se não aceitamos a limitação nem a repetição, não manifestamos.* A corrente ascendente nos liberta do tédio da repetição e nos permite experimentar algo novo.

A jornada ascendente expande nossos horizontes e traz novas intuições e compreensão. Shakti nos dá energia vital ao buscar Shiva, seu amante. Ela é selvagem e feroz. A jornada descendente é caracterizada pela presença da *graça*, a ordem inteligente que é o domínio de Shiva. A corrente ascendente nos proporciona transcendência, e a descendente, imanência. São essas duas estradas que criam a nossa Ponte do Arco-Íris — o elo entre o Céu e a Terra, o mortal e o divino. *São apenas as duas correntes que se interpenetram que criam os vórtices que formam os chakras.*

Agora temos a dança da libertação e da manifestação, da liberdade e do prazer, que forma as polaridades básicas da experiência humana.

Capítulo 10
COMO OS CHAKRAS INTERAGEM

Agora que examinamos cada chakra detalhadamente, nosso sistema está completo. Podemos nos examinar como um todo, vendo como as várias partes interagem dentro de nós mesmos e com os outros. Este capítulo será uma sinopse de como os chakras funcionam juntos. Abordaremos os padrões comuns das interações entre os chakras como as forças e fraquezas relativas entre eles, a interação entre eles nas relações pessoais, e os padrões dos chakras na cultura. Essas informações nos ajudam a unir as partes do sistema, a fim de que ele possa ser entendido como um todo integrado que se interpenetra.

Como componentes de um sistema energético biopsíquico abrangente, os chakras não funcionam por conta própria — eles são rodas ou engrenagens em uma máquina maior, o corpo-mente humano. Estudamos essas rodas para saber como elas se encaixam, pois assim descobrimos onde elas se situam e o que fazer quando há algo de errado.

É necessário deixar bem claro que, em qualquer uso do Sistema dos Chakras, seja para terapia, desenvolvimento pessoal ou diagnóstico médico, ele deve ser considerado como um todo. Seria errado se autodiagnosticar com um problema do terceiro chakra sem examinar o papel que os outros chakras desempenham na estrutura total da sua personalidade. Qualquer obstrução que afete uma parte do sistema afetará as outras também. Seria como substituir a protagonista de uma peça de teatro quando o problema é o diretor.

A teoria fundamental do Sistema dos Chakras, pelo menos neste livro, é que os chakras precisam estar em equilíbrio entre si. Idealmente há um fluxo energético uniforme que passa por todos eles, sem favorecer nem evitar nenhum. Qualquer desequilíbrio em uma extremidade do sistema provavelmente leva a um desequilíbrio na outra.

Todavia, as características da personalidade tendem a ser um tanto dominantes em um chakra ou outro. Um artista pode ser uma pessoa bastante visual, enquanto um cantor talvez se oriente mais pelo quinto chakra. Dentro do razoável, essas distinções são expressões naturais da individualidade e devem ser deixadas em paz ou até mesmo intensificadas, contanto que a intensificação não prejudique nenhum outro nível da consciência.

A primeira coisa a ser considerada na análise de um conjunto específico de chakras é que cada pessoa tem seu próprio sistema energético, com seu próprio gosto e "nível de fluxo". Um cano de cobre de 1 cm não consegue receber tanta água quanto uma tubulação central de 15 cm, e nem devemos esperar isso dele. Assim, precisamos nos livrar também da ideia de que existem padrões — de que um chakra tal "deveria" ser de uma maneira tal ou de que pessoas podem ser comparadas com exatidão. Considero que isso inclui o conceito de que nós sabemos em que sentido os chakras devem girar.

Portanto, só podemos comparar os chakras de uma pessoa aos outros chakras do sistema dela. Começamos, então, obtendo uma ideia do gosto e do fluxo dela. Perguntamos sobre seus hábitos, desejos, sonhos e atividades. Esse processo costuma revelar certos padrões. Talvez uma pessoa reprima sistematicamente suas emoções, já outra pode se exaurir continuamente, realizando mais atividades do que sua energia aguenta. Fulano evita a fisicalidade e permanece compulsivamente no plano espiritual, enquanto sicrano demonstra cinismo em relação a tudo que não pode ser visto no mundo material.

À medida que esses padrões surgem, certos bloqueios podem se revelar. Um bloqueio pode ser causado por um chakra "fechado", isto é, incapaz de lidar com a energia daquele nível específico, ou por um chakra aberto demais, o que significa que toda a atenção e todas as atividades são constantemente atraídas para aquele nível, em detrimento dos outros.

Sandy, por exemplo, tem problemas devido à energia baixa do seu terceiro chakra. Ela se intimida facilmente, tem medo de muitas coisas e complexo de inferioridade. Por causa desse bloqueio, ela é tímida demais para fazer amigos, tem um emprego de salário baixo e adoece frequentemente. Assim, o bloqueio em seu terceiro chakra afeta outros também, como o quarto (amor e amizade) e o primeiro (sobrevivência). O tratamento do seu problema pode ser o desenvolvimento de uma relação melhor com o corpo, o aumento da saúde e a criação de uma base mais firme onde ela possa estabelecer sua autoestima e seu poder pessoal.

Frank, por outro lado, também tem um bloqueio no terceiro chakra, mas é o oposto. Ele age como um valentão e sempre precisa estar no controle, obter novos estímulos e desfrutar do seu poder sobre os outros. Por precisar desse poder, ele enfrenta dificuldades na hora de se relacionar com os outros de igual para igual — ele tem poucos amigos, cria problemas no trabalho e bebe tanto que sua saúde é prejudicada por isso. Em ambos os casos, o bloqueio afeta o mesmo chakra. Mas talvez o problema de Frank se encontre no plano emocional (segundo chakra), então a cura precisa ser primeiramente nesse nível antes que os outros níveis possam ser tratados. Já Sandy precisa de aterramento. Não

285

existem regras rígidas e rápidas — é necessário usar a intuição para avaliar toda a personalidade.

A melhor maneira de iniciar a análise dos chakras é pelo nosso próprio sistema energético, com nossos defeitos, virtudes e desejos de mudança. As perguntas a seguir podem ajudá-lo a determinar sua própria distribuição. Responda com sinceridade ou peça o ponto de vista de um amigo.

TESTE PESSOAL DOS CHAKRAS

Instruções: responda a cada pergunta da melhor maneira que puder.

N = Nunca	Rr = Raramente	F = Com frequência	S = Sempre
P = Péssimo	Rz = Razoável	B = Bom	E = Excelente

Marque um ponto para a primeira coluna (N ou P), dois para segunda (Rr ou Rz), três para a terceira (F ou B) e quatro para a quarta (S ou E). Some os pontos de cada chakra e compare.

CHAKRA UM: TERRA, SOBREVIVÊNCIA, ATERRAMENTO

	Resposta	Pontuação
Com que frequência você sai para caminhar no bosque, no parque ou faz algum contato com a natureza?	N Rr F S	
Com que frequência você se exercita conscientemente (academia, yoga etc.)?	N Rr F S	
Como você avaliaria sua saúde física?	P Rz B E	
Como é seu relacionamento com as finanças e com o trabalho?	P Rz B E	
Você se considera uma pessoa bem aterrada?	N Rr F S	
Você ama seu corpo?	N Rr F S	
Você acha que tem o direito de estar aqui?	N Rr F S	
Total:		

CHAKRA DOIS: ÁGUA, EMOÇÕES, SEXUALIDADE

	Resposta	Pontuação
Como você avaliaria sua capacidade de sentir e expressar emoções:	P Rz B E	
Como você avaliaria sua vida sexual?	P Rz B E	
Quanto tempo você separa para os prazeres simples da vida?	N Rr F S	
Como você avaliaria sua flexibilidade física?	P Rz B E	
Como você avaliaria sua flexibilidade emocional?	P Rz B E	
Você consegue cuidar e receber cuidados dos outros de maneira equilibrada?	N Rr F S	
Você sente culpa em relação aos seus sentimentos ou à sua sexualidade?	S F Rr N	
Total:		

CHAKRA TRÊS: FOGO, PODER, FORÇA DE VONTADE

	Resposta	Pontuação
Como você avaliaria seu nível de energia geral?	P Rz B E	
Como você avaliaria seu metabolismo e sua digestão?	P Rz B E	
Consegue cumprir os objetivos que estabelece para si mesmo?	N Rr F S	
Você se sente confiante?	N Rr F S	
Você se sente à vontade quando precisa ser diferente dos outros?	N Rr F S	
Você se sente intimidado pelos outros?	S F Rr N	
As pessoas podem depender de você?	N Rr F S	
Total:		

CHAKRA QUATRO: AR, AMOR, RELACIONAMENTOS

	Resposta	Pontuação
Você se ama?	N Rr F S	
Você consegue ter relacionamentos longos?	N Rr F S	
Consegue aceitar os outros como eles são?	N Rr F S	
Você se sente ligado ao mundo ao seu redor?	N Rr F S	
Você carrega muito sofrimento no seu coração?	S F Rr N	
Sente compaixão pelas pessoas com defeitos e com problemas?	N Rr F S	
Consegue perdoar as mágoas passadas que os outros causaram?	N Rr F S	
Total:		

CHAKRA CINCO: SOM, COMUNICAÇÃO, CRIATIVIDADE

	Resposta	Pontuação
Você sabe escutar os outros?	N Rr F S	
Consegue expressar suas ideias para os outros a fim de que eles as entendam?	N Rr F S	
Você fala a verdade com sinceridade, opinando quando necessário?	N Rr F S	
Você é criativo na sua vida (não apenas em relação às artes; pode ser criatividade com qualquer coisa, como pôr a mesa, escrever cartas para amigos etc.)?	N Rr F S	
Faz alguma atividade artística (pintar, dançar, cantar etc.)?	N Rr F S	
Você tem uma voz ressonante?	N Rr F S	
Sente-se "em sintonia" com a vida?	N Rr F S	
Total:		

CHAKRA SEIS: LUZ, INTUIÇÃO, VISÃO

	Resposta	Pontuação
Você percebe detalhes visuais sutis no ambiente?	N Rr F S	
Tem sonhos vívidos (e se lembra deles)?	N Rr F S	
Tem experiências psíquicas (precisão intuitiva, ver auras, pressentir acontecimentos futuros etc.)?	N Rr F S	
Consegue imaginar novas possibilidades como soluções de problemas?	N Rr F S	
Consegue enxergar os temas míticos (o quadro geral) da sua vida?	N Rr F S	
Como você avaliaria sua capacidade de visualizar?	P Rz B E	
Você tem uma visão pessoal que o orienta na sua vida?	N Rr F S	
Total:		

CHAKRA SETE: PENSAMENTO, PERCEPÇÃO, SABEDORIA, INTELIGÊNCIA

	Resposta	Pontuação
Você medita?	N Rr F S	
Você sente uma conexão forte com alguma força superior, deus, deusa, espírito etc.?	N Rr F S	
Consegue lidar com seus apegos e se livrar deles com facilidade?	N Rr F S	
Gosta de ler e aprender informações novas?	N Rr F S	
Você aprende com facilidade e rapidez?	N Rr F S	
Sua vida tem algum significado além da satisfação pessoal?	N Rr F S	
Você tem a mente aberta em relação a outras maneiras de pensar e ser?	N Rr F S	
Total:		

Pontuações entre 22 e 28 indicam um chakra bastante forte; pontuações entre 6 e 12 indicam um chakra fraco. Pontuações entre 13 e 21 encontram-se na média, mas podem ser melhoradas. No entanto, é a *distribuição* que importa. Compare suas pontuações dos diferentes chakras. Sem considerar o chakra mais forte e o mais fraco, há algum padrão de distribuição, como pontuações mais altas nos chakras inferiores, superiores ou do meio? Esse padrão coincide com as opiniões que você tem a seu próprio respeito?

ANÁLISE DA DISTRIBUIÇÃO

A energia flui de duas maneiras no sistema dos chakras — verticalmente, subindo e descendo enquanto conecta todos os chakras, e horizontalmente, entrando e saindo de cada um deles, em uma interface com o mundo externo. Podemos pensar no canal vertical como a fonte básica e no fluxo horizontal como a expressão dessa fonte.

O canal vertical é um fluxo polarizado entre a terra e o céu, entre matéria e consciência. Para que esse fluxo se complete, cada extremidade do espectro deve estar aberta e conectada à fonte de energia pura a que ela pertence.

Se o primeiro chakra está fechado, o fluxo ascendente da energia libertadora é obstruído. Talvez a energia cósmica ainda passe pelo chakra da coroa, mas ela não será atraída pela parte inferior do corpo rumo à manifestação. Talvez as ideias proliferem, talvez haja bastante criatividade e atenção, mas a pessoa acha difícil terminar projetos e orientar a vida. A consciência pode ser composta de ideias vagamente formadas ou de esquemas impraticáveis que nunca se concretizam.

Por outro lado, se o chakra da coroa está fechado, e o primeiro, aberto, temos o problema oposto. A energia terrestre não exerce nenhuma atração rumo à expressão; ela fica parada como uma pessoa acanhada à espera de um parceiro de dança. Talvez essa pessoa seja altamente prática e focada e tenha segurança financeira, mas ela não tem criatividade, esperanças, sonhos ou percepção dos planos sutis. Há muita labuta, mas nenhuma dança. Mudar é difícil; as rotinas e os hábitos se instalam. A pessoa interrompeu sua corrente libertadora. A incapacidade de manifestar novidades provoca um apego à segurança que já existe.

É claro que esses são exemplos extremos. A maioria das situações não é tão evidente assim. Essas combinações causam uma predominância da energia cósmica ou da terrestre. Algumas pessoas estão perfeitamente equilibradas, mas é uma exceção, e não a regra. Definir a predominância é o primeiro passo para analisar os bloqueios nos chakras.

As correntes ascendente e descendente também podem ser alteradas pelo desequilíbrio em algum dos chakras. Se a pessoa tem um bloqueio no segundo chakra, por exemplo, enfatizando em demasia a energia cósmica, a maioria dos chakras continuará sendo bem alimentada e a maior privação ocorrerá no primeiro. Assim, abrir o primeiro chakra pode aliviar o problema, fazendo a energia terrestre subir para encontrar e equilibrar a energia cósmica que tenta descer. Na verdade, se o primeiro chakra está fechado, a energia cósmica tem dificuldade para descer até o segundo chakra.

Se uma pessoa de energia predominantemente física tem um bloqueio no segundo chakra, é provável que ela esteja em péssima forma. Os cinco chakras principais acima estão sem acesso à sua fonte principal — o primeiro chakra. Para tratar alguém assim, podemos trabalhar na abertura do chakra da coroa (embora provavelmente seja difícil) ou diretamente no segundo chakra a fim de permitir que a energia terrestre suba. Esse exemplo demonstra por que o sexo costuma ser tão importante para pessoas que se orientam mais pela fisicalidade. Além do estímulo físico, o sexo permite à energia passar pelo restante do corpo, que, sem isso, permanece desnutrido.

Da mesma forma, os chakras do meio podem ser analisados pelas direções dos fluxos verticais. Os bloqueios do quinto chakra em pessoas mais mentais provocam a incapacidade de manifestar a criatividade e de comunicar ideias. Já em pessoas mais voltadas para fisicalidade, eles causam uma comunicação sem um conteúdo, conhecimento ou criatividade para auxiliá-las.

Nos bloqueios do terceiro chakra, quem tem predominância física tem poder, mas não o controla. Pode ser algo intermitente. Em pessoas mais mentais, pode haver muita força interna, mas ela é incapaz de realizar algo no mundo "real", pois lhe falta confiança para lidar com coisas tangíveis.

Quando o chakra do coração está bloqueado, a energia das duas extremidades também está bloqueada. A comunicação entre mente e corpo é interrompida e precisa ser restabelecida para que as coisas se abram outra vez. Da mesma forma, se alguma extremidade estiver obstruída, a energia se equilibrará em algum outro chakra, dependendo da corrente que for dominante.

Cada chakra é uma combinação dinâmica de energia terrestre e cósmica. A proporção entre as duas energias determina como o chakra se expressa, e essa expressão passa pelo canal horizontal, que se estende para fora formando uma esfera a partir de cada centro. Cada canal usa a energia da fonte, seja ela cósmica ou material, para interagir com o mundo externo. Nessa interação, a energia do mundo também é absorvida e misturada à da fonte.

Um quinto chakra mais terrestre talvez busque esculpir, dançar ou atuar. Já um quinto chakra mais mental tende a se envolver com escrita e línguas. Um terceiro chakra mais terrestre se interessaria por ciências e tecnologia, enquanto sua contraparte mental procuraria funções executivas.

Assim, cada chakra perpetua seus padrões. Uma mulher que trabalha com tecnologia tende mais a conhecer outras pessoas do campo da tecnologia do que políticos. Os dançarinos estimulam outros dançarinos a manter a boa forma, assim como escritores estimulam outros escritores a ler livros.

Tenho observado uma relação muito pequena entre o gênero e a distribuição entre os chakras superiores e inferiores. Creio que grande parte disso tenha origem cultural, e não biológica. Os homens, que costumam ter bloqueios no centro emocional (que é o chakra central no plano físico), são levados para os planos mentais e para fora do corpo. As mulheres, que normalmente ficam en-carregadas da manutenção física — isto é, das tarefas domésticas, da cozinha e da criação dos filhos (sem falar da gestação deles) —, são empurradas para os chakras inferiores. Grande parte do desequilíbrio entre os gêneros gira em torno do segundo chakra (emoções e sexualidade), causando uma ênfase nessa área, já que a energia tenta se equilibrar. Os homens, que não podem expressar suas emoções, dedicam-se mais ao contato sexual, a fim de retomar os próprios corpos e restabelecer uma conexão física. E como as mulheres muitas vezes se sentem oprimidas por conta disso, elas tendem a ignorar a própria sexualidade e descontar nos planos emocionais.

Com mais igualdade entre os sexos, esses padrões têm mudado. Muitas mu-lheres passam um bom tempo nos planos mentais enquanto os homens saem e trabalham no mundo físico. Muitas mulheres tendem a se interessar mais por atividades espirituais e se expressam de modo intuitivo, enquanto muitos homens buscam objetivos mais concretos e preferem conversar somente sobre aquilo que pode ser visto ou ouvido de uma maneira tangível. Como já foi dito antes, não há regras rígidas e rápidas.

Existe mais um padrão geral significativo na interação dos chakras: a espi-ral. Como mencionado no capítulo sobre o chakra cardíaco, todo o corpo-mente pode ser visto como uma espiral que emana do coração ou retorna a ele. Se o movimento inicial da espiral for rumo à comunicação, ele terminará no chakra um, manifestação. Se a espiral for inicialmente na direção do terceiro chakra, ela terminará no sétimo. Em ambos os casos, os canais conectam os chakras três e cinco, dois e seis, e um e sete.

Não é difícil de ver as inter-relações dessas combinações. A comunicação é facilitada por um senso de poder pessoal, e este é intensificado por uma co-municação eficaz. As habilidades psíquicas e intuitivas são aumentadas pela sintonia com as emoções, enquanto as emoções são fortemente afetadas pelas informações subconscientes captadas psiquicamente. Os chakras um e sete estão conectados por sua polaridade básica; é a dança deles que cria todo o espectro.

Uma análise minuciosa da natureza espiritual, dos problemas físicos ou da personalidade em geral de uma pessoa deve abranger todos esses aspectos. Mais uma vez, a regra geral para entender e usar um sistema complexo é olhá-lo como um todo e analisá-lo com as habilidades de todos os seus chakras.

Capítulo 11
CHAKRAS E RELACIONAMENTOS

Os chakras, ao interagirem com o mundo externo, se relacionam constantemente com outros chakras. Quer você esteja encontrando alguém na rua ou mantendo um relacionamento íntimo duradouro, cada chakra reage aos padrões energéticos da outra pessoa. Para melhor entender nossos relacionamentos e nossas interações com os outros, é válido entender o que está acontecendo no nível dos chakras.

Existem dois princípios básicos que governam as interações interpessoais. O primeiro estabelece que a energia tende a se equilibrar; em outras palavras, opostos se atraem. Em um nível subconsciente, alguém que é dominado pelos planos mentais sentirá atração inconscientemente por pessoas em que a energia física predomina, mesmo que, conscientemente, ele procure uma pessoa semelhante a si. Muitas vezes, são as diferenças, e não as semelhanças, que fazem os relacionamentos durarem, pois as diferenças são o sumo do desenvolvimento. Quantas vezes você não olhou um casal bem diferente e se perguntou como eles ficaram juntos e como continuam juntos?

O segundo princípio diz que os padrões energéticos tendem a se perpetuar — duas pessoas mais orientadas pela mente tendem a permanecer nos planos mentais uma com a outra, enquanto aquelas que se orientam mais pela fisicalidade se apoiam em seus objetivos físicos.

Então temos dois tipos de interações: as que são opostas e que tendem a se equilibrar e as que são iguais e que tendem a se perpetuar. Um diagrama de duas pessoas em um relacionamento pode ser como o da Figura 11.1, na página 294. Quanto maior o círculo, mais aberto o chakra, e os círculos menores representam chakras fechados. A pessoa B se orienta bastante pelos seus chakras superiores, um tanto abertos no coração, apesar de não ter ciência das suas faculdades intuitivas, provavelmente devido à falta de aterramento ou de informações emocionais vindas do chakra dois. A pessoa A é bem aterrada, aberta sexual e emocionalmente, bastante intuitiva, mas um tanto fechada nos outros níveis, com confiança e autoestima baixas. Na verdade, essas duas pessoas estão bem equilibradas. A proximidade dos três chakras abertos no topo indicaria um alto grau de comunicação intelectual e de aprendizado: por meio das informações e da comunicação, a pessoa A recebe estímulos para expressar suas habilidades psíquicas, talvez despertando essa qualidade em seu parceiro. Ela também é erguida do seu forte aterramento devido à ênfase do seu parceiro nos chakras superiores. Já ele é trazido para os planos físicos pela ênfase dela nas energias terrestres e por meio do contato sexual. O resultado é um equilíbrio no chakra cardíaco, e ambos se abrem nesse nível.

Se esse casal tivesse problemas, eles estariam relacionados ao plano do terceiro chakra, pois ele não está aberto em nenhum dos dois, mas o cruzamento das energias indica um alto nível de atividade nesse centro. Devido às diferenças polarizadas entre ambos, talvez o casal se afaste por conflitos relacionados a poder, caso eles passem a ser o foco em vez do equilíbrio das energias do chakra cardíaco.

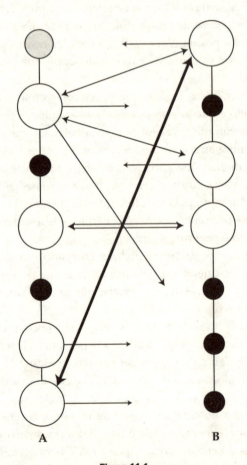

Figura 11.1
Chakras de duas pessoas que têm energias opostas nos chakras, equilibrando o relacionamento.

Outro exemplo é apresentado na Figura 11.2, abaixo. Aqui, as duas pessoas são bem parecidas. Ambas são abertas nos chakras superiores e no coração, mas fechadas no plano físico. Elas devem ter um alto grau de comunicação física, muito conhecimento compartilhado e uma forte conexão com o coração. Infelizmente, esse relacionamento é difícil de ser manifestado porque nenhuma delas está aterrada o bastante para trazê-lo para o mundo real. Enquanto ela quer contato sexual a fim de causar isso, o senso de poder dele não permite que isso aconteça. Nenhum dos dois tem a força magnética dos chakras inferiores para superar a inércia dos padrões estabelecidos. É provável que esse casal tenha um relacionamento platônico muito forte e amoroso.

Os chakras se relacionam principalmente pela ressonância, nos níveis em que vibram. Assim, se uma pessoa tem o quarto chakra aberto e o do seu parceiro

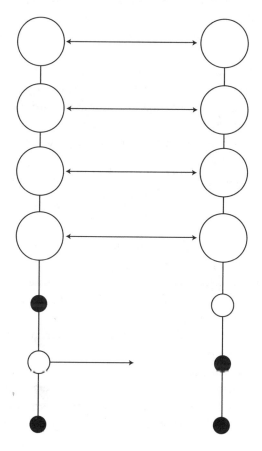

Figura 11.2
Chakras de um casal que tem energias similares nos chakras.

está fechado, a abertura dela pode ser aproveitada para abrir o chakra fechado dele. O oposto também pode ser verdade, mas é menos comum. Um chakra aberto que não acha uma contraparte em seu ambiente mais próximo costuma encontrar outras válvulas de escape. Um sistema com ênfase na parte inferior, contudo, pode terminar atraindo para si a energia dos chakras superiores de outra pessoa, e assim acontece algo que pode ser sentido como um fechamento desses centros.

Também é possível que um chakra aberto domine o chakra fechado de outra pessoa, se esses chakras estiverem no mesmo nível. John, que tem o quinto chakra aberto, relaciona-se com Paul, que tem esse chakra fechado. Portanto, John fala pelos dois, enquanto Paul fica cada vez mais em silêncio. Ou vejamos o exemplo de Bill e Mary. A abertura do terceiro chakra de Bill é uma desvantagem constante para Mary, que é fraca nessa área, e intensifica a sensação de impotência dela. Se ele for sensível em relação a isso, ela poderá aprender com ele e, com o tempo, os dois se equilibrarão. Quando se conhece a dinâmica envolvida, é mais fácil evitar as armadilhas.

As combinações que existem entre pessoas em um relacionamento são infinitas. Se se quiser examinar uma delas, talvez valha a pena criar, para cada pessoa, um diagrama da área em que se acredita que haja mais abertura e mais fechamento. Obtemos mais informações com uma observação meticulosa. Assim, os chakras se tornam uma metáfora para a explicação dessas observações.

CULTURA — OS RELACIONAMENTOS DE MUITOS

Se duas pessoas em um relacionamento podem ter tantos padrões diferentes, o que acontece quando consideramos a cultura como um todo? Todos nós somos afetados em nossos chakras pela cultura em geral, não?

A resposta é um *sim* categórico. Se uma única pessoa é capaz de estimular ou diminuir a energia de outra em certos níveis, muitas pessoas a alteram ainda mais. É por isso que a cultura tem um papel importante no estado dos nossos chakras, tanto positivo quanto negativo.

Atualmente, a cultura ocidental parece se orientar mais pelos três chakras inferiores, com um foco predominante em dinheiro, sexo e poder. É tentador interpretar isso como uma necessidade de tirar a ênfase desses chakras e de nos tornarmos mais "espirituais". Na realidade, porém, a sacralidade dos três primeiros chakras já é negada, o que estimula uma fixação em seus aspectos de sombra.

Quando há uma fixação indevida em um nível específico, há algo básico que não se cumpriu.

Quando a sacralidade de nossa conexão com a Terra é negada, ela é substituída pelo materialismo. Os impérios monetários se tornam um meio de se obter segurança — uma casa maior, um carro melhor ou um salário mais alto. Esse apego se perpetua, pois contamina o planeta e nos afasta mais ainda da nossa fonte. O materialismo é semelhante a comer besteira: ele não satisfaz o primeiro chakra e só cria uma fome maior. Da mesma forma, se não cuidarmos do nosso corpo, terminaremos adoecendo e nos preocupando com nossa saúde. A ênfase exagerada no primeiro chakra vem da ausência de aterramento energético e de reverência pela natureza. O materialismo ocidental pode ser visto como uma compensação cultural pela perda da Mãe Natureza como deusa.

No chakra dois, a sacralidade da sexualidade é negada publicamente, mas há sexualidade na maioria das propagandas, e as vendas anuais de produtos que querem nos deixar "mais sexy" chegam à casa dos bilhões. Prometem-nos a realização por meio da atratividade sexual, e nada mais — não pelo ato sexual em si ou por um relacionamento duradouro. O lado sombrio da negação da sexualidade é o estupro, o abuso sexual de crianças, o assédio sexual, a pornografia, o vício em sexo e o fascínio do público pelos escândalos sexuais dos políticos. Nosso apego a esse nível reflete uma falta de realização.

No terceiro chakra, as questões de poder e energia afetam as vidas de todos. O poder é colocado nas mãos de poucos, enquanto muitos falam de vitimização e impotência. Ele é visto como algo que existe do lado de fora e que pode ser aumentado com mais dinheiro, mais atratividade sexual ou obedecendo a regras, até que uma pessoa em uma posição superior transforme você em alguém que também as cria. Como dissemos no Capítulo 4, o poder tende a ser modelado em termos de poder exercido sobre alguém, e não com alguém. Na maioria das situações, a conformidade é recompensada, e a individuação, desencorajada. Nosso maior investimento público é nas Forças Armadas, um sistema projetado com um único propósito: exercer poder e controle quando necessário por meio da violência e da intimidação.

Há menos conflito cultural em torno da questão do amor, pois quase todos concordam que ele é um dos elementos mais importantes da vida. Entretanto, a prática do amor muitas vezes fica aquém do ideal. Gasta-se dinheiro com a compra de novos bombardeiros enquanto moradores de rua dormem em batentes nas portas das cidades. Racismo, discriminação de gênero, preconceito etário, intolerância religiosa e todos os tipos de preconceito corroem a prática do amor e da compaixão, que é o verdadeiro domínio do coração. O amor é reduzido a relações românticas fugazes entre adultos heterossexuais, e até mesmo elas envolvem muita dor e frustração, com corações partidos, taxas de divórcio altíssimas e famílias separadas.

O quinto chakra está se abrindo bastante em um nível cultural. A comunicação de massa de todos os tipos conecta cada um de nós à matriz cultural e nos proporciona informações instantâneas a cada momento. No entanto, a mídia, como já comentamos, polui nosso pensamento com violência e sensacionalismo. O ruído polui nossa vida cotidiana, com telefones, trânsito, aviões e barulhos industriais. Não damos a atenção necessária a esse chakra. Não tomamos cuidado com o que colocamos nas ondas aéreas nem com o que se infiltra no nosso sistema nervoso cultural.

Os planos espirituais dos chakras seis e sete estão apenas começando a se abrir. Os livros espirituais têm um mercado maior do que nunca. As pessoas têm aprendido a usar a intuição e têm procurado médiuns em busca de conselhos. Cada vez mais pessoas exploram a diversidade religiosa em sua prática pessoal e incorporam técnicas orientais e ocidentais, antigas e modernas. As informações estão mais acessíveis e abundantes do que nunca.

Todavia, ainda temos um longo caminho a percorrer antes que a entrada nos chakras superiores seja aprovada culturalmente. Há muito mais pessoas trabalhando com comércio do que meditadores. Os médiuns ainda são considerados uma fraude. A espiritualidade muitas vezes é recebida com cinismo ou com críticas diretas de pessoas que acham que qualquer prática não cristã é "buscar o diabo". A ênfase nos chakras inferiores é tão forte que o próprio ritmo da cultura dificulta a meditação e a separação de um tempo para atividades criativas. Nossa linguagem tem poucas palavras para descrever fenômenos psíquicos, e a "pessoa espiritual" tende a ser mal compreendida. Nossa cultura parece sofrer de pobreza espiritual.

Diferentes culturas têm diferentes ênfases nos chakras. A Índia, por exemplo, valoriza mais as atividades espirituais, e não o desenvolvimento do poder pessoal ou o materialismo. Ela é conhecida por ser mais orientada pelos chakras superiores, e muitas pessoas viajam para lá em busca de ensinamentos espirituais. No entanto, há uma pobreza material extrema na Índia que é chocante para os americanos.

Como a ênfase cultural desempenha um papel muito importante, aqueles que desejam se abrir em novas áreas precisam encontrar pessoas de temperamento semelhante. Assim, eles encontram força e apoio enquanto aprendem e crescem nessas áreas.

Apesar de sermos necessariamente influenciados pela cultura ao nosso redor, é válido perceber que também podemos afetar nosso ambiente com nosso estado mental. Sempre que elevamos ou expandimos nossa consciência, fazemos uma contribuição cultural. Sempre que encontramos outras pessoas que pensam da mesma maneira, fortalecemos essa contribuição. Toda conversa colabora para a *gestalt* geral.

Para entender o relacionamento entre nossos chakras e o fluxo cultural maior que nos cerca, é válido explorar as tendências evolutivas da consciência ao longo da história. Quando aprendemos o que aconteceu antes, podemos projetar melhor as probabilidades do futuro. E, assim, esclarecemos nosso próprio papel nele.

Capítulo 12
UMA PERSPECTIVA EVOLUTIVA

De todas as implicações sugeridas pelo Sistema dos Chakras, talvez a mais entusiasmante seja sua perspectiva evolutiva. Como os chakras representam a organização de princípios universais, não é de surpreender que essa fórmula profunda para a completude possa ser aplicada tanto para a progressão cultural quanto para a individual. Em uma perfeita reflexão do nosso desenvolvimento psicológico, a história sociocultural ocidental delineia a progressão dos chakras de baixo para cima.[170] Ao usarmos essa fórmula como uma lente para analisar nossa transformação milenar atual, descobrimos que o Sistema dos Chakras, mais uma vez, fornece um mapa elegante para a jornada coletiva e esclarece perguntas antiquíssimas como: *Onde estamos? Como chegamos até aqui? Para onde estamos indo?*

Respondemos melhor à primeira pergunta, "Onde estamos?", com uma metáfora. Aqueles que se mantêm a par das notícias atuais costumam concordar que estamos passando por uma imensa transformação global. Ela pode ser comparada a um ritual coletivo relacionado à chegada da maioridade, como os rituais tribais que fazem o adolescente passar da infância à idade adulta. Pela perspectiva do Sistema dos Chakras, os desafios que enfrentamos hoje podem ser compreendidos como a passagem pelo chakra mais associado à transformação, o impetuoso terceiro chakra. Estamos queimando o combustível do passado para iluminar o caminho do futuro. O chakra três representa os valores dominantes na atualidade: poder e força de vontade, energia e agressão, ego e autonomia. Eles devem ser incorporados, solucionados e transcendidos durante nossa jornada para o próximo nível, o chakra quatro, o domínio do coração, com suas características de paz, equilíbrio, compaixão e amor. Podemos considerar essa passagem como um ritual coletivo em que o coração chega à maioridade.

Antes de você pensar que parece uma fantasia utópica dos anos 60, encaixemos isso na linha do tempo da evolução, remontando a mais de 30 mil anos de

---

170. Para mais informações sobre os chakras e o desenvolvimento infantil individual, ver meu livro *Eastern Body, Western Mind*.

história humana. Assim, partimos para a próxima pergunta: como chegamos até aqui? Essa pergunta nos revela pistas sobre a terceira: para onde estamos indo? Esta última é a mais importante, pois é dela que surge a nova visão global tão desesperadamente necessária no momento atual.

Como chegamos até aqui?

CHAKRA UM: TERRA E SOBREVIVÊNCIA

No chakra um, o elemento "terra" e os instintos de "sobrevivência" se unem para formar a base de todo o Sistema dos Chakras. No nível individual, precisamos garantir nossa sobrevivência antes de evoluirmos para outros níveis. Nossa sobrevivência pessoal depende da nossa conexão com a Terra, assim como nossa sobrevivência coletiva, atrelada à saúde da biosfera. Seria bom se a considerássemos como a base de todos os desdobramentos futuros. À medida que recuperamos a sacralidade do corpo físico, a Terra transforma-se no corpo sagrado da civilização planetária, nosso primeiro chakra coletivo.

Lembramos que o nome em sânscrito do primeiro chakra é *Muladhara*, que significa "raiz". Nossas raízes estão no passado, na *religio*, ou reconexão, que nos faz voltar aos princípios fundamentais, à simplicidade e à unidade. Nossos ancestrais do Paleolítico viviam mais próximos da Terra, cuja teia viva os envolvia como a base da existência. Eles caçavam animais, coletavam plantas e viviam em cavernas. Às vezes, viajavam como nômades pela superfície da Terra, altamente vulneráveis a seus humores e marés.

O planeta, como um útero, foi nossa origem, a mãe que nos deu à luz, nosso início, nosso fundamento. Em seu estado natural e numinoso, a Terra era a principal influência religiosa das sociedades paleolíticas, adorada por nossos ancestrais como uma deusa viva. Ela dava e tomava a vida, e a Mãe Terra criava e regenerava, representando a própria sobrevivência. A natureza foi o modelo original para a origem da vida, o chão em que ela se formou, a própria raiz da nossa existência.

Com valores culturais que degradam tanto o corpo quanto a Terra e com a negação do nosso passado, *nós literalmente nos isolamos das nossas raízes*. Com isso, atrapalhamos nossa própria sobrevivência e nossa capacidade de crescer além desse nível. Embora a direção evolutiva da consciência pareça subir pelos chakras como plantas vivas, nós só ficamos mais altos quando lançamos raízes profundas no solo. Nosso crescimento deve se mover em ambas as direções simultaneamente: para cima, na direção da complexidade do futuro, e para baixo, ancorando nossas raízes na simplicidade do passado.

Não podemos ter um futuro como espécie negando as raízes do nosso passado e nossa conexão com a Terra. Não é de surpreender que haja tantos movimentos reivindicando essa antiga conexão espiritual com a Terra, com as deusas-mães do

Paleolítico e com as práticas primordiais que nos conectam direta e simplesmente a esse nível fundamental da consciência mítica. Essa reconexão com a Terra como um centro espiritual pode ser uma influência estabilizadora para as imensas mudanças que certamente ocorrerão. Ela não atrapalha nosso desenvolvimento — ela o garante. Como disse Marion Woodman, "Se não recuperarmos a sacralidade que há na matéria, este planeta estará fadado à ruína".[171]

Quando somos bebês, dependemos das nossas mães para sobreviver. O campo do bebê pode ser concebido como um círculo cujo centro é a mãe. Para sobreviver, ele não pode se afastar tanto. Essa fase é caracterizada pelo escritor junguiano Gareth Hill como o *Feminino Estático*, um dos quatro estados da dialética dos princípios masculino e feminino estáticos e dinâmicos.[172] O símbolo do Feminino Estático é um círculo com um ponto no meio, bem parecido com o seio pelo qual o bebê se alimenta. O círculo é o limite da distância que podemos nos afastar do centro se queremos sobreviver. À medida que crescemos, esse limite se expande.

Assim como o bebê está ligado à mãe, nossa cultura, em sua infância, estava totalmente atrelada aos parâmetros da Mãe Natureza. Ela era o centro onipotente e governava nossa experiência. Como filhos da Terra, estávamos presos aos seus ritmos de luz e escuridão, calor e frio, umidade e secura. Ela era a mãe todo-poderosa, boa e má, que nos dava dádivas ou destruição. Encontramos nossas raízes espirituais quando retomamos a sacralidade deste planeta fenomenal em que vivemos.

CHAKRA DOIS: ÁGUA E SEXUALIDADE

Depois que um organismo garante a sobrevivência, ele se volta para o prazer e a sexualidade. O chakra dois, associado ao elemento água, representa o desejo por prazer, a expansão do mundo pela exploração dos sentidos, o domínio das emoções e o jogo de opostos que ocorre na sexualidade.

O início da fase cultural do segundo chakra foi marcado pela mudança climática que ocorreu no fim da última grande era glacial (10000 a.C.-8000 a.C.). Essa primavera global coincidiu com os primórdios da agricultura, o começo da navegação marítima e o desenvolvimento da tecnologia de irrigação — todos ligados ao elemento água. Astrologicamente, principiava a era de *Câncer*, um signo cardinal da água. O tema subjacente da fertilidade, dominante no Neolítico, também se encaixa no aspecto aquoso da procriação e, ao longo de seus 7 mil anos de estabilidade, as estimativas populacionais revelam um crescimento

---

171. Marion Woodman, *Rolling Away the Stone* (fita cassete). Boulder, Co, Sounds True Recordings, 1989.
172. Os termos feminino estático, masculino dinâmico, masculino estático e feminino dinâmico, mencionados neste ensaio, foram usados por Gareth Hill, analista junguiano e professor de Berkeley, em seu livro *Masculine and Feminine: The Natural Flow of Elements in the Psyche*. Boston, Shambhala, 1982.

de 5 milhões para 100 milhões.[173] Esse grande aumento teve seus desafios, pois estimulou ainda mais o crescimento da consciência e da cultura.

O desenvolvimento da agricultura aliviou algumas das demandas relacionadas à sobrevivência, permitindo que maiores populações se mantivessem com relativa estabilidade. Assim, houve um enorme florescimento da cultura em termos de arte, religião, comércio, arquitetura e formas iniciais da escrita. Como o arquétipo da Grande Mãe ainda predominava durante o Neolítico, esse período ainda é caracterizado pelo Feminino Estático, mas novos elementos começavam a surgir.

Quando a fertilidade é reverenciada, o nascimento também o é. A partir das crianças temos o crescimento de homens e mulheres e, inevitavelmente, a reverência a ambos os gêneros. Na mitologia da Grande Mãe, aos poucos surgiu uma contraparte mítica, o Filho/Amante. À medida que esse arquétipo se sobressaía, as desigualdades no *status* mítico dos sexos, como mãe e filho, evidenciaram-se cada vez mais. O papel do homem, que tinha a honra sagrada de ser caçador no Paleolítico, teria se reduzido bastante em uma sociedade agrícola, que enfatiza a fertilidade. Conjeturou-se muito sobre a política de gênero durante essa era e sua posterior queda. Quer tenha sido uma sociedade de parceria equilibrada, como diz Riane Eisler,[174] ou uma idade de ouro do matriarcado, como sugerem algumas feministas nostálgicas, a pesquisa arqueológica mostra uma ausência geral de fortificações e de instrumentos de guerra e revela um ambiente pacífico, próspero e com um crescimento profundamente religioso das comunidades.[175]

Todavia, as desigualdades não permanecem estáveis indefinidamente. Devido às invasões violentas das tribos patriarcais vindas das estepes setentrionais, como sugere Marija Gimbutas,[176] ou a uma transformação gradual e interna da cultura, os princípios míticos de Filho/Amante e de Grande Mãe, predominantes na natureza, foram brutalmente derrubados por um Deus Pai guerreiro, acarretando a substituição das culturas da deusa por um patriarcado dominante e agressivo. Essa mudança violenta e tumultuosa marcou o início da nossa era atual, o despontar do terceiro chakra.

CHAKRA TRÊS: FOGO E FORÇA DE VONTADE

O chakra três é associado ao elemento fogo e marca o surgimento do poder que aparece quando a consciência desperta para a autonomia individual e para o desenvolvimento da vontade pessoal. O livre-arbítrio é um elemento relativamente novo e só foi introduzido recentemente na mistura evolutiva. Nenhum outro animal além do humano usa o fogo e consegue transformar a si mesmo e

---

173. Erich Jantsch, *Self-Organizing Universe*. Nova York, Pergamom Press, 1980, p. 137.
174. Riane Eisler, *O cálice e a espada – Nosso passado, nosso futuro*. São Paulo, Palas Athena, 2007.
175. Marija Gimbutas, *The Civilization of the Goddess*. CA, Harper San Francisco, 1991.
176. *Ibidem*.

seu ambiente. O livre-arbítrio nos permite romper com hábitos passivos, ditados pelo passado, e criar uma nova direção. Ele é essencial para abrir novos caminhos e para a inovação, que é a precursora de todas as mudanças e, por conseguinte, da própria evolução cultural.

No desenvolvimento infantil, essa fase é marcada pelo início do controle dos impulsos, quando a criança aprende a restringir os instintos em prol de um comportamento mais socialmente aceitável. Esse domínio também desperta o potencial da autonomia individual e a necessidade simultânea de determinar a própria realidade, o que ocorre, embora desajeitadamente, durante a "terrível fase dos dois anos".

Em uma cultura, essa fase é marcada por uma civilização menos ligada aos ciclos naturais, que se expandiu, por meio de uma tecnologia cada vez mais complexa, para além das limitações impostas pela natureza. Não sabemos ao certo o quanto os indivíduos do Neolítico tinham um senso de autonomia independente das ordens comunitárias. Qualquer fazendeiro sabe o quanto esse tipo de vida nos liga aos ciclos e aos caprichos da natureza. Considero que o aumento da capacidade tecnológica permitiu a possibilidade de se divergir da Natureza, o que, por sua vez, despertou o potencial do livre-arbítrio. Infelizmente, alguns indivíduos ou tribos chegaram a essa conclusão antes dos outros e usaram essa vontade recém-descoberta para controlar e dominar os mais fracos ou aqueles que ainda não tinham vontade própria.

No decorrer dos próximos milênios, as forças masculinas crescentes opuseram-se à dominância numinosa da Deusa Mãe, gerando um período civilizatório agressivo que dura até hoje. Foi necessária uma força considerável para suplantar símbolos religiosos fundamentais que existiam desde os princípios da era consciente. O que poderia se igualar aos milagrosos poderes concepcionais da deusa?

A morte é o único poder tão forte quanto a capacidade de criar vida. Assim, o medo da morte passou a ser o principal motivador da cultura e do comportamento. O milagre do nascimento, que só poderia emergir do feminino, transformou-se na *criação desejada* do deus masculino. Dessa forma, o futuro emergia da cabeça, não do corpo, e do medo, não da confiança. O arquétipo masculino, para se tornar mais predominante, precisou comprovar que tinha o mesmo poder com demonstrações constantes de dominação, guerras e atividades heroicas.

A mudança das culturas pacíficas da deusa do Neolítico para a cultura agressiva de adoração do Sol teve início com as invasões dos criadores de cavalos que desceram das estepes do norte em aproximadamente 4300 a.C.[177] Após uma série de invasões e subsequentes insurreições durante os 3 mil anos seguintes, essa era

---

177. Riane Eisler, *O cálice e a espada – Nosso passado, nosso futuro.* São Paulo, Palas Athena, 2007.

foi firmemente estabelecida pela Idade do Ferro (cerca de 1500 a.C.). As culturas das deusas haviam sido enviadas para o submundo das civilizações perdidas e substituídas por uma era caracterizada por poder, dominação e guerra. A Idade do Ferro coincide com a era astrológica de Áries, um signo cardinal do fogo, que é o elemento do terceiro chakra. Essa mudança foi possível devido ao uso do fogo para forjar metais, levando à criação de ferramentas e armas de guerra. As ferramentas metálicas ofereciam vantagens na luta pela sobrevivência, proporcionavam superioridade em relação aos outros e estimulavam o pensamento estratégico. A capacidade de fazer mais com menos propiciou o aumento da produção. Assim, foi necessário que houvesse mais coordenação e governabilidade por parte das estruturas de poder teocráticas para que se pudesse, por exemplo, armazenar e distribuir grãos, comercializar bens e gerenciar recursos hídricos. As armas permitiam que uma cultura dominasse outra.

O terceiro chakra anunciou o nascimento do individualismo, cujo tema mítico era a Busca do Herói — cujo objetivo era matar os dragões dos antigos costumes (derrubar a inconsciência do passado) e encontrar o poder individual. Esse despertar do individualismo foi observado em atos heroicos, na liberdade transcendente causada pela tecnologia e no uso da agressão como modo básico de sobrevivência. Prometeu, que roubou o fogo dos deuses, é uma figura mítica essencial da época.

O aspecto mais importante que se deve entender sobre esse chakra — e sua era correspondente — é que, para o bem ou para o mal, *ele costuma ser alcançado por meio de uma rejeição inicial dos valores associados aos dois níveis precedentes*, terra e água. Com efeito, o fogo não queima se há terra ou água em demasia. Negar nossa base subjacente não é um modo saudável de se desenvolver, é uma tentativa inicial imatura de redirecionar a consciência coletiva com base nas tendências passivas habituais dos chakras inferiores.

Para o sistema patriarcal emergente, isso significava a rejeição dos valores centrais da cultura neolítica anterior, que eram os valores dos dois primeiros chakras: a sacralidade da Terra, a sexualidade, a emoção, as mulheres, a comunidade e a cooperação. Todos eles foram essencialmente transformados em seus opostos. Assim, as pacíficas Deusas Terrestres foram substituídas pelos trovejantes Deuses Celestiais; o milagre do nascimento foi suplantado pelo medo da morte; a sacralidade da sexualidade foi reprimida; e a parceria cooperativa foi trocada pelo controle hierárquico. Com essa mudança, rompeu-se a ordem básica da vida que se conhecia desde o início da consciência humana, que talvez tenha durado centenas de milhares de anos.

Na mitologia hindu, isso pode ser comparado à abordagem ascensionista, exemplificada pelos *Yoga Sutras* de Patanjali, cujo objetivo é atingir a libertação pela separação da consciência de sua imersão na matéria. Como na maioria das religiões patriarcais, enfatizava-se a direção ascendente, favorecendo o céu e desvalorizando a terra. Na verdade, talvez essa ênfase tenha sido necessária à época para desviar a atenção das preocupações mundanas a fim de perceber que existem outros níveis de realidade. Com a abertura para outra polaridade na dança cósmica, expandimos nossos horizontes e escolhas. Essa polaridade possibilita a interação dinâmica entre as forças que é necessária para a criação do poder.

A era do terceiro chakra é caracterizada pelo *Masculino Dinâmico*, cujo símbolo é um círculo com uma flecha — o símbolo que usamos para o masculino e para o planeta Marte, que representa uma energia agressiva. A flecha afasta-se linearmente da circularidade estática do feminino a fim de seguir em uma nova direção. Antes que essa direção se estabeleça, contudo, os hábitos e costumes antigos, que eram as estruturas dominantes da consciência, geralmente são destruídos.

As características do terceiro chakra, como agressão, tecnologia e poder político, nos assombram até hoje, tendo passado pela dominação patriarcal da Idade do Ferro, pelas revoluções científica e industrial, por duas guerras mundiais e muitos outros conflitos violentos, e pela atual criação de espaçonaves e da informática. Problemas relacionados a poder, energia, controle excessivo e dominação dos outros predominam nas notícias atuais. O uso de recursos mundiais devido às nossas incessantes demandas por produção de energia é uma preocupação ecológica fundamental. Questões relacionadas à nossa vontade pessoal, que tem sido dominada por pais, escolas, chefes e governos, ocupam um lugar de destaque nos muitos grupos de doze passos que lidam com as vítimas do nosso paradigma dominante atual. "Empoderamento" é uma palavra em voga na psicologia de hoje, contrariando a mania de vitimização tão comum ao movimento de recuperação atual.

A agressão e a violência dominam os jornais, o entretenimento e a política. A possibilidade de nos queimarmos na história devido a uma guerra nuclear, apesar de hoje ela ser menor, desde o retraimento da Guerra Fria, ainda é uma ameaça. Todavia, o fogo do nosso tempo também tem acendido novas tecnologias e novos canais da consciência, aquecendo o movimento caótico de indivíduos deslocados na sopa planetária, acelerando-os cada vez mais à medida que eles convergem um para o outro, rumo à imensa transformação que os leva ao próximo nível.

O desenvolvimento do individualismo, da vontade, da tecnologia e do empoderamento é uma etapa essencial para a criação de uma consciência global. O individualismo nos trouxe diversidade, a possibilidade de mais inovações e um senso de separação que desperta a vontade individual, necessária para que nos tornemos cocriadores da evolução, em vez de seus recipientes passivos. Enquanto terra e água fluem para baixo, acompanhando a gravidade passivamente, o fogo faz o movimento subir, permitindo-nos alcançar os chakras superiores e se estendendo coletivamente rumo à expansão global da consciência. Talvez tenha sido o controle do fogo que agitou inicialmente a consciência humana, fazendo-a despertar há cerca de meio milhão de anos. Agora, é o fogo das nossas tecnologias atuais que é capaz de despertar — ou dizimar — a consciência global. Essas são as incertezas que encontramos nessa transformação milenar. Porém, antes de entrarmos por completo na era presente, há mais uma era que precisamos examinar, a primeira tentativa da humanidade de alcançar o coração: a Era Cristã.

CHAKRA QUATRO: AMOR E EQUILÍBRIO

O chakra quatro, nos diagramas tântricos originais, é retratado como a interseção de dois triângulos — o triângulo invertido do espírito que desce para dentro da matéria e a dissolução ascendente da matéria dentro do espírito. No nível do chakra cardíaco, essas polaridades encontram-se perfeitamente equilibradas e, com efeito, o equilíbrio é uma das principais características desse chakra.

Apesar de ainda estarmos enfrentando as dificuldades relacionadas a questões de poder e dominação do terceiro chakra, acredito que a ascensão do cristianismo foi, inicialmente, uma tentativa de acessar o quarto chakra. Sua ênfase filosófica (mesmo que tenha fracassado muitas vezes na prática) falava de amor, unidade, perdão e entrega da vontade pessoal a um poder "superior" — um Deus Pai que ainda tinha alguns atributos dos deuses trovejantes, raivosos e patriarcais, mas que também possuía um lado mais gentil e amoroso. O nascimento de Cristo, que dizem ser o filho de Deus, simbolizou a fusão do divino com o mortal, o que caracteriza o meio-termo que o quarto chakra representa.

O que o cristianismo tem de lamentável é a incapacidade que teve de refletir uma religião realmente equilibrada, pois surgiu em uma época de intenso patriarcado, e o paradigma predominante ainda se baseava na negação dos chakras inferiores e, por conseguinte, dos valores sagrados atribuídos ao feminino, à impetuosidade, à terra, à sexualidade e à responsabilidade pessoal. Mesmo assim, o cristianismo estabilizou o Masculino Dinâmico dominante, que inicialmente rejeitara os hábitos antigos, produzindo uma espécie de caos social com muitas facções competindo e guerreando entre si.

Essa estabilização transformou o Masculino Dinâmico em *Masculino Estático*, cujo símbolo é a cruz e que enfatiza a estabilidade por meio da lei e da ordem. Assim, a rejeição inicial da nossa natureza básica é agora regulada — não é mais uma reação, e sim uma sobrevalorização de uma parte em detrimento de outra: a luz é boa, a escuridão é má; o masculino é poderoso, o feminino é fraco; a terra é transiente e dispensável, o céu é terno e perfeito. Embora isso possa produzir a ilusão de estabilidade, é algo que surge à custa de uma intensa repressão, que termina vindo à tona sempre que há alguma fraqueza no sistema. Assim, a prática do amor, o equilíbrio e o perdão levaram a terríveis fracassos como as Cruzadas, a Inquisição, a queima de bruxas e até mesmo a demonização atual de diferenças culturais, observada em algumas formas mais extremas do cristianismo. A repressão da sexualidade criou seu lado sombrio de estupros e incesto.

A repressão da sacralidade da Terra criou um materialismo sombrio, dando origem a uma destruição ecológica cada vez maior.

Entretanto, a Era Cristã, com sua relativa estabilidade, permitiu mais uma proliferação cultural em termos de tecnologia e desenvolvimento da consciência. Durante esse período, produzimos a imprensa, o telefone, o rádio, a televisão e o computador — e todos eles abriram possibilidades de comunicação que são um pré-requisito para que qualquer tipo de unidade global possa emergir. De fato, a Revolução Industrial, que tirou o homem dominante do lar e o fez trabalhar diariamente, permitiu a primeira ressurgência do feminismo, pois assim as mulheres puderam sair da influência dos homens por tempo o bastante para fazer comparações e começar a perceber quem eram. Após algumas gerações, tivemos os grupos de donas de casa que elevaram a consciência nos anos 60, além de oportunidades de ensino e de trabalho que são necessárias para que haja igualdade entre os sexos.

Para realmente chegarmos ao equilíbrio do coração, precisamos de uma mistura com quantidades iguais da pura energia da libido, que vem dos chakras inferiores, e da percepção consciente que desce dos chakras superiores. Em outras palavras, a completude requer que a consciência, a visão e a comunicação estejam mais elevadas, *equilibradas e integradas* à vontade pessoal, à emoção e aos instintos primordiais. Creio que é impossível que aconteça um verdadeiro despertar do coração durante a Era Cristã, pois ainda não alcançamos a proficiência nos chakras superiores. Quando juntamos isso à negação dos chakras inferiores, temos um sistema muito desequilibrado.

Assim, analisemos agora as conquistas do desenvolvimento dos chakras superiores, que finalmente nos possibilitam tecer, com equilíbrio e integridade, uma verdadeira cultura do coração.

CHAKRA CINCO: SOM E COMUNICAÇÃO

O chakra cinco é a representação simbólica do significado conhecida como comunicação, um veículo essencial para a expansão da consciência. Ela pode ser considerada a cola da evolução e adquire uma complexidade cada vez maior, indo da linguagem reprodutiva do DNA e dos primeiros gritos de acasalamento dos animais ao surgimento da fala humana e ao advento da escrita, da imprensa, das transmissões e, agora, da internet. Podemos pensar em cada um desses saltos quânticos da comunicação como um salto evolutivo da consciência. Cada um deles aumenta a capacidade de a informação se deslocar mais rapidamente. Cada um deles é um passo para a construção da consciência global.

Quando aceitamos todas as formas de comunicação, nos aproximamos de uma consciência maior, pois aprendemos, mudamos, nos adaptamos e criamos. Por meio da comunicação, a rede de consciência global que Pierre Teilhard de

Chardin chamou de *noosfera*[178] cinquenta anos atrás, e que hoje é comumente chamada de cérebro global, vem tomando forma. Ela pode ser considerada como um órgão da consciência, como se fosse um córtex cerebral global que vem crescendo para fora do corpo do planeta, Gaia. A internet é o sinal mais claro desse cérebro global, mas toda a rede de comunicação está envolvida nele. De fato, ela é um salto evolutivo para o desenvolvimento da consciência global, assim como a imprensa intensificou a expansão da consciência individual.

CHAKRA SEIS: LUZ E INTUIÇÃO

Uma imagem vale mais do que mil palavras. Com o chakra seis, nosso método de retratar informações salta da apresentação linear das palavras em uma página, ou das frases de efeito ao longo do tempo, para a apresentação holística de imagens no espaço. Minhas palavras chegam até você em sequência, uma de cada vez, mas uma imagem penetra seus olhos holisticamente, de uma só vez. Com a tecnologia da informática, hoje podemos expressar equações matemáticas como imagens em movimento, revelando a dinâmica do processo que antes se escondia nas pilhas de equações escritas no papel e propiciando uma compreensão mais profunda do caos, da complexidade e do comportamento de sistemas. Atualmente, as páginas da internet podem incluir gráficos, animações e palavras. Os livros têm dividido o mercado com vídeos e CDs, que oferecem uma maneira mais rápida de absorver informações usando todo o cérebro. As notícias televisivas chegam até nós por imagens estrondosas, permitindo-nos conhecer mais diretamente as realidades dos acontecimentos no espaço e no tempo — até mesmo enquanto eles ocorrem. A imagem é a mensagem nos comerciais televisivos, pois seus criadores têm se adaptado à capacidade dos espectadores de usar o botão de "mudo" no controle remoto e desligar o som por completo.

No domínio da espiritualidade, a clarividência tem voltado. As feiras da Nova Era estão repletas de estandes de médiuns que revelarão a você os padrões não percebidos da sua vida e lhe oferecerão conselhos. Milhares de pessoas empregam a habilidade da visualização criativa para manifestar a consciência e, em alguns setores, a intuição tem sido aceita como um fator em investigações científicas. Uma prática espiritual popular é "buscar a visão internamente", pois, sem ela, como direcionar nossas vidas?

A habilidade de transmitir imagens é realmente um salto quântico à frente da comunicação por palavras, idêntico aos saltos anteriores da tecnologia da comunicação. Com imagens, podemos comunicar mais em menos tempo, e muitas vezes com menos ambiguidade. Pensar em imagens, uma função do lado direito

---

178. Pierre Teilhard de Chardin, *O fenômeno humano*. São Paulo, Cultrix, 1988. (N.T.)

do cérebro, equilibra o processo cognitivo da lógica do lado esquerdo do cérebro, que dominou a consciência coletiva nos últimos séculos.

CHAKRA SETE: PENSAMENTO E CONSCIÊNCIA

Em um nível cultural, o chakra sete representa nada menos do que a criação e o funcionamento de toda a noosfera, a organização das informações e da própria consciência em um nível planetário. Não seria esse cérebro global, com sua rede infinitamente vasta de informações correntes e de percepção, uma metáfora para um lótus coletivo de mil pétalas, com cada uma delas sendo um ponto fractal de conexão a uma matriz maior?

No nível racional, o chakra sete é marcado pela proliferação do conhecimento e das informações e, no nível mítico, pelo maior interesse pela espiritualidade e pela expansão da consciência. A popularidade do yoga e da meditação, das pesquisas parapsicológicas, de substâncias que alteram a atividade mental e das pesquisas sobre a consciência tem revelado rapidamente que a consciência é a próxima fronteira. As máquinas cerebrais que alteram as frequências ressonantes das ondas do cérebro, iniciando estados meditativos, têm se tornado mais sofisticadas e populares. A criação de uma supervia de informações nos possibilita mover a consciência pelo globo à velocidade da luz. Os computadores, primeiros instrumentos a estender a mente, e não só o corpo, hoje são capazes de levar nossa consciência para além do que é humanamente possível, permitindo aumentos consideráveis no armazenamento de memória, nas capacidades computacionais e na criatividade. Como salientou Al Gore em *A Terra à procura de equilíbrio*,[179] as informações são tantas que agora temos exformações — pilhas de dados armazenados em discos computacionais que nunca foram revisados por uma mente humana. Enquanto entramos no novo milênio, somos avassalados pela vasta abundância de informações e pelo potencial da compreensão consciente.

Todavia, é essencial que o nosso desenvolvimento da consciência seja aterrado no corpo e na Terra, que ele tenha raízes na nossa realidade biológica. A consciência carrega nossa estrutura mítica, nossos valores e direções, e molda as interpretações de tudo que vemos e os padrões de tudo que fazemos. A sabedoria dessa consciência é extremamente importante neste momento. Que tipo de sistema operacional nós queremos? Será que precisamos desenvolver nossa consciência ainda mais a fim de responder a essa pergunta?

Certamente, quando a consciência evolui, a estrutura dos nossos paradigmas também evolui. As informações que enviamos pela rede global podem inspirar mudanças globais ou incitar violência e agressão, como filmes violentos e o sensacionalismo midiático que polui nossas redes de comunicação. Essas

---

179. Al Gore, *A Terra à procura de equilíbrio – Ecologia e espírito humano*. Lisboa, Presença, 1993. (N.T.)

informações precisam se basear nos fatos *e também* na visão, no sentimento e na compreensão, incorporando o equilíbrio, uma característica do chakra quatro. Nossa nova mitologia precisa ser um paradigma da completude, abrangendo e integrando *cada* um dos níveis que encontramos. E agora podemos nos fazer a pergunta derradeira:

PARA ONDE ESTAMOS INDO?

"Chegar à maioridade no coração" é se apaixonar pelo mundo outra vez. É agir com base no amor e não na culpa, na devoção e não no dever; é interagir com o mundo com base no coração e não no plexo solar. Para despertarmos para a era do coração, todo o impulso do período emergente tem de se voltar para o equilíbrio das polaridades e para a integração das diversidades.

Nunca tivemos uma mitologia predominante em que os arquétipos de ambos os gêneros se relacionassem a partir de uma posição de maturidade e força iguais. Agora que passamos pela Deusa Terrestre materna, com seu diminuto Filho/Amante, e pela elevação complementar do Deus Pai com a Filha/Esposa submissa, finalmente estamos prontos para manter cada um desses componentes arquetípicos em uma espécie de equilíbrio integrado. Podemos adotar elementos *maduros* do masculino e do feminino. Assim, deixamos essas formas dançarem entre si com poder igual, removemos o incesto arquetípico e permitimos que os filhos mais jovens incorporem os desdobramentos naturais do futuro que lhes pertence. Desse Sagrado Matrimônio emerge o arquétipo da Criança Divina, que pode muito bem ser o próprio futuro.

Mas esses não são os únicos elementos que suplicam o equilíbrio nessa era emergente. O corpo e a mente, o individual e o coletivo, a liberdade e a responsabilidade, a luz e a sombra, o progresso e a conservação, o trabalho e o prazer lutam para serem reconhecidos como características iguais em um paradigma de completude. Enquanto valorizarmos mais um do que o outro, seremos uma cultura desequilibrada.

A era emergente é caracterizada pelo *Feminino Dinâmico*, a peça final do quaternário do feminino e masculino estático e dinâmico. O Feminino Dinâmico é simbolizado por uma espiral que sai do centro da cruz do Masculino Estático e se empurra para fora *sem* limites, reintegrando ao círculo unificador os opostos divididos — esquerda e direita e superior e inferior. O Feminino Dinâmico caracteriza-se pela criatividade, pelo caos e pela paixão. Quando permitimos que o espírito nos leve ao êxtase, em vez de usar nossas cabeças para definir o espírito, obtemos o próprio êxtase, e não uma religião dogmática. Ele conecta em vez de dividir. Enquanto forma um círculo, ele conecta o interior e o exterior, individual e coletivo, cima, baixo, esquerda, direita, mente e corpo, criando um todo inseparável que se move dinamicamente.

310

Devemos enfatizar que, em sistemas pessoais ou coletivos, para passar de um chakra para outro, não precisamos negar os níveis anteriores, mas incorporá-los. Quando retomamos nossos corpos como templos individuais, a Terra como uma manifestação da divindade viva e o feminino como um arquétipo divino igualmente importante, sem negar o masculino divino, começamos a lidar com os desequilíbrios que foram impostos pelo Deus Pai celestial ao longo dos últimos 3 mil a 5 mil anos. Ao abordarmos os desequilíbrios sociais entre raças e gêneros, trabalho e lazer, sagrado e secular, progresso e conservação, individual e coletivo, nós nos aproximamos das características equilibradas do quarto chakra. O equilíbrio não requer a negação de nada, mas uma integração de tudo, até mesmo da luz e da sombra.

Na teoria junguiana, o quatro é o fim do quaternário, é estabilizador e equilibrador, é uma reintegração com o "um" primordial. No chakra quatro, a Busca do Herói da era do terceiro chakra passa para a próxima fase importante — a Volta para Casa. Aqui, reintegramos nossa destreza tecnológica com as necessidades da Terra e carregamos conosco os frutos da nossa atividade heroica do chakra três, a fim de beneficiarmos a cultura planetária que queremos que evolua. Entramos no plano da consciência reflexiva e nos tornamos cientes de nós mesmos e do nosso processo.

O início da Era de Aquário, um signo do ar, marca a verdadeira chegada da Era do Chakra Cardíaco, que enfatiza o humanitarismo, a compaixão, a autorreflexão, a integração e a cura. É a paz que emerge por dentro e por fora quando o equilíbrio essencial é atingido.

Em 1969, quando a tecnologia espacial ultrapassou os limites da Terra, pudemos vislumbrar nosso único planeta azul como se ele fosse uma unidade política. Quando nossos astronautas e suas câmeras *voltaram para casa* com a imagem global captada durante sua *jornada heroica*, poderíamos dizer que Gaia se vislumbrou pela primeira vez por meio dos olhos humanos. Esse momento, durante o período de expansão da consciência dos anos 60, foi um ponto de inflexão na evolução. Foi o início da *Volta para Casa*, o despontar de uma consciência global, a primeira percepção coletiva de nós mesmos como elementos de uma entidade global.

Juntamente a esse vago amanhecer da realização planetária, tivemos a popularização da análise psicológica, com um número bem maior de pessoas iniciando a terapia e um processo de profunda autorreflexão. Nessa mesma década, James Lovelock formou pela primeira vez a Hipótese Gaia (a ideia de que a Terra é um ser vivo colossal); os psicodélicos abriram a percepção das pessoas para a natureza interconectada de toda a vida; e novas ciências como a física quântica, a teoria do caos e as estruturas dissipativas começaram a vazar para a corrente dominante e a minar os antigos paradigmas científicos do reducionismo e do determinismo. Foi nos anos 60 que disciplinas baseadas na consciência, como o yoga, popularizaram-se no Ocidente e que as pessoas se sintonizaram, se ativaram e romperam com o sistema para depois retornar com os princípios fundacionais de um novo paradigma: amor, paz e equilíbrio.

Foi na década de 1960 que se iniciou a Era de Aquário, mas é agora, no novo milênio, que devemos ancorá-la nas realidades dos nossos parâmetros planetários. É hora de nos tornarmos agentes conscientes do despontar da consciência planetária. É hora de nos reconhecermos como uma parte da Terra viva e de oferecer nossas conquistas heroicas ao próprio planeta, pois, depois da "chegada à maioridade", uma nova identidade é formada.

Nossa nova ordem evolutiva deve abranger e unir os planos e fases de todos os níveis da consciência. Podemos aceitar Gaia como um conceito mitológico que nos oferece a nova identidade de participantes globais. Benjamin Franklin disse uma vez que sua maior invenção foi o termo *americano* em uma época em que as terras eram ocupadas por franceses, ingleses, alemães, holandeses, indianos e outros. O termo americano uniu essa diversidade com um único conceito — eles eram unidos pela terra em que viviam. Hoje em dia, a palavra *gaiano* pode nos dar uma nova identidade que inclui todos os seres vivos. Não apenas diferentes raças e gêneros podem compartilhar essa identidade global, mas também diferentes espécies, plantas e animais.

A imensa quantidade de informações gerada pela nossa observação do mundo natural pode nos guiar rumo a um relacionamento mais harmonioso com Gaia, fazendo-nos usar a tecnologia crescente em equilíbrio com o ambiente natural. Retomar o corpo e o domínio dos sentimentos é importante para a saúde física e para o fortalecimento pessoal, bem como a recuperação da vontade que tem sido repudiada pelos valores culturais autoritários. Mas precisamos pôr em prática essa vontade a fim de obtermos uma nova fase de amor, compaixão e equilíbrio, em vez de heroísmo e dominação. Assim chegaremos à fase inicial do chakra cardíaco e à paz e cura que esperamos do futuro. A comunicação global, as redes de informação, a integração de valores espirituais à vida cotidiana e a visão de um futuro sustentável são atributos dos chakras superiores que precisam ser trazidos "para baixo", para o ponto central do coração, a fim de que essas mudanças possam ocorrer.

Estamos numa época entusiasmante de mudanças tumultuosas e possibilidades ilimitadas. Como o futuro é incerto, é essencial buscar, visualizar e comunicar. Na peça teatral da evolução, somos ao mesmo tempo a plateia, o elenco e os dramaturgos. Somos os cocriadores do futuro da evolução.

Capítulo 13

COMO CRIAR CHAKRAS SAUDÁVEIS NAS CRIANÇAS

A esperança de um futuro melhor depende da criação dos filhos sem os traumas e abusos que assolam tantas pessoas que, no momento atual, têm dificuldade para se recuperar deles. Com frequência, esses abusos são causados por pais que têm boas intenções, mas que são desinformados; muitos deles estavam apenas agindo com base nas próprias feridas abertas, que foram provocadas pela geração anterior e que têm sido transmitidas pela família e pela cultura há muitas gerações. Os adultos que enfrentam a árdua jornada de curar essas feridas desejam, compreensivelmente, não causar dificuldades semelhantes para os próprios filhos.

As crianças de hoje precisam de uma orientação inteligente que beneficie o crescimento delas e a integração de corpo, mente e espírito. Pode ser difícil encontrar modelos espirituais aplicáveis a crianças que abordem o desenvolvimento delas respeitando as diferentes fases da vida. As escolas educam a mente, mas suprimem o desejo corporal natural de correr e brincar. Em seu livro *best-seller Inteligência emocional*, Daniel Goleman menciona a necessidade de educar e amadurecer as emoções antes do intelecto. Algumas crianças crescem evitando completamente a religião porque foram obrigadas a ficar sentadas em bancos duros e a ler livros que estavam além da compreensão intelectual delas. Assim, quando mais velhas, elas não se interessam por questões espirituais. Já outras ignoram completamente o corpo quando adultas e, por consequência, desenvolvem problemas de saúde. E outras, ao crescer, evitam as universidades e tarefas intelectualmente exigentes por acreditar que não têm a inteligência necessária, muitas vezes por haverem recebido durante a infância tarefas que estavam além das habilidades da sua idade.

O Sistema dos Chakras, fundamentado nos sete centros energéticos do corpo que parecem rodas, reflete profundamente as fases do desenvolvimento infantil. Ele mostra como os chakras se desenvolvem sequencialmente, de baixo para cima, enquanto a criança amadurece do nascimento à idade adulta. Em meus seminários sobre desenvolvimento pessoal, que se baseiam no ensino desse modelo como uma forma de curar adultos de seus traumas passados e dificuldades atuais, os pais da plateia sempre me perguntam: "tenho um filho que está nessa fase agora. O que posso fazer para apoiar o desenvolvimento dele?".

Não é só uma questão de evitar o abuso; também devemos lidar com a criação de seres humanos ideais. Isso ocorre quando apoiamos a criança em todas as dimensões da sua experiência — física, emocional, mental e espiritual —, de uma maneira apropriada para o nível de desenvolvimento em que ela se encontra.

Abaixo apresentamos uma breve introdução aos chakras e suas fases de desenvolvimento na infância, com conselhos simples para os pais sobre como apoiar o progresso dessas áreas importantes na vida da criança.

CHAKRA UM: DO ÚTERO A 1 ANO

INCENTIVE A RELAÇÃO COM O CORPO

O que você pode fazer de mais importante nessa fase é ajudar seu filho a se adaptar totalmente ao próprio corpo. Tocá-lo com frequência, segurá-lo, dar colo, cuidar dele e satisfazer suas necessidades físicas são coisas mais do que fundamentais. Seu toque afirma a fisicalidade do seu filho. Quando você o segura, ele aprende a se segurar. As brincadeiras ajudam a desenvolver a coordenação motora, como interagir com os pés e as mãos do bebê, oferecer brinquedos que ele possa agarrar e brincar durante o banho. Criar um ambiente adequado que seja seguro e confortável, com brinquedos apropriados para a idade, ajuda a criança a se relacionar com o mundo externo de uma maneira positiva.

ESTIMULE A CONFIANÇA PELO APEGO E PELO AFETO

A única fonte de segurança do bebê é o apego ao seu principal cuidador. É importante para a mãe (ou para o pai, caso o principal cuidador seja ele) estar presente o máximo possível durante o primeiro ano, servindo de base para a criança. Isso significa pegá-la quando ela chora, abraçá-la e niná-la com frequência, conversar com ela, protegê-la de barulhos altos, da fome, do frio ou do desconforto e alimentá-la quando ela sente fome, e não por horários marcados. Alguns pais têm dificuldade de permitir que esse apego se forme, pois a carência natural do bebê parece exigir demais deles. Porém, deixar que esse apego aconteça ajuda a criança a ser mais independente posteriormente.

A presença constante durante a infância ajuda no dilema confiança *versus* desconfiança e cria esperança e segurança. Saber que o pai ou mãe está sempre por perto possibilita que a criança se entregue ao desenvolvimento que precisa acontecer, em vez de se tornar tensa e hipervigilante.

314

CRECHE APROPRIADA

Se a mãe precisa trabalhar durante o primeiro ano e não pode ficar com o filho, é uma desvantagem para ele. Infelizmente, às vezes essa é a única opção por questões financeiras. A melhor coisa que os pais podem fazer é encontrar a creche mais benéfica, agindo em nome da criança para garantir que ela obterá o cuidado necessário. Na busca pela creche, alguns fatores que os pais devem levar em conta são: a criança precisa ser tocada constante e adequadamente, alimentada sempre que pedir e receber cuidados de adultos competentes em um ambiente apropriado para a idade. Também é recomendável que os pais passem tempo com o filho na creche até ele se acostumar. No caso de creches parentais e de babás em casa, há mais probabilidade de haver continuidade e constância. Ademais, a mãe precisa entender que talvez o filho necessite de mais cuidados, carinhos e interações à noite, em casa. Isso é difícil especialmente para mães solteiras e/ou que trabalham, pois elas costumam estar exaustas no fim do dia. Porém, o tempo que se gasta cuidando do filho nos primeiros anos compensa no longo prazo, pois depois ele será uma criança mais calma e saudável e menos exigente.

A sensação de segurança é obtida em um ambiente seguro. É essencial que haja paz no lar e proteção contra barulhos altos, objetos pontiagudos, quedas, frio e a violência de adultos ou irmãos. Lembre-se de que o ambiente determina a personalidade do bebê. É a primeira coisa que influencia quem eles serão.

Quando uma criança está em um ambiente desconhecido, como uma loja, um parque, um consultório médico ou a casa de um amigo, o pai ou mãe é uma ilha de segurança para ela. Entenda que seu filho ficará mais inseguro e precisará recorrer a você várias vezes para se tranquilizar.

ALIMENTAÇÃO SAUDÁVEL

Os horários para a alimentação, apesar de serem convenientes para os pais, não possibilitam à criança estabelecer seus próprios ritmos nem lhe ensinam que o mundo satisfará suas necessidades. Já está comprovado que a amamentação é mais saudável emocional e fisicamente, pois o leite materno contém anticorpos importantes e a experiência da amamentação une mãe e filho devido à proximidade física. Mas estudos mostraram que o estado emocional da mãe durante a amamentação importa mais do que o fato de o leite vir do peito ou de uma mamadeira. A mamadeira dada de forma carinhosa é melhor do que amamentar com ressentimento. Para o desenvolvimento de um corpo infantil saudável, é essencial que a mãe tenha uma boa alimentação, evitando substâncias danosas no leite, como drogas e álcool, e que o bebê tenha uma nutrição saudável quando começar a comer.

Ao lidar bem com essa fase, você cria uma base saudável a partir da qual seu filho enfrentará os muitos desafios da vida. Ele sempre terá uma boa noção do próprio corpo e da própria vida e uma sensação de esperança e otimismo em relação à satisfação das suas necessidades.

CHAKRA DOIS: DE 6 MESES A 1 ANO E MEIO

PERMITA A SEPARAÇÃO E O APEGO

Agora seu filho está na fase de sair do ovo, começando a se separar dos pais, pois seu desenvolvimento corporal permite que ele se movimente cada vez mais. Como isso é assustador, ele vai e volta — ele se afasta e retorna para ver se está tudo bem. De certa forma, ele parece ainda mais apegado, o que é natural. É importante apoiar ambos os movimentos: encorajar a separação, oferecendo oportunidades seguras de exploração, e ser caloroso e amoroso quando for necessário reconfortá-lo.

PROPORCIONE UM AMBIENTE SENSORIAL

Seu filho está explorando o mundo pelos sentidos. É a principal maneira como ele vivencia as coisas. É importante oferecer cores e sons, brinquedos interessantes, carinhos durante as brincadeiras e um ambiente seguro para ser explorado. Sua atenção e sua voz são uma parte relevante da experiência sensorial dele.

APOIE A EXPLORAÇÃO PELO MOVIMENTO

Nessa fase, seu filho quer se mover pelos cantos. Não é hora de usar o chiqueirinho, mas, se for necessário, que seja somente por breves períodos. Em vez disso, encontre lugares onde ele possa engatinhar e andar em segurança, correr no parque, rolar pelo pátio e aprender a usar o corpo com a recém-descoberta alegria do movimento.

REFLITA AS EMOÇÕES

Seu filho está aprendendo a linguagem emocional dele. Se você quiser alfabetizá-lo emocionalmente, é importante refletir os sentimentos dele. Reaja aos choros e às expressões de raiva, medo, carência ou confusão. Não negue as emoções dele nem o puna por causa delas — ele não consegue impedir o que está sentindo. Diga palavras que demonstrem que você entende: "como você parece triste!". "Está com medo? Quer que a mamãe segure sua mão?". Apesar de ainda não falar muito bem, ele está começando a entender as palavras que escuta e compreenderá que seus sentimentos têm nome e que, mesmo sem uma linguagem, ele pode expressar para alguém sua vontade ou necessidade.

Preste atenção aos seus próprios estados e necessidades emocionais e também ao "campo" emocional da sua casa. As crianças captam raiva,

316

medo, ansiedade e alegria. Cuide das suas necessidades o máximo possível para não projetar suas emoções mal resolvidas na criança inocente. Crie um ambiente positivo.

CHAKRA TRÊS: DE 1 ANO E MEIO A 3 ANOS

ESTIMULE A AUTONOMIA E A VONTADE PRÓPRIA

Quando seu filho começar a se separar de você, comemore a independência dele. Tente apoiar a vontade da criança, por mais que seja difícil, oferecendo-lhe escolhas sempre que possível. Em vez de perguntar "Quer sucrilhos?" "Não!" "Quer mingau?" "Não!" "Quer aveia?" "Não!" e perder a paciência, você pode dizer "Quer sucrilhos, mingau ou aveia?". Ou ofereça à criança duas opções de roupas e permita que ela escolha. Dê-lhe oportunidades de expressar a própria vontade de maneiras seguras e apropriadas.

ENCORAJE A AUTOESTIMA

Como a identidade do ego se forma nessa fase, lembre-se de curtir as conquistas do seu filho. Faça com que ele se sinta valorizado. Apoie a independência da criança sem rejeitá-la. Se você lhe der tarefas que ela consegue realizar, ela desenvolverá a autoconfiança. Brinquedos pedagógicos apropriados para a idade e pequenas tarefas domésticas, como guardar os brinquedos numa caixa ou recolher os animais de pelúcia, podem estimular uma sensação básica de autoconfiança. Se ela insistir em fazer algo que está além das suas capacidades, como amarrar um cadarço, ajude-a. Obviamente, evite criticá-la ou se frustrar demais com suas tentativas desajeitadas de fazer coisas simples. Tenha paciência. Em longo prazo, isso compensará.

ENSINE A USAR O BANHEIRO

A criança demonstra quando está pronta para começar a usar o banheiro. Ela passará a se interessar pelo banheiro e pelas atividades dos adultos dentro dele. Talvez ela lhe diga quando urinou ou resista às fraldas na hora de colocá-las. Ela passará mais tempo com a fralda seca. Os músculos do esfíncter só começam a se contrair entre 1 ano e meio e 2 anos. Talvez ela precise usar fraldas à noite até os 3 anos. Se você esperar o momento certo, ela sentirá orgulho desse comportamento adulto novo em vez de iniciar um conflito inútil.

As recompensas por um comportamento bem-sucedido vão muito além das punições pelos erros, que só provocam vergonha. Providencie algum agrado para estimular o comportamento, além de abraçar, aplaudir e elogiar.

DISCIPLINA APROPRIADA

Enquanto apoia a autonomia e a vontade do seu filho, é óbvio que você não pode abrir mão de todo o controle. É preciso que haja limites apropriados e firmemente estabelecidos. Seu filho não consegue entender raciocínios complexos, e sim afirmações simples de causa e efeito, como: "o cachorro morde! Não toque nele!". A punição severa ensina um comportamento agressivo e aumenta a vergonha. A supressão do amor causa um desentendimento entre o terceiro e o quarto chakras, estimulando a insegurança da criança e sua necessidade de aprovação.

Em vez disso, tente desviar a atenção da criança para algo mais apropriado. Após tirar o controle remoto da boca dela, não grite quando ela chorar. Dê outra coisa para que ela segure. Afaste-a de situações perigosas. Estabelecer limites firmes durante breves períodos (como deixá-la sozinha no quarto por alguns minutos como castigo) pode ser mais eficaz do que a raiva ou a supressão. As crianças são altamente sensíveis à aprovação dos pais nessa fase. Quando necessário, repreenda o comportamento, e não a criança.

CHAKRA QUATRO: DOS 4 AOS 7 ANOS

PRESTE ATENÇÃO NOS RELACIONAMENTOS QUE A CRIANÇA VÊ

As crianças dessa idade aprendem os papéis sociais por meio da identificação e da imitação. A identificação com os pais permite que elas sintam que eles estão junto delas mesmo quando estão fisicamente distantes. Isso significa que seu filho assimilará seu comportamento como parte dele. Se você for uma pessoa esquentada e agressiva, ele aprenderá a ser esquentado e agressivo consigo e com os outros. Enquanto a criança estiver se tornando mais ciente dos relacionamentos ao seu redor, mostre para ela relacionamentos equilibrados e amorosos.

TENHA EMPATIA E UM COMPORTAMENTO MORAL

A identificação com você como pai também serve de base para o comportamento moral do seu filho. Explique para ele por que você faz certas coisas e deixa de fazer outras. "Vamos levar biscoitos para a senhora Smith, pois ela está sozinha e isso a alegrará." "Está vendo como a bebê gosta quando você sorri para ela?" "Não comemos doces antes do jantar porque assim ficamos sem espaço para a comida que forma os ossos e os músculos."

Além disso, perceba que você está copiando o comportamento do seu gênero. Tome cuidado para não apoiar interpretações excessivamente sexistas ou limitadas sobre como homens e mulheres se comportam. Trate seus filhos e filhas com o mesmo nível de afeto, responsabilidade e respeito. Permita que eles vejam uma gama variada de comportamentos aceitáveis. Apresente à sua filha modelos de mulheres fortes. Diga ao seu filho que ele não perderá sua masculinidade por expressar seus sentimentos.

EXPLIQUE AS RELAÇÕES

Seu filho está tentando entender como tudo que ele descobre se encaixa em todo o restante. Quanto mais você explicar essas relações, mais seguro ele se sentirá. "Nós guardamos o quebra-cabeça para não perder as peças." "Colocamos combustível no carro para que ele possa nos levar aos lugares aonde queremos chegar, assim como a comida nos dá energia para fazermos nossas coisas." "Mamãe precisa trabalhar para poder ganhar dinheiro e comprar comida."

A rotina é muito importante. Se ela for interrompida, explique o motivo. "Não podemos ir ao parque hoje porque Tia Mary virá nos visitar."

APOIE OS RELACIONAMENTOS COM OS PARES

Seu filho agora pode se relacionar com crianças da idade dele, com supervisão. Se ele ainda não está na escola, encontre maneiras de colocá-lo junto a outras crianças. Se ele estiver na escola, pergunte sobre as outras crianças com quem ele interage. Encontre oportunidades de promover amizades fora da escola.

CHAKRA CINCO: DOS 7 AOS 12 ANOS

ESTIMULE A COMUNICAÇÃO

Agora seu filho já domina bem a linguagem, então ajude-o a usá-la. Tenha longas discussões com ele sobre a natureza do mundo e incentive-o a fazer perguntas. Responda com calma. Faça-lhe perguntas sobre ele, seus sentimentos e amigos. Escute-o com atenção.

A aprendizagem cognitiva é imensa nesse período. A escola é o maior cenário para aprender e desenvolver a autoconfiança. Demonstre interesse pelos estudos da criança. Ajude-a com o dever de casa. Faça perguntas, acrescente novas informações, compartilhe o que você sabe. Envolva-se com os projetos escolares. Demonstre bons hábitos de estudo. Recompense-a por um bom desempenho.

INCENTIVE A CRIATIVIDADE

O sucesso é o maior motivador para o desenvolvimento de competências. Proporcione à criança oportunidades de se expressar criativamente: material artístico, instrumentos musicais, artesanato, aulas de dança. Demonstre ter pensamento criativo buscando novas maneiras de fazer as coisas, mesmo que seja algo tão banal quanto pôr a mesa. Ensine-a a usar ferramentas. Estimule a criatividade com livros, filmes, peças e shows.

Quando ela lhe mostrar algo que criou, faça questão de elogiar, mesmo que pareça apenas um borrão meio bobo. Assim ela aprende que suas criações têm valor e sua identidade criativa é estimulada. Mostre o desenho para outras pessoas e prenda-o na porta da geladeira. Convide a vovó para a peça da escola.

EXPONHA-O A UM MUNDO MAIOR

Leve seu filho para lugares novos. Uma visita ao museu ou ao zoológico, ir a feiras, fazer uma viagem de férias, acampar na serra. Exponha-o a diferentes modos de vida e incentive a expansão dos horizontes dele.

CHAKRA SEIS: ADOLESCÊNCIA

INCENTIVE A FORMAÇÃO DA IDENTIDADE

Agora seu adolescente está buscando a própria identidade. Não é hora de controlar detalhes que não são prejudiciais, como o cabelo, as roupas ou atividades inofensivas como ouvir música. Respeite a maneira como ele expressa sua individualidade. Estimule-o a pensar por conta própria: faça perguntas em vez de dar respostas. Em vez de contar o que você fez quando tinha a idade dele, pergunte o que ele diria para o próprio filho se ele fosse o pai.

Os papéis que ele adota mudarão muitas vezes antes que ele chegue à identidade adulta. Não se preocupe com aqueles de que você não gosta. Opor-se fortemente a algum deles só aumenta a probabilidade de que ele dure mais.

ESTIMULE A INDEPENDÊNCIA

Permita que seu filho tenha uma vida mais independente. Incentive-o a ganhar o próprio dinheiro e a se responsabilizar por outros aspectos da vida dele, como comprar roupas, ter seu próprio meio de transporte e criar atividades. Deixe-o errar sozinho. Se ele acha que você acredita nele, é mais provável que se comporte responsavelmente.

ESTABELEÇA LIMITES BEM DEFINIDOS

Todavia, os adolescentes devem ter limites claros e constantes. Como agora eles já têm idade para acompanhar raciocínios mais complexos, é importante incluí-los nos pensamentos por trás desses limites, chegando até a deixá-los sugerir maneiras alternativas de lidar com eles. Meu filho, por exemplo, tirou um zero em inglês no primeiro trimestre do ensino médio. Ele perdeu imediatamente o uso da televisão e do computador até as próximas provas. Seis semanas depois, faltando quatro semanas para o próximo boletim escolar, ele perguntou se poderia voltar a usá-los parcialmente se trouxesse um bilhete do professor de inglês dizendo que ele estava se saindo bem melhor. Ele tomou a iniciativa e me mostrou o bilhete que dizia que agora ele era um aluno nota dez. Eu o recompensei pela melhora e o deixei voltar a usar os aparelhos parcialmente.

CHAKRA SETE: INÍCIO DA IDADE ADULTA E DEPOIS

O sétimo chakra se esboça no decorrer da infância. Quando seu filho realmente chega à fase do sétimo chakra, ele já está por conta própria, e sua influência é mínima. Mas abaixo apresento alguns princípios gerais que podem ser praticados antecipadamente:

ESTIMULE OS QUESTIONAMENTOS

Não diga, pergunte. Se seu lar for um lugar seguro para questionar e discutir valores, seu filho aprenderá a pensar por conta própria. Se ele aprender a refletir sobre seus problemas, recebendo apoio e sabendo que talvez haja mais de uma resposta para uma situação, ele terá a mente mais aberta. Quando ele participa de discussões intelectuais e lhe pedem sua opinião, ele sente que seus raciocínios têm valor.

OFEREÇA VARIEDADE ESPIRITUAL

Você não deve obrigar seu filho a ser espiritualizado. É algo que se institui pela imitação consciente de um comportamento e quando você compartilha o que pode enquanto há interesse. Além de expor seu filho à sua religião, você pode fortalecer a espiritualidade dele expondo-o a outras religiões também. Explique por que sua família escolheu a religião de vocês. Permita que ele pesquise outras culturas e estilos de adoração. Se ele achar que sua religião é a melhor, a adotará por conta própria e com mais comprometimento, porque foi uma escolha. Se ele preferir outra por achar que se sente mais realizado assim, a decisão terá sido tomada racionalmente, e não por rebeldia.

OFEREÇA OPORTUNIDADES DE ESTUDO

É aprendendo que alimentamos nosso sétimo chakra e mantemos nosso sistema operacional atualizado. Apoie o estudo de todas as maneiras possíveis, seja por meio de uma faculdade local, de workshops de fim de semana, de uma trilha no Himalaia ou de algum curso desejado. Ensine seu filho a encontrar lições nas suas experiências. Pergunte-lhe o que ele tem aprendido em suas diferentes atividades.

DEIXE SEU FILHO PARTIR

Quando chegar a hora de o seu jovem adulto sair de casa, apoie e comemore a independência dele. Não é benéfico se prender demais a ele nem fazer com que ele saia antes do tempo. Quando o pai ou a mãe suprime o controle e o apego, o jovem gravita naturalmente para o seu próprio mundo.

CONCLUSÃO

À medida que a criança cresce pelos chakras, ela não perde imediatamente as necessidades do chakra anterior. Seus filhos precisam de carinho durante a vida inteira, não só durante os dois primeiros chakras. Eles precisam de aprovação contínua para manterem uma boa autoestima. Você tem de conversar com eles, se envolver e incluí-los nas reuniões e atividades familiares.

Jamais há justificativa para os pais que infligem atividades sexuais, dor física ou críticas vergonhosas aos próprios filhos. Caso isso ocorra, busque ajuda para si mesmo imediatamente em grupos de apoio para pais da sua cidade ou fazendo terapia. Interrompa o ciclo. Não transmita o abuso adiante.

Seus filhos precisam de amor, atenção, aprovação e tempo. Eles precisam ser estimulados, não desestimulados. Precisam fazer parte da sociedade adulta, e a individualidade deles precisa reformar essa sociedade de modo a criar mais harmonia entre corpo, alma e espírito. Seus filhos são os seres sagrados do futuro. São a esperança da humanidade.

Para mais informações sobre as fases do desenvolvimento infantil, veja o livro *Eastern Body, Western Mind* da autora.

GLOSSÁRIO DE TERMOS INDIANOS

Aditi: deusa védica do espaço.

Agni: deus hindu do fogo.

Ahimsā: prática da não violência.

Airāvata: elefante branco de quatro trombas que emergiu da agitação do oceano. Animal dos chakras *Muladhara* e *Vishuddha*. Extrai água do submundo para semear as nuvens.

Ājñā: conhecer, perceber e comandar; nome do sexto chakra.

Ākāsha: éter, espaço, vacuidade; lugar onde perduram os indícios de todas as existências e de todos os acontecimentos.

Ānahata: som que é feito sem que duas coisas colidam; nome do chakra quatro (cardíaco).

Āsana: pose ou postura mantida confortavelmente; refere-se às várias posições do hatha yoga.

Ātman: alma, eu, princípio eterno.

Avidyā: ignorância, ausência de compreensão ou conhecimento.

Bhakti yoga: yoga da devoção e do serviço a outra pessoa, normalmente um guru.

Bhukti: prazer; aquilo que acontece quando a consciência superior desce para os chakras inferiores.

Bīja mantra: som semente representado por uma letra-símbolo no centro de cada chakra; acredita-se que esse som proporciona o acesso à essência do chakra ou controle sobre ela.

Bindu: (1) pequeno ponto em certas letras para representar o som "mmm"; (2) partícula básica mítica, uma mônada adimensional a partir da qual a matéria é criada; (3) uma gota de sêmen.

Brahma: deus criador, parceiro de Sarasvati; equilibrador das forças centrípeta e centrífuga.

Chakra: (1) um centro de recepção, assimilação e expressão de energias da força vital; (2) qualquer um dos sete centros energéticos do corpo; (3) um vórtice de energias semelhante a um disco, criado pela intersecção de diferentes planos;

323

(4) uma roda, como a de uma carruagem; (5) um disco, a arma preferida de Vishnu; (6) a roda giratória dos deuses; (7) a roda do tempo; (8) a roda da lei e da ordem celestial; (9) um círculo ritual tântrico de pessoas, alternando homens e mulheres.

Chakra Brahma: (1) a roda de Brahma, isto é, o universo; (2) nome de um círculo mágico em particular (Stutley).

Chakrāsana: postura da ponte (retroflexão); postura intermediária do yoga que abre a frente de todos os chakras ao mesmo tempo.

Chakravāla: nove cordilheiras míticas que cercam o mundo, em cujo centro se encontra o Monte Meru.

Chakravartin: governante, rei, super-homem. Desde as eras pré-védica, védica antiga e pré-ariana, o monarca todo-poderoso que supostamente foi precedido em seu caminho pela aparição luminosa de uma roda solar. O Chakravartin se enxerga como o torneiro e o centro da grande roda do karma, governante do centro do universo; o chakra seria um dos sete símbolos que ele receberia no momento em que realizaria sua missão (ver Heinrich Zimmer).

Chakreś vara: deus do disco, um epíteto de Vishnu.

Dākinī: Uma das quatro *shaktis* elementares, associada à Terra no chakra *Muladhara*.

Deva: termo genérico para deus; também poder celestial.

Devī: termo genérico para deusa.

Dharma: (1) ordem cósmica divina; (2) dever moral e religioso, costume social, princípio ético; (3) o ato de cumprir um dever religioso.

Dhyāna: meditação, contemplação.

Ganesha (ou Ganapati): deus amável com cabeça de elefante, o removedor de obstáculos; associado à prosperidade e à paz.

Gaurī: "aquela que é amarela e brilhante" — nome de uma deusa retratada no chakra cinco (*Vishuddha*), que é a consorte de Shiva ou de Varuṇa. Às vezes, ela é a deusa da fertilidade; às vezes, é associada às águas primordiais (*apah*); às vezes, é o gado sagrado. O Gauris é uma classe de deusas que inclui Uma, Parvati, Rambha, Totala e Tripura.

Guṇas: características; os três fios que entrelaçam as características em todas as coisas: tamas, rajas, *sattva*.

Guru: um professor religioso, especialmente se realiza a iniciação.

Hākinī: o *shakti* do sexto chakra (*Ajna*).

Haṁ: som semente do quinto chakra (*Vishuddha*).

Hanuman: deus inteligente com forma de macaco.

324

Hatha yoga: o yoga pelo caminho do treinamento do corpo.

Idā: um dos três nadis centrais, que representa a energia feminina e lunar de uma pessoa; também é associado ao Ganges e sua cor é o amarelo.

Indra: um dos principais deuses celestiais do panteão hindu; deus da cura e da chuva que costuma andar montado em um touro.

Īśvara: deus no chakra cardíaco que representa a unidade; literalmente, "Senhor"; o mais próximo de um deus monista, mas não devido à sua importância.

Jaina: um dos sistemas hindus pós-védicos e heterodoxos, com ênfase no ascetismo e na proteção de todas as coisas (ahimsā) para a libertação do karma. A essência de sua filosofia constituía-se de três ideais — fé, conhecimento correto e conduta correta.

Jīva: alma individual ou psique, encarnada como uma força vital, em oposição a atman, um senso de alma espiritual e mais universal.

Jñāna yoga: o yoga da libertação por meio do conhecimento.

Kākinī: O *shakti* do quarto chakra (Anāhata).

Kali: deusa coroca, mãe terrível, destruidora onipotente, consorte de Shiva. Também simboliza o tempo eterno, costuma ser preta (a noite eterna), tem a boca aberta com a língua para fora e quatro braços que seguram armas e uma cabeça decapitada e ensanguentada. É a destruidora da ignorância e do excesso.

Kalpataru: árvore celestial dos desejos situada no lótus Anandakanda, abaixo do chakra cardíaco.

Kāma: (1) amor, desejo, luxúria — principal força motora da existência. (2) deus da luxúria e do amor que tentou afastar Shiva de suas meditações e foi reduzido a uma entidade sem corpo devido à ira de Shiva, por isso, ele só paira sobre amantes que estejam realizando atividades sexuais.

Karma: ação; o ciclo contínuo de causa e efeito em que o indivíduo entra devido às suas ações passadas e atuais.

Karma yoga: O caminho do yoga que aborda a libertação por meio da ação correta.

Kuṇḍala: enroscado.

Kundalinī: (1) deusa serpente que dá três voltas e meia no chakra *Muladhara*; ao despertar, ela sobe pelo *sushumna* e perfura cada chakra. (2) força energética que conecta e ativa os chakras. (3) uma espécie de despertar, caracterizado pela ascensão de correntes de energia psíquica.

Lākinī: o *shakti* do terceiro chakra (*Manipura*).

Lakshmī: deusa mãe da riqueza e da beleza, consorte de Vishnu, pervasiva e protetora.

Laṁ: som semente do chakra *Muladhara*.

Linga: símbolo fálico, normalmente associado a Shiva. Sinal de poder gerador, mas se acreditava que Shiva jamais ejaculava em suas atividades sexuais. Símbolo do potencial masculino.

Lótus Ānandakanda: Pequeno lótus de oito pétalas localizado no *sushumna*, entre o terceiro e o quarto chakra. Contém um altar e uma "árvore celestial dos desejos". Dizem que meditar sobre esse lótus provoca a libertação (*moksa*).

Maṇḍala: desenho geométrico redondo usado para ajudar na meditação.

Maṇipūra: literalmente, pedra lustrosa; nome do terceiro chakra, que se situa no plexo solar.

Mantra: literalmente, ferramenta do pensamento; denota uma palavra, frase ou som sagrado que é repetido interna ou externamente, como uma ferramenta para a meditação e para rituais.

Māhashakti: literalmente, poder materno; grande campo energético primordial composto de forças que vibram constantemente.

Māyā: ilusão, personificada como uma deusa. Magia, poder sobrenatural, grande habilidade.

Mokṣa (também Mukti): libertação, desprendimento; aquilo que é obtido pelo desprendimento do apego e pelo desejo feito a Kalpataru.

Mudrā: sinal feito com uma posição particular das mãos, às vezes usado na meditação.

Mūlādhāra: chakra um, base da coluna, elemento terra; significa apoio básico.

Nadīs: canais de energia psíquica no corpo sutil; a raiz, *nad*, significa movimento ou fluxo.

Ojas: néctar da bem-aventurança; aquilo que se destila a partir do bindu.

Padma: lótus; às vezes usado como um nome alternativo para os chakras.

Para sabda: som silencioso, pensamento que precede um som audível.

Pingalā: um dos três principais *nadis*; representa a energia solar ou masculina; relacionado ao rio Yamuna e sua cor é o vermelho.

Prakṛti: natureza material primordial, tanto ativa quanto passiva; matéria básica que compõe a manifestação; contraparte feminina do *purusa*.

Prāna: respiração da vida, primeira unidade, os cinco ventos vitais (os pranas), força móvel do universo.

Prānayama: prática de controlar ou exercitar a respiração a fim de se purificar ou de obter a iluminação espiritual.

Pūjā: adoração na forma de uma homenagem ou oferenda ritual a uma divindade.

Puruṣa: princípio masculino, criativo, mental, ativo. É a consciência que complementa Prakrti. As duas juntas criam o mundo.

Rajas: guna associado à energia bruta, à força motriz; o transformador, o guna impetuoso.

Rākinī: forma de Shakti no segundo chakra (*Svadhisthana*).

Raṁ: som semente do terceiro chakra (*Manipura*).

Rudra: outro nome para Shiva, um dos deuses escuros do fogo, associado ao raio e ao trovão, às tempestades, ao gado e à fertilidade.

Sahasrāra: literalmente, composto de mil partes, nome do sétimo chakra (chakra da coroa).

Śakti (também Shakti): energia ou poder divino, deusa feminina, contraparte de Shiva; ela é o princípio ativo de todas as coisas e muda constantemente, sendo representada com muitas formas e nomes; nos chakras inferiores, ela é Dakini, Rakini, Lakini, Kakini.

Samādhi: um estado de iluminação ou bem-aventurança.

Samsāra: o fluxo e ciclo de nascimento e morte.

Sarasvatī: literalmente, deusa dos rios; patrona de todas as 64 artes, mãe da fala e da escrita, epítome da pureza e consorte de Brahma.

Sattva: o mais leve dos gunas, associado ao pensamento, ao espírito e ao equilíbrio.

Siddhis: poderes mágicos alcançáveis em certos níveis da prática do yoga e/ou do despertar da Kundalini.

Śiva (também Shiva): um dos principais deuses masculinos indianos, associado aos aspectos abstratos e amorfos do pensamento e do espírito; o nome significa "auspicioso", e é associado a uma luz branca e ardente, como um raio, como um linga, como o Senhor do Sono, como o Destruidor (pois ele destrói a forma e os apegos), como consorte de Shakti e Kali.

Sushumnā: *nadi* vertical central que conecta todos os chakras; para que o despertar da Kundalini seja completo, a energia deve subir pelo sushumnā.

Svādhisthāna: nome do segundo chakra, localizado no baixo-ventre e na área genital; inicialmente, o nome significava "absorver doçura", da raiz *svadha*, adoçar ou saborear; interpretações posteriores associam a palavra à raiz *svad*, que significa próprio, dando ao chakra o nome de "o lugar próprio de alguém"; ambos condizem com a descrição do segundo chakra.

Tamas: guna que representa matéria, a inércia em repouso, a resistência a forças opostas. É o guna mais pesado e limitado dos três.

Tantra: (1) literalmente, tecer ou tear. (2) refere-se a um grande corpo de ensinamentos tecidos a partir de muitos fios da filosofia indiana que se popularizou de cerca de 600 a 700. (3) prática de alcançar a libertação por meio dos sentidos e da união com outra pessoa.

Tantras: doutrinas referentes à filosofia e à prática tântricas.

Tapas: força de calor gerada pela prática asceta, considerada uma medida de poder pessoal e de uma espiritualidade avançada.

Tejas: energia ardente, poder vital, autoridade majestosa; o chakra de Vishnu foi criado a partir do tejas solar (Stutley).

Trikona: triângulo que aparece em vários chakras e em outros yantras; quando aponta para baixo, representa Shakti e, quando aponta para cima, Shiva; no chakra cardíaco, eles se entrelaçam, representando um matrimônio sagrado.

Upaniṣadas: um conjunto de doutrinas de ensino posteriores aos Vedas; acredita-se que foram escritas entre 700 e 300 a. C.

Vaikhari: som audível.

Vaṁ: som semente do segundo chakra (*Svadhisthana*).

Varuṇa: um dos deuses celestiais védicos mais antigos, pai de muitos dos deuses posteriores, associado à lei e à ordem divina; é relacionado ao garanhão (dos sacrifícios antigos) e ao makara, como governante das águas primordiais.

Vāyu: (1) vento e deus do vento; acredita-se que tem poderes purificadores. (2) refere-se a uma das cinco correntes prânicas do corpo — udana, prana, smana, apana e vyana.

Vedānta: filosofia pós-védica que enfatiza o senso de divindade dentro do eu; "vós sois isso".

Vedas: literalmente, conhecimentos; conjunto mais antigo de doutrinas antigas, composto em grande parte de hinos sagrados e descrições de rituais; originalmente cobiçado pela classe sacerdotal ariana.

Viṣṇu: importante divindade masculina indiana; parte da tríade principal (Brahma, Vishnu e Shiva); conhecido como o Pervasivo e como parceiro de Lakshmi.

Viśsuddha: literalmente, purificação; nome do quinto chakra, localizado na garganta.

Yaṁ: som semente do quarto chakra (Anāhata).

Yāma: deus da morte.

Yantra: desenho usado na meditação semelhante a uma mandala (o yantra nem sempre precisa ser redondo); também é um sistema do yoga baseado na meditação sobre símbolos visuais.

Yoga: literalmente, jugo; um sistema de filosofia e técnicas cujo propósito é unir mente e corpo e o eu individual ao eu universal ou divino; há muitas formas e práticas de yoga — ver Bhakti, Hatha, Jnana, Karma, Tantra, Mantra, Yantra, Pranayama.

Yoni: genitália feminina; às vezes é retratada e adorada sob a forma de um cálice; contraparte à adoração do linga.

BIBLIOGRAFIA

Acharya, Pundit. *Breath, Sleep, the Heart and Life.* Clearlake: Dawn Horse Press, 1975. Livro agradável sobre os benefícios de levar uma vida mais sossegada.

Arguelles, Jose e Miriam. *Mandala.* Boston: Shambhala, 1972. Uma ótima introdução ao misticismo de uma maneira não esotérica. Um livro encantador.

Asimov, Isaac. *O cérebro humano: suas capacidades e funções.* São Paulo: Hemus, 1996.

Assagioli, Roberto. *O ato da vontade.* São Paulo: Cultrix, 1985. Ótimo para o desenvolvimento da força de vontade no terceiro chakra.

Avalon, Arthur. *The Serpent Power.* Nova York: Dover Publications, 1974. Um clássico sobre os chakras que contém a tradução de grandes textos tântricos; abordagem acadêmica com muito sânscrito; há uma abundância de informações.

Babbitt, Edward D. *The Principles of Light and Color.* 1878. Reimpressão, Nova York: Citadel Press, 1980. Muitas informações interessantes escritas com um estilo meio arcaico.

Baker, Douglas. *Anthropogeny,* vol. VI de *The Seven Pillars of Ancient Wisdom* "Little Elephant". Essendon, Inglaterra, 1975. Tratado teosófico sobre os sete raios e a evolução.

Baker, Douglas. *A abertura da terceira visão.* Rio de Janeiro: Record, 1977. Abordagem teosófica da clarividência.

Ballentine, Rudolph. *Diet and Nutrition.* Honesdale: Himalayan International Institute, 1978.

Bandler, Richard e Grinder, John. *Atravessando — Passagens em psicoterapia.* São Paulo: Summus, 1984. Programação neurolinguística.

Barrie e Rockliffe. *The Sufi Message,* vol. 2. London, 1972.

Bentov, Itzhak. *À espreita do pêndulo cósmico.* São Paulo: Pensamento, 1990. Um livro escrito de maneira encantadora sobre a mecânica da consciência.

Blair, Lawrence. *Rhythms of Vision.* Nova York: Schocken Books, 1976. Uma jornada fascinante pela física e pela metafísica.

Blawyn e Jones. *Chakra Workout for Body, Mind, and Spirit.* St. Paul: Llewellyn, 1996. Uma série abrangente de exercícios para rejuvenescer as energias sutis. Entretanto, não tem tanto a ver com os chakras.

Blofeld, John. *Mantras: palavras sagradas de poder.* São Paulo: Pensamento, 1977. Livro sobre os mantras escrito por um acadêmico especialista em budismo.

Bloomfield *et al. Meditação transcendental: a descoberta da energia interior e o domínio da tensão.* Nova Fronteira, 1976. Uma ótima introdução à meditação e seus benefícios.

329

Buck, William (trad.). *Mahabharata*. Berkeley: University of California Press, 1973. [São Paulo: Cultrix, 2014]. Uma das histórias clássicas da mitologia hindu.

Burton, Sir Richard F., trans. *The Kama Sutra of Vatsyayana*. Nova York: E.P. Dutton, 1962. Texto detalhado sobre os rituais sexuais tântricos.

Brugh Joy, William. *Joy's Way*. Los Angeles: J.P. Tarcher, 1979. A história de um médico que desenvolve a sensibilidade espiritual e a capacidade de cura. Ele também descobre os chakras e os descreve.

Bruyere, Rosalyn. *Wheels of Light: Chakras, Aura and the Healing Energy of the Body*, vol. I. Arcadia: Born Productions, 1994. Uma variedade interessante de informações científicas e filosóficas sobre os chakras.

Capra, Fritjof. *The Tao of Physics*. Nova York: Bantam Books, 1975. [*O tao da física*. São Paulo: Cultrix, 2020] Um clássico sobre a física e a metafísica oriental.

Carlyn, Richard. *A Guide to the Gods*. Nova York: Quill, 1982. Um ótimo livro de referência sobre os panteões de diferentes culturas.

Cecil-Goldman. *Textbook of Medicine*. Philadelphia: W. B. Saunders Co., 1979.

Clark, Linda. *The Ancient Art of Color Therapy*. Nova York: Pocket Books, 1975. Um dos clássicos sobre cromoterapia.

Collier's Encyclopedia. Nova York: MacMillan, 1981.

Crenshaw, Theresa. *A alquimia do amor e do tesão*. Rio de Janeiro: Record, 1998. Uma análise excelente e divertida sobre os hormônios que controlam nossas vidas e nossa sexualidade.

Crowley, Aleister. *The Book of the Law*. O.T.O. Grand Lodge, 1978. [*O livro da lei*. Joinville: Clube de Autores, 2018]

Crowley, Aleister. *Oito palestras sobre yoga*. Joinville: Clube de Autores, 2019.

Crowley, Aleister. *Magick in Theory and Practice*. Nova York: Dover Publications, 1976.

Crowley, Aleister. *Magick Without Tears*. St. Paul, MN: Llewellyn, 1976. Prefiro não falar muito sobre Crowley. Ele é amado ou odiado. Se você apreciar a obra dele, há muito o que aprender.

Cunningham, Scott. *Enciclopédia Cunningham de magia com cristais, gemas e metais*. São Paulo: Madras, 2011.

Cunningham, Scott. *O livro completo de óleos, incensos e infusões*. São Paulo: Global, 2005.

Cunningham, Scott. *Cunningham's Encyclopedia of Magical Herbs*. St. Paul: Llewellyn, 1985. Os livros de Scott foram valiosíssimos para a associação de ervas e pedras aos elementos e chakras.

Danielou, Alain. *The Gods of India*. Rochester: Inner Traditions, 1985. Um livro informativo sobre o panteão hindu, embora fale pouco sobre as deusas.

Davis, Mikol e Lane, Earle. *Rainbows of Life*. Nova York: Harper Colophon Books, 1978. Um livro sobre fotografia Kirlian e a aura das coisas vivas.

Dass, Ram. *The Only Dance There Is*. Nova York: Anchor Press, 1974. O primeiro livro que li que continha a palavra *chakra*. O livro que me fez começar tudo isso.

DeBono, Edward. *O pensamento lateral*. Rio de Janeiro: Nova Era, 1992. Um ótimo guia para destravar a criatividade mudando a maneira como você pensa.

Delangre, Jacques. *Do-in: técnica oriental de automassagem*. São Paulo: Ground, 1980. Uma maneira simples de cuidar do seu corpo.

Douglas, Nik e Slinger, Penny. *Sexual Secrets*. Nova York: Destiny Books, 1979. Uma introdução às práticas tântricas para ocidentais, ilustrada e belamente escrita.

Dychtwald, Ken. *BodyMind*. Nova York: Jove Publications, 1977. [*Corpomente*. São Paulo: Summus, 1984] Um livro bem escrito sobre a relação entre corpo e mente, com ótimas seções sobre os chakras.

Embree, Ainslie T. *The Hindu Tradition*. Nova York: Vintage Books, 1972. Informativo e acadêmico, além de bem escrito.

Evans, John. *Mind, Body and Electromagnetism*. Shaftesbury, Dorset: Element Books, 1986. Psicofisiologia da aura humana, conceitos de energia, consciência, vibração, campos morfogenéticos etc.

Evola, Julius. *The Yoga of Power: Tantra, Shakti, and the Secret Way*, edição americana. Rochester: Inner Traditions, 1992. Análise acadêmica da filosofia e das práticas tântricas esotéricas.

Ferguson, Marilyn. *The Aquarian Conspiracy*. Los Angeles: J. P. Tarcher, 1980. [*A conspiração aquariana*. Rio de Janeiro: Nova Era, 2006] Um livro excelente para a época em que foi publicado (1980) sobre as mudanças no pensamento cultural.

Feuerstein, Georg. *Tantra: sexualidade e espiritualidade*. Record, 2001. Um guia bem escrito sobre a filosofia tântrica hindu.

Feuerstein, Georg. *Enciclopédia do yoga da Pensamento*. São Paulo: Pensamento, 2006. Um ótimo livro para consultar termos e ideias do yoga.

Fortune, Dion. *The Cosmic Doctrine*. York Beach: Weiser Publications, 1976. [*A doutrina cósmica*. São Paulo: Pensamento, 1995] Livro abrangente com muita sabedoria e filosofia metafísica que nos dá muito o que pensar.

Fortune, Dion. *A cabala mística*. São Paulo: Pensamento, 1984. Uma apresentação agradável de ler sobre a Cabala.

Frawley, David. *Tantra Yoga and the Wisdom Goddesses*. Salt Lake City: Passage Press, 1994. Aborda o tantra tradicional e moderno, falando especialmente das deusas hindus.

Gach, Michael Reed. *Acu-Yoga*. Briarcliff Manor: Japan Publications, 1981. Livro de exercícios para estimular os chakras e os meridianos da acupuntura a fim de melhorar a saúde.

Gardner, Joy. *Color and Crystals: a Journey through the Chakras*. Freedom: The Crossing Press, 1988. Um manual útil para quem mexe com cristais.

Gawain, Shakti. *Visualização criativa*. São Paulo: Pensamento, 2003. Um clássico sobre o uso da visualização para criar o que você deseja.

Gerber, Richard. *Vibrational Medicine: New Choices for Healing Ourselves*. Santa Fe: Bear & Co., 1988. [*Medicina vibracional: Uma medicina para o futuro*. São Paulo: Cultrix, 1992] Explicações sobre o corpo sutil e sobre como usar as energias vibracionais sutis para a cura.

Greenwell, Bonnie. *Energies of Transformation: A Guide to the Kundalini Process*. Saratoga: Shakti River Press, 1990. Um guia prático para a compreensão do despertar da

Kundalini. Muito recomendado para aqueles que tiveram um despertar espontâneo e para terapeutas que trabalham com isso.

Goldberg, B. Z. *The Sacred Fire*. Nova York: Citadel Press, 1974. Livro bem escrito sobre a história do sexo nos rituais, nas religiões e no comportamento humano (fora de catálogo).

Goldman, Lee e Schafer, Andrew I. *Goldman-Cecil Medicina*. GEN Guanabara Koogan, 2021.

Guyton, Arthur C. *Tratado de fisiologia médica*. São Paulo: Elsevier, 2011.

Halpern, Steven. *Tuning the Human Instrument*. Belmont: Spectrum Research Institute, 1978. Uma exploração da música e da consciência.

Hamel, Michael Peter. *O autoconhecimento através da música*. São Paulo: Cultrix, 1991. Mais sobre música e consciência, mais acadêmico do que o *Tuning* de Halpern.

Hampden-Turner, Charles. *Maps of the Mind*. Nova York: Collier Books, 1981. Um livro encantador com ensaios curtos e ilustrações sobre os muitos modelos que descrevem o funcionamento da mente.

Hills, Christoper. *Energy, Matter, and Form*. Boulder Creek: University of the Trees Press, 1977. Uma exploração de algumas contrapartes físicas do fenômeno psíquico.

Hills, Christoper. *Nuclear Evolution*. Boulder Creek: University of the Trees Press, 1977. Um livro longo, mas que vale a pena, sobre a teoria de Hills a respeito dos chakras, da evolução e da metafísica.

Hubbard, Barbara Marx. *The Evolutionary Journey*. San Francisco: Evolutionary Press, 1982. Um livro de uma futurista encantadoramente inspirada.

Hunt, Roland. *As sete chaves da cura pela cor*. São Paulo: Pensamento, 1993. Uma ótima introdução à cura pela cor.

Jahn, Robert. "Foundation for Mind-Being Research Newsletter". *Reporter*, ago. 1982. Cupertino.

Jarow, Rick. *Criando o trabalho que você ama: coragem, compromisso e carreira*. Rio de Janeiro: Mauad, 2014. Conselhos para a carreira baseados nos chakras, ou como ser feliz em cada chakra no seu trabalho.

Jenny, Hans. *Cymatics*. Nova York: Schocken Books, 1975. Fora de catálogo, mas o seguinte vídeo mostra o trabalho do doutor Jenny — *Cymatics: The Healing Nature of Sound*. Jeff Volk, produtor da série. Macromedia, P.O. Box 279, Epping, NH 03042.1986.

Judith, Anodea. *Eastern Body, Western Mind: Psychology and the Chakra System as a Path to the Self*. Berkeley: Celestial Arts, 1996. Psicologia ocidental e filosofia dos chakras.

Judith, Anodea e Vega, Selene. *Jornadas de cura*. São Paulo: Pensamento, 1993. Livro com exercícios, rituais e práticas para abrir os chakras, usado no Curso Intensivo sobre os Chakras, com nove meses de duração.

Jung, Carl Gustav. *The Psychology of Kundalini Yoga*. Sonu Shamdasani (ed.). Princeton: Princeton University, 1996. Palestras de Jung sobre psicologia ocidental e os chakras.

Kahn, Inayat Hazrat. *The Development of Spiritual Healing*. Genebra: Sufi Publishing Company, 1961. Livrinho simpático sobre a essência por trás da cura.

Keyes Jr., Ken. *Guia para uma consciência superior*. São Paulo: Pensamento, 1997. Uma perspectiva extremamente simplificada, mas relativamente precisa, sobre os níveis de consciência dos chakras.

Keyes, Laurel Elizabeth. *Toning: The Creative Power of the Voice*. Marina del Rey: Devorss and Company, 1978. Benefícios espirituais de cantar e entoar.

Khalsa, Dharma Singh. *A longevidade do cérebro*. Rio de Janeiro: Objetiva, 2005. Descreve as substâncias químicas que afetam nosso cérebro e como preservá-lo.

King, Frances. *Tantra for Westerners*. Rochester: Destiny Books, 1986. Livrinho simpático sobre o tantra que combina a prática oriental com as tradições mágicas ocidentais.

Kramer, Joel e Alstad, Diana. *The Guru Papers: Masks of Authoritarian Power*. Berkeley: Frog, Ltd., 1993.

Krishna, Gopi. *Kundalini, The Evolutionary Energy in Man*. Boston: Shambhala, 1971. Um clássico sobre as dificuldades do iogue com os desafios e as recompensas do despertar da Kundalini.

Leadbeater, C. W. *Os chakras*. São Paulo: Pensamento, 1960. O clássico ocidental sobre os chakras. Por muito tempo, esse foi o único livro ocidental sobre o tema.

Leadbeater, C. W. *O homem visível e invisível*. Limeira: Editora do Conhecimento, 2009.

Leonard, George. *The Silent Pulse*. Nova York: E.P. Dutton, 1978. Um livro maravilhoso sobre a ressonância e a teoria do quinto chakra.

Lewis, Alan E. e Clouatre, Dallas. *Melatonin and the Biological Clock*. New Canaan: Keats Publishing, Inc., 1996.

Love, Jeff. *The Quantum Gods*. York Beach: Weiser, 1976. Uma ótima apresentação original sobre a Cabala.

Lowen, Alexander. *O corpo traído*. São Paulo: Summus, 2019. Um bom livro sobre a relação entre mente e corpo, especialmente no que tange ao prazer natural.

Lowen, Alexander. *Bioenergética*. São Paulo: Summus, 2017. Uma boa introdução à terapia bioenergética.

Lowen, Alexander e Leslie. *Exercícios de bioenergética: o caminho para uma saúde vibrante*. São Paulo: Summus Editorial, 2020. Um manual para leigos com exercícios de bioenergética. Recomendado para quem deseja trabalhar nos chakras inferiores, apesar de não mencionar os chakras especificamente.

MacDonnell, Arthur Anthony. *A Practical Sanskrit Dictionary*. Nova York: Oxford University Press, 1954.

Macy, Joanna Rogers. *Despair and Personal Power in the Nuclear Age*. Filadélfia: New Society Publishers, 1983. Livro bem escrito contendo vários exercícios e meditações grupais e individuais relacionados à situação mundial atual.

McLuhan, Marshall. *Understanding Media*. Nova York: Mentor Book, 1964. Um clássico de sua época.

Merrill-Wolfe, Franklin. *The Philosophy of Consciousness Without an Object*. Nova York: Julian Press, 1973. O título diz tudo. As páginas são supérfluas.

Mishlove, Jeffrey. *The Roots of Consciousness*. Nova York: Random House, 1975. Livro excelente sobre o estudo da consciência da Antiguidade até hoje.

Monier-Williams, Sir Monier. *Sanskrit-English Dictionary*. Nova Déli: Munshiram Manoharlal Publishers, 1976.

Montagu, Ashley. *Touching.* Nova York: Harper and Row, 1971. [*Tocar.* São Paulo: Summus, 1988] Maravilhoso livro que corrobora a utilidade e a necessidade do toque humano.

Mookerjee, Ajit. *Kundalini, the Arousal of Inner Energy.* Rochester: Destiny Books, 1982. Livro ilustrado sobre Kundalini, com teoria, imagens, gráficos e diagramas. Uma ótima introdução.

Mookerjee, Ajit. *The Tantric Way.* Boston: Nova York Graphic Society, 1977. Um livro bem organizado sobre a arte, a ciência e o ritual da filosofia tântrica.

Motoyama, Hiroshi. *Teoria dos chakras: ponte para a consciência superior.* São Paulo: Pensamento, 2012. Os chakras sob a perspectiva asceta. Inclui traduções de textos tântricos que falam sobre chakras.

Muktananda, Swami. *Jogo da consciência.* Siddha Yoga, 2000. A história do despertar da Kundalini de um guru.

Muller, F. Max (trad.). *The Upanishads.* Nova York: Dover Publications, 1962.

Mumford, Jonn. *A Chakra and Kundalini Workbook.* St. Paul: Llewellyn, 1994. Técnicas psicofisiológicas para fazer o prana se mover pelos chakras.

Myss, Caroline. *Anatomia do espírito.* Rio de Janeiro: Rocco, 2000. Compara a Cabala, os sacramentos cristãos e os chakras.

Oki, Masahiro. *Healing Yourself Through Okido Yoga.* Briarcliff Manor: Japan Publications, 1977. Livro de exercícios para diferentes enfermidades. Também aborda diferentes partes da coluna, então é bom para trabalhar com as costas ou com os chakras.

Organ, Troy Wilson. *Hinduism.* Nova York: Barron Educational Series, 1974. Livro esclarecedor sobre o hinduísmo.

Os yoga sutras de Patanjali. São Paulo: Mantra, 2019. Um clássico sobre a doutrina do yoga.

Ott, John. *Health and Light.* Nova York: Pocket Books, 1973. Vale a pena a leitura. É a história da descoberta e da autocura de um homem usando os efeitos da luz em plantas e animais.

Ozaniec, Naomi. *O livro básico dos chakras.* São Paulo: Pensamento, 2001. Uma breve introdução aos chakras.

Paulson, Genevieve Lewis. *Kundalini and the Chakras: A Practical Manual.* St. Paul: Llewellyn, 1991. Manual de técnicas para trabalhar com os chakras.

Peitsch, Paul. *Shufflebrain.* Boston: Houghton Mifflin, 1981. Livro que defende a teoria holográfica com experimentos de transplantes cerebrais em animais inferiores.

Pierrakos, John. *Energética da essência.* São Paulo: Pensamento, 2011. Teoria da bioenergética, armadura e chakras.

Prescott, James. "Body Pleasure and the Origins of Violence." *The Futurist*, IX, n. 2, abr. 1975, p. 64-75. Relação entre permissividade sexual e violência reduzida.

Pribram, Karl. "Interview". *Omni Magazine*, out. 1982.

Radha, Swami Sivananda. *Kundalini Yoga for the West.* Palo Alto: Timeless Books, 1996. Perguntas e temas para reflexão relacionados aos chakras. Ótimos gráficos e diagramas.

Radhakrishnan, Sarvepalli e Moore, Charles A. *A Sourcebook in Indian Philosophy.* Princeton: Princeton University Press, 1957. Traduções dos principais textos indianos e comentários sobre eles.

Rajneesh, Bhagwan Shree. *Meditação: a arte do êxtase*. São Paulo: Cultrix, 1976. Livro relativamente sensato sobre o tema, escrito por um guru indiano radical.

Rama, Swami; Ballentine, Rudolph; Hymes, Alan. *Science of Breath: a Practical Guide*. Honesdale: Himalayan International Institute, 1979. Informações da medicina e do yoga sobre a respiração.

Rama, Swami; Ballentine, Rudolph; Ajaya, Swami. *Yoga and Psychotherapy: The Evolution of Consciousness*. Honesdale: Himalayan International Institute, 1976. Uma ótima introdução à união da psicologia oriental com a ocidental.

Raymond, Lizelle. *Shakti — A Spiritual Experience*. Nova York: A. E. Knopf, 1974. Livro comovente sobre Shakti, a deusa essencial.

Reich, Wilhelm. *The Function of the Orgasm*. Nova York: World Publications, 1942. [*A função do orgasmo*. São Paulo: Brasiliense, 2004] Um dos livros mais lidos de Reich e um clássico para o estudo da teoria reichiana.

Rele, Vasant G. *The Mysterious Kundalini*. São Paulo: Bombaim: Taraporevala Sons and Company, 1970. Livro curto sobre Kundalini, yoga e anatomia psíquica.

Rendel, Peter. *Os chacras — Estrutura psicofísica do homem*. São Paulo: Hemus, 1983. Um pequeno livro muito bom sobre os chakras.

Restak, Richard M. *The Brain, The Last Frontier*. Nova York: Warner Books, 1979. Um médico escreve sobre as incríveis capacidades do cérebro.

Samples, Bob. *The Metaphoric Mind*. Boston: Addison-Wesley, 1976. Imagens encantadoras e texto encantador sobre o lado direito do cérebro.

Samuels, Mike. *Seeing with the Mind's Eye*. Nova York: Random House, 1976. Um ótimo livro para explorar as técnicas de visualização.

Sannella, Lee. *A experiência da Kundalini*. São Paulo: Cultrix, 1987. Uma médica analisa as experiências com a Kundalini.

Sannella, Lee. *Kundalini, Psychosis or Transcendence?* San Francisco: H. S. Dakin Company, 1978. Examina as teorias sobre a Kundalini que não são clássicas.

Satprem. *Sri Aurobindo, or the Adventure of Consciousness*. Nova York: Harper and Row, 1968. [*Sri Aurobindo ou a aventura da consciência*. São Paulo: Perspectiva, 2012] Livro excelente que resume os ensinamentos de Aurobindo.

Scott, Mary. *Kundalini in the Physical World*. London: Routledge and Kegan Paul, 1983. Livro bem escrito e bem pesquisado sobre a Kundalini como uma força terrestre.

Selby, John. *O despertar da Kundalini*. Rio de Janeiro: Best Seller, 1995. Um guia razoável sobre os chakras. Grande parte dele vem deste livro, *Chakras — O guia clássico para o equilíbrio e a cura do sistema energético*.

Sheldrake, Rupert. *Uma nova ciência da vida*. São Paulo: Cultrix, 2014. A teoria dos campos morfogenéticos descrita pelo homem que a concebeu. É escrito para biólogos, então alguns artigos mais populares descrevem a teoria de uma maneira mais apropriada para os leigos (ver *ReVision Journal*, vol. 5, n. 2, outono de 1982).

Sherwood, Keith. *Terapia dos chakras*. São Paulo: Siciliano, 1995. Livro para iniciantes que mistura psicologia e metafísica.

Silburn, Lillian. *Kundalini: Energy of the Depths*. Albany: SUNY Press, 1988. Práticas esotéricas relacionadas à Kundalini e tradução de escrituras.

Slater, Wallace. *Raja Yoga — Um curso simplificado de yoga integral*. Brasília: Teosófica, 2008. Uma série de aulas de yoga.

Starhawk. *Dreaming the Dark*. Boston: Beacon Press, 1982. Excelente livro sobre recuperarmos nosso poder a fim de mudar o mundo. Foi uma inspiração para mim.

Starhawk. *The Spiral Dance*. San Francisco: Harper and Row, 1979. Introdução maravilhosa aos elementos da magia e à religião das deusas.

Steiner, Claude. *Os papéis que vivemos na vida*. Artenova, 1974. Texto sobre psicologia com algumas teorias úteis.

Stutley, Margaret e James. *Harper's Dictionary of Hinduism*. Nova York: Harper and Row, 1977. Verbetes ótimos e longos sobre muitas coisas que definem quase todos os principais conceitos do hinduísmo.

Talbot, Michael. *Mysticism and the New Physics*. Nova York: Bantam Books, 1980. Um dos livros mais interessantes e claros que já li sobre o tema. Mais informativo do que *The Tao of Physics*, mas o texto é igualmente fácil para o leigo.

Tansley, David V. *Chakras, raios e radiônica*. São Paulo: Pensamento, 1999.

Tart, Charles. *States of Consciousness*. Nova York: E. P. Dutton, 1975. Ótimo texto científico sobre os estados alterados da consciência.

Teilhard de Chardin, Pierre. *Let Me Explain*. Nova York: Harper e Row, 1970. [*Em outras palavras*. São Paulo: Martins Fontes, 2015] Livro inspirador sobre a evolução humana.

Teish, Luisah. *Jambalaya*. San Francisco: Harper and Row, 1985. Livro informativo sobre a religião iorubá, escrito por uma sacerdotisa.

Tulku, Tarthang. *Kum Nye — Técnicas de relaxamento*. São Paulo: Pensamento, 2008. Recomendado para aqueles que não se interessam por yoga, mas que desejam obter benefícios semelhantes por meio do relaxamento.

Tulku, Tarthang. *Conhecimento de tempo e espaço*. São Paulo: Dharma, 1995. Incentiva a reflexão sobre as três palavras do título.

Varenne, Jean. *Yoga and the Hindu Tradition*. Chicago: University of Chicago Press, 1976. Livro extremamente esclarecedor e bem escrito sobre a filosofia do yoga e a metafísica indiana.

Vatsyayana, Mallanaga. *Kama Sutra — da versão clássica de Richard Burton*. Rio de Janeiro: Zahar, 2012. Texto detalhado dos rituais sexuais tântricos.

Vishnudevananda, Swami. *O livro de yoga — Completo e ilustrado*. Sivananda, 2011. Bom texto com imagens de várias posturas do yoga.

Von Franz, Marie-Louise. *Mistérios do tempo*. Rio de Janeiro: Del Prado, 1997. Um livro encantador.

Walsh, Roger. *Staying Alive*. Boston: New Science Library, 1984. Livro muito bem escrito e provocativo sobre a situação mundial atual. Um dos poucos livros que apresentam instruções relacionadas à evolução cultural.

Watson, Lyall. *Maré da vida*. Rio de Janeiro: Difel, 1980. Análise fascinante de vários aspectos da vida sob o olhar de um biólogo.

Wauters, Ambika. *Chakras and their Archetypes*. Freedom: Crossing Press, 1997. Uma ótima introdução aos arquétipos, associando um negativo e um positivo a cada chakra.

Welwood, John. *Challenge of the Heart*. Boston: Shambhala, 1985. Ensaios sobre o amor escritos por diversos autores — muitos deles valem a pena ser lidos.

White, John (ed.). *O mais elevado estado da consciência*. São Paulo: Pensamento, 1999. Mais ensaios sobre psicologia transpessoal e religião mítica.

White, John (ed.). *Kundalini, Evolution and Enlightenment*. Nova York: Anchor Books, 1979. Seleção excelente de leituras sobre a teoria da Kundalini (sem enfatizar a prática).

White, Ruth. *Trabalhando com os seus chakras*. São Paulo: Pensamento, 1999. A versão dos chakras de uma médium inglesa.

Wilbur, Ken. *O projeto atman — Uma visão transpessoal do desenvolvimento humano*. São Paulo: Cultrix, 2004. Uma análise do desenvolvimento humano usando modelos transpessoais, inclusive os chakras.

Wilbur, Ken (ed.). *The Holographic Paradigm and Other Paradoxes*. Boston: Shambhala, 1982. [*O paradigma holográfico e outros paradoxos*. São Paulo: Cultrix, 1995] Livro excelente sobre a teoria da mente holográfica.

Wilhelm-Baynes (trad.). *I Ching*. Princeton: Princeton University Press, 1950.

Wolfe, W. Tomas. *And the Sun Is Up: Kundalini Rises in the West*. Red Hook: Academy Hill Press, 1978. Relato interessante de um homem que despertou a Kundalini brincando com uma máquina de *biofeedback*.

Wooldridge, Dean E. *The Machinery of the Brain*. Nova York: McGraw-Hill, 1963. Livro um tanto desatualizado, mas de leitura agradável, sobre o cérebro.

Yeats, W. B. (trad.). *The Ten Principle Upanishads*, 1937. Reimpressão. Nova York: MacMillan, 1965.

Young, Arthur. *The Reflexive Universe*. Nova York: Delacorte Press, 1976. Mais modelos para a consciência e para a realidade.

Zimmer, Heinrich. *Filosofias da Índia*. São Paulo: Palas Athena, 1986. Resumo excelente sobre as várias correntes que contribuíram para a cultura indiana.

÷ ÍNDICE REMISSIVO ÷

A

Abdominais, 154
Abertura do chakra cardíaco, 150, 170, 171, 181-182
Abertura do peito, 185-186
Abertura dos chakras das mãos (exercícios), 36
Acariciar, 177, 248
Acompanhando seus pensamentos, 273
Acontecimentos, chakras e, 140, 144, 159, 172, 230, 264, 297
Acupuntura, 26, 35, 183, 199
Afastamento, 142
Afinidade, 160, 177-179, 181, 249
Afirmações, 93, 212, 215
Água, 32, 40, 42, 47, 55, 69, 75, 79, 83-84, 98-106, 108, 111-113, 115-118, 121-126, 128-129, 134-135, 138, 161-162, 168, 182, 189, 198-199, 203, 212-214, 235, 238, 256, 280, 285, 287, 301, 304-306
Airavata, 69, 199, 323
Ajna, 55, 213, 215, 226, 228, 233, 238, 241, 325
Akasha (éter), 40, 55, 192, 199, 202, 213, 216-217, 202, 282
Alienação, fonte de conhecimento e, 119
Alimentação, 50, 63, 82, 83, 97, 116, 121, 206, 211, 267, 268, 315
    chakra um e, 82, 83
    chakras e, 77
    para aterramento, 82-83, 97
Alimentos, 56, 65, 81-85, 133, 138, 195, 227, 255
    chakras e, 60, 62, 81-84, 115, 137, 182, 255, 297
    evolução e, 82
Alimentos ricos em amido, chakra três e, 84
Alongamento frontal, 156-157
Amor
    afinidade, 160, 177-179, 249
    chakra quatro e, 43, 150, 165, 171, 173-174, 306

    como unidade, 160, 171, 176, 306
    equilíbrio e, 160, 174, 176, 178, 299, 306, 307, 312
    expressão do, 172-173
    força de vontade necessária para o, 40, 55, 85, 139, 149, 159, 165-166, 175-176, 306, 312
    poder pelo, 40, 43, 55, 85, 108, 150, 152, 159, 170, 172, 253, 297, 306
Anahata. *Ver também* chakra quatro 55, 162-163, 166, 177, 213, 215
Andar a partir da pelve, 129
Andar de transporte público, como exercício de aterramento, 96-97
Ansiedade, Kundalini e, 118
Apego, 55, 76, 148, 152, 171, 266, 279, 297, 314, 316, 322
Aproximação, 85, 177, 314-315
Ar, 40, 47, 55, 79, 84, 95, 136, 139, 154, 160, 162-163, 166, 172, 182-185, 188-189, 193-194, 199, 201-202, 208, 213-214, 233, 256, 288, 311
    Ver também Respiração
Arco-íris, chakras e, 23, 57, 235, 236
Artes, 44, 97, 104, 116, 119, 121, 129, 196, 216-219, 210, 234-235, 288, 302, 319, 327, 328
Árvore da Vida cabalística
    chakra dois e, 104
    chakra um e, 69
    Vida, força de vontade e, 145
Ascetismo, 28, 112, 115, 118, 325, 328
Atenção necessária para a percepção, 150, 261, 269, 280
Aterramento,
    excesso de peso corporal e, 87, 92
    exercícios para, 75-76, 78, 87, 93, 96-97, 146, 155
    Kundalini *versus*, 50, 178, 267
    meditação para, 62, 74, 76, 87, 249
    para poder, 72-73, 152

Aura, 29, 76, 121, 199, 230, 237, 243,
245-246, 250, 289
Aurobindo, Sri, 45, 216, 242, 259, 261, 272, 279

B

Balanços pélvicos, 126-127
Bandhas, 185
Base, 30, 65-67, 70-71, 75-77, 79, 80, 82-83,
106, 108, 150, 174, 189, 282, 285, 300-301,
304, 315
    aterramento como, 69, 75-76, 80
    chakra um como, 66-67, 71, 75, 79-81,
83, 108, 282, 300
Bater os pés, como exercício de
aterramento, 96
Beleza, 33, 71, 80, 125, 145, 177, 203, 210,
219, 226-227, 256
Bija mantra, 213
Bindu, 85, 114, 227, 323, 326
Biofeedback, 26
Bodhisattva, 181
Bohm, David. 240
Bradley, Marion Zimmer, 244
Brahma, 66, 68-69, 194, 205, 323-324,
327-328
    chakra um e, 68
Budista, 111, 214

C

Caduceu, 50-51, 223, 230
Calor, no chakra três, 139
Caminhada poderosa, 159
Campos, matéria e, 81, 86, 103, 199, 203
Campos morfogenéticos, 241, 264, 270
Canalização, 116
Canalização psíquica, 75
Capra, Fritjof, 87, 97, 202
Castaneda, Carlos, 242
Celibato, 114-120, 237
Centros energéticos, 23, 32, 313
Chakra cardíaco. *Ver* chakra quatro
Chakra cinco, 193-223
    alimentos associados ao, 84
    exercícios, 247
    Kundalini e, 53, 198, 200
    localização do, 30, 40, 194
    paratireoide e, 38
    plexo faríngeo e, 30
    questionário de autoanálise, 288
    símbolos e correspondências, 194

tempo e, 43, 216
tireoide e, 38
Chakra da coroa. *Ver* chakra sete
Chakra do umbigo. *Ver* chakra três
Chakra dois, 99-129
    alimentos associados ao, 83-84, 115
    cor associada ao, 236-237, 249
    exercícios, 42, 124, 145
    localização do, 30, 40, 101, 104
    níveis de consciência e, 103, 112-113,
122, 217
    ovários e, 38
    papel evolutivo, 112
    plexo sacral e, 30, 104
    questionário de autoanálise, 287
    símbolos e correspondências, 101
    tempo e, 43, 105, 237, 290
Chakra frontal. *Ver* chakra seis
Chakra quatro, 161-191
    estrutura da matéria e, 25, 28, 31, 63,
66, 69, 71, 81-82, 119, 134, 137-138,
165, 210, 242, 306
    localização do, 40, 163
    meditações, 161, 188
    plexos pulmonar e cardíaco e, 30
    questionário de autoanálise, 288
    símbolos e correspondências, 163
    tempo e, 171
    timo e, 38
Chakra seis, 225-251
    cor associada ao, 59, 198, 224, 226,
234-236, 249, 251
    exercícios, 247
    glândula pineal e, 53, 115, 230-232
    Kundalini e, 53, 115
    localização do, 40, 55, 226, 230
    níveis da consciência e, 44, 115, 242,
280, 308
    papel evolutivo, 308
    plexo carotídeo, 30
    questionário de autoanálise, 289
    símbolos e correspondências, 226
    som semente associado ao, 215, 227
    tempo e, 44, 230, 244, 308, 320
Chakra sete, 253-275
    cor associada ao, 254, 267
    córtex cerebral e, 30, 254
    exercícios, 273
    localização do, 40, 232, 254
    papel da meditação para o, 252-253,
267-269, 273, 289
    questionário de autoanálise, 289
    significado do, 254, 262

339

símbolos e correspondências, 254
som semente associado ao, 255
tempo e, 259, 264, 274, 281, 321
Chakra três, 131-159
adrenais e, 38, 136
alimentos associados ao, 83, 137
como era de transformação, 130, 134, 299
cor associada ao, 133, 236, 249
corrente descendente pelo, 133, 299, 302, 305
estrutura da matéria e, 134, 137
exercícios, 151, 154-155, 158
magia e, 159
pâncreas e, 38
papel evolutivo, 27-28, 141, 301-302
plexo solar e, 30, 40, 133, 136-137, 158, 249
questionário de autoanálise, 287
símbolos e correspondências, 133
tempo e, 27, 43, 141, 155
Chakra um, 63, 66, 97
alimentos associados ao, 63, 77, 82-83, 287
cor associada ao, 88, 236, 249
corrente descendente para o, 30, 67, 69, 88, 281
estar preso no, 44
estrutura da matéria e, 62, 66, 71, 80-82, 86-87, 103, 174, 198-199, 210, 290
localização do, 30, 40, 300
níveis da consciência e, 32, 43-44, 66, 72, 76-77-78, 81, 85-87, 102-103, 134, 136, 210, 290
papel evolutivo, 31, 43-44, 53
plexo coccígeo e, 30, 65, 69-70
questionário de autoanálise, 286
símbolos e correspondências, 65
som semente associado ao, 56, 69, 85, 213
tempo e, 43, 76, 88, 92, 237, 281, 290, 299-300
testículos e, 38
Chakras
abordagens para os, 26, 29, 171, 209, 217, 236, 311
alimentos e, 62, 77, 82-85, 114, 137-138, 182, 255, 297
bloqueios nos, 285, 290-291
como metáfora para a consciência, 27, 255, 296-297
cores e, 57, 59, 66, 106, 198, 224, 226, 233-237, 249-251, 254, 267, 271, 316
corrente descendente pelos, 45, 47, 279
cultura e, 43, 82, 114, 218, 232, 284, 296-298, 303-304, 307, 311
densidade dos, 69, 85, 136

descritos, 24, 29, 31-33, 35, 43, 57, 69, 85, 104, 184, 199, 236, 240, 266, 280, 283
estados dos, 33, 39-41, 51, 53-55, 66, 76, 82, 102-103, 135, 163, 166, 178, 181, 195, 205, 212, 254, 257, 259, 268-270, 296, 298
estar preso nos, 40-41, 44, 143
exemplos na natureza, 24-25, 33, 36, 41-42, 45, 108, 135, 197, 210, 233, 280, 285, 290, 295, 298
força nos, 51, 54, 66-67, 69, 85, 102, 112, 118, 135, 145, 173-174, 179, 279
giro dos, 23, 25, 27, 29, 36, 38-40, 51, 57, 65-67, 69, 74-75, 88-89, 108-110, 175, 194, 249, 285
I Ching e, 103
interação dos, 25, 41, 53, 80, 103, 117, 150, 284, 291-293, 319
Kundalini e, 28, 32, 36, 49, 50-54, 69, 78, 114-116, 118, 145, 178, 185, 198, 199-200, 222-223, 229, 267, 273
localização dos, 29-30, 33, 40, 52, 55-56, 65, 69, 101, 104, 117-118, 132-133, 136, 163, 194, 198, 226, 228, 230, 254
magia e, 121, 159
matéria e, 23, 25, 28, 31, 48, 57, 60, 62, 65-67, 71, 81-82, 84, 117, 119, 134, 136-138, 165, 210, 241, 279, 306
menores, 29, 57, 69, 109, 180
no mundo material, 69, 84, 259, 285
principais, 23, 29, 231, 232, 257
principais caminhos dos, 109
questionário de autoanálise, 286-290
relacionamentos e, 40, 43, 45, 116, 150, 159-160, 170, 173-175, 178, 228, 243, 281-285, 288, 293-298, 318-319
resumo da teoria dos, 29, 53, 57, 118, 159, 237-239, 256, 284, 311
sons e, 40, 43, 57, 69, 155, 162-163, 166, 192-203, 205-210, 212-220, 222-223, 227, 232, 237, 255, 268, 288, 307-308, 316
Tabela de correspondências, 40, 55, 56
tempo e, 26-28, 43, 77, 88, 105-106, 116-118, 141, 143, 154-155, 171, 212, 216-218, 227, 228, 230, 232-233, 236-237, 243, 257, 259, 264, 269-272, 274-275, 282, 291, 298-299, 306, 320-321
três gunas e, 48
vibração com os, 66, 96, 192, 194, 196, 198-199, 202, 203, 210, 212, 232, 257, 270, 295, 296

Ver também Sistema dos Chakras;
chakras específicos
Chakras das mãos, abertura, 36
Chakras menores, 29, 57, 69, 109, 180
principais caminhos dos, 109
Chakras na natureza, 24-25, 27-28, 72, 84,
118, 166, 196, 228, 230, 261, 297
Chakras principais, 23, 28, 232, 257
Chakrāsana, 324
Chladni, Ernst, 203
Ciclos que se autoperpetuam, 40, 172, 183, 270
Círculo ritual, 23-24, 27, 72, 158, 166, 190,
195, 199, 210-211, 227, 230, 254, 293, 301,
305, 310
Círculos com o pescoço, 220-221
Círculos com os braços, 187-188
Círculos com os quadris, 126, 128
Clareza, pelo aterramento, 72, 76
Clariaudiência, 242
Clarissenciência, 98, 122-123, 242
Clarividência, 39, 40, 104, 108, 115, 122,
224, 235-236, 239-240, 242-245, 247, 308
como fonte de mudança, 113
Compreensão, 26, 28, 32, 40, 44, 47, 50, 53,
55, 57, 65, 80-81, 102-103, 108, 122-123,
142-143, 145, 148-149, 159, 170-171, 173,
175, 178, 218-219, 228, 238, 240, 243, 252,
254, 256-258, 262, 268, 279, 283, 292, 298,
308-309, 310, 313
requisitos para, 170
Comunicação
chakra cinco e, 42-43, 196, 216, 219,
291, 296
como metáfora para os
relacionamentos, 174-175, 282,
295-296
como um processo criativo, 217
da transformação cultural, 219
importância da, 241
processo de, 110, 196, 216-218
sobre a consciência, 174, 196-198,
216-220, 241, 306-308
tecnologia e, 308
telepática, 192, 196, 198-199, 216-217
verbal *versus* não verbal, 26, 171, 210,
216-217, 220, 318
Ver também Informações
Condon, William S., 208-209
Conhecimento, 32, 39, 111, 123, 225, 244,
252, 257, 272, 274, 275, 314

como uma função do chakra sete, 40,
53, 123, 143, 148-149, 166, 194, 197,
199, 201-202, 213, 219, 228, 230, 233,
244, 251, 252, 255-261, 284, 290, 298,
307, 309
tipos de, 246
Ver também Informações
Conhecimento consciente *versus*
inconsciente, 79, 123, 256
Conhecimento intuitivo *versus* racional, 108
Conhecimento manifesto *versus* não
manifesto, 259, 291
Conhecimento objetivo *versus* subjetivo, 33
Conhecimento racional *versus* intuitivo,
106, 108
Consciência
chakra sete e, 197, 259, 267
chakras e; *Ver também* chakras
específicos, 23-28, 31-33, 39-40, 43-51,
57, 65-66, 69, 71-72, 75, 77-79, 81-87,
102, 111, 113-115, 117, 122-123,
134-136, 143-144, 148, 159, 174, 183,
196-198, 202-203, 205, 210, 216-217,
242, 251-252, 256-261, 266-267,
275, 279, 280, 282, 298, 300-304,
306-309, 311
Cognitiva, 261-262, 266, 309
como força, 33, 48, 49-50, 65-66, 73-74,
102, 112, 120-121, 145, 159, 174, 182,
259-261, 279-280, 303
comunicação sobre, 146, 174, 196-198,
216-220, 241, 305-308
corrente descendente, 45-47, 279
Cósmica, 27, 203, 256, 258
definida, 197, 241
força de vontade requer, 23-26, 44-45,
48-49, 78, 84, 115, 123, 136, 143-146,
148-149, 175, 205-206, 217, 228, 293,
300, 302, 305, 307, 309-310
informação e, 26, 77-78, 111, 123, 143,
174, 197, 240-241, 252, 256-258,
260-263, 280, 307-310
Kundalini e, 49, 51, 78, 114
luz e, 40, 55, 115, 134, 203, 227-228,
232, 251, 256, 308-309
matéria e, 25, 32, 47-50, 57, 66, 71-72,
81, 84, 103, 114, 174, 203, 210-211,
219, 232
mudança de paradigma no estudo da,
238, 251, 263
nomear concentra a, 198, 282
organização da, 260, 309

poder pela, 43-44, 84, 136, 142-144, 150, 302-303

razão para estudar a, 29, 30, 76, 238

sexualidade e, 28, 43-44, 102, 113-114, 117-118

sobre alimentos, 81-82, 84, 182

tecnologia *versus*, 304, 307

tempo e, 32, 43, 74, 76, 92, 103-104, 205, 217, 262, 265, 281, 290, 298, 304-306, 309-310, 312

três gunas e, 48-49

vibração e, 196-197, 203, 210, 240

vibrações simpáticas e, 210, 240

Ver também mudança; Níveis da consciência

Consciência cognitiva, 261-262

Consciência cósmica, 31, 202, 256, 258

Consciência transcendente, 40, 261-262, 266, 280

    Kundalini e, 49

    Mudança na consciência, 50, 92, 102, 104, 113, 144, 183, 205, 265, 304, 307, 309, 310

Cooper, 96, 154

Cor, 32, 42, 55-59, 63, 65-66, 88, 101, 106, 133, 163, 171-172, 195, 198, 224-226, 233-237, 241, 243-246, 249-251, 254, 267, 271, 274-275, 282, 316

    chakra seis e, 59, 198, 224, 226, 234, 236, 249, 251

    chakras e, 66, 106, 198, 224, 226, 234-237, 249-251, 254

    uso curativo da, 234-236, 249

Corpo. *Ver* corpo físico.

Corpo áurico, 121

Corpo físico,

    aterramento no, 62, 65, 69, 71, 73-75, 80, 83, 87-88, 92-93, 96-97, 123, 139, 199, 287, 300, 309

    chakra três e, 36, 84, 136-138, 149, 211, 249

    chakra um, 33, 69, 78, 80-83, 87-88, 249, 297, 300

    efeitos da meditação no, 62, 69, 99, 110, 211, 267, 269, 273

    importância da comunicação no, 81, 111, 194-197, 208, 290

    metáfora do sistema operacional, 78

Corpo sutil, 29, 35-36, 57, 75, 199, 280

Corrente libertadora, 46-47, 59, 71, 147, 176, 256, 267, 290

    exercício, 59

Corrente manifestante, 46-47, 58, 72, 258

Correntes, 24, 35, 45, 46-47, 51, 57-59, 69, 71-72, 77, 87, 110, 117, 134, 136, 138, 142, 145, 147, 153-154, 176, 197, 233, 243-244, 256, 258-259, 263, 266-267, 279-283, 290-291, 296, 299, 303, 305-306, 313

Córtex cerebral, chakra sete e, 29, 254

Criança mística, 121

Criando o Sol, 158

Criatividade, 40, 43, 55, 110, 144, 189, 192, 194, 196, 217-219, 282, 288, 290-291, 309-310, 319

Cristianismo, 205, 306-307

Críticas, evitar, 151

Crowley, Aleister, 147, 149, 159

Cultura, chakras e, 43, 82, 114, 218, 232, 284, 296, 298, 303-304, 306, 311

Cura,

    cor na, 234-235, 249

    definição de, 225, 232

    Kundalini e, 50,-51

    pelas artes criativas, 97, 218, 235

    Sistemas de, 42, 57, 67, 121, 138, 183, 251, 269

D

Dākinī, 66, 69, 324

Dança, 48, 65, 100, 103, 108, 113, 119, 122, 129, 131-132, 134, 136, 163, 165, 174, 176, 194, 202, 205, 209, 219, 261, 282-283, 290-292, 304, 310, 319

Descanso como prática de aterramento, 72

Desejo, 50, 55, 101-102, 106, 112-113, 134, 139, 141, 143-144, 146, 159, 165, 191, 193, 265, 270

    chakra dois e, 101, 112

    como fonte de mudança, 113, 134

    força de vontade e, 134, 139, 143-144, 147, 159, 166

Direção, 53, 85, 100, 102, 108, 113-114, 143-144, 148, 187, 197, 225, 266, 300, 303-305

    da energia, 143, 148

Disco de Chladni, 212

Divindades, 28, 42, 44, 45, 57, 66, 69, 101, 118, 121, 133, 139, 164, 195, 199, 227, 255, 267

    chakra cinco, 198

    chakra dois, 101

    chakra quatro, 164

    chakra seis, 227

    chakra sete, 267

    chakra três, 133

    chakra um, 65

Invocadas nos mantras, 267
Tântricas, 28, 101, 118
Dor, aterramento da, 73, 75
Dormir como forma de aterramento, 97
Drogas, 53, 84, 110, 114, 143, 232, 315
  chakras e, 114
  Kundalini e, 52-54
Drogas alucinógenas, 53
  chakras e, 115
  Kundalini e, 53
Dualidade, 102, 110, 119
  chakra dois e, 103, 108, 110
  Tantra e, 119
  Ver também Polaridade
Dychtwald, Ken, sobre o amor, 177

E

Einstein, Albert, 86, 151, 227
  sobre ideias novas, 151
Elogio no aprendizado da clarividência, 246
Emoções, 23, 36, 40, 42, 98, 100, 102, 106,
  108, 111-113, 117, 122, 129, 174, 182, 199,
  203, 206, 211-212, 230, 234, 285, 287, 291-
  292, 301, 313, 316
    chakra dois e, 40, 98, 106, 110-111, 144,
      150, 218, 285-287, 292-293, 301
    como fonte de mudança, 98, 100, 112,
      134, 212
    Empatia. *Ver também* Clarissenciência,
      122, 190, 318
    expressadas durante os exercícios,
      112, 122, 129, 182, 183, 292
    importância das, 121, 129, 316
    sentimentos *versus*, 42, 112-113, 117-
      118, 122, 291, 316
Energia,
  chakra três e, 43, 45, 84, 130, 135, 137,
    152-153, 155, 159, 238, 249, 283, 285,
    297, 299
  completando circuitos, 94, 117, 151
  criação de energia, 145
  direção da, 143, 148
  distribuição da, 137, 249, 290
  luz como, 47, 55, 59, 134, 136, 138, 203,
    233-235, 249
  nadis como canais de, 35, 106, 136
  níveis da consciência e, 23, 32, 33, 40,
    44, 48, 49, 51, 55, 74-75, 77, 81, 84,
    86-87, 102, 112, 120, 136, 143, 159,
    203, 219, 233, 258, 279, 283
  poder e, 43-44, 63, 73, 84, 130, 132,
    134-136, 138-139, 141-143, 149-155,
    170, 206, 287, 297, 299, 304

respiração como, 184
três gunas e, 48-49
vibração e, 45, 74, 119, 203, 216, 233
Ver também nadis
Entoação, 190, 194-196, 212-215
Equilíbrio
  amor e, 160, 172, 178, 299, 306, 312
  chakra quatro e, 311
  cura como, 160, 172, 181
  importância do, 82
  na alimentação, 82, 84
  no cérebro, 106, 108, 309
  no chakra dois, 103
  no chakra três, 293-294, 306, 311
  nos padrões do conhecimento, 307
  relacionamentos e, 160, 173, 175-176,
    281, 294, 312
  tempo e espaço, 27, 175-176, 181, 290,
    306, 308
  yin e yang, 84
Equilíbrio masculino/feminino, 103, 311
Era de Aquário, 311-312
Erguer a cabeça, 221
Escolha, no chakra três, 134
Esforço, poder *versus*, 135, 142, 151
Espaço
  tempo e, 63, 74, 88, 104, 143-144, 190,
    197, 205, 211, 216-217, 230, 232-233,
    242, 254, 257, 259, 262, 265, 282, 308
  visão e, 242
Espírito, éter como, 198-199
Estabelecendo as correntes, 58
Estresse, aterramento para lidar com, 73
Estruturas de matriz, 262
  conhecimento requer, 309
  pensamentos como, 262, 265
  sistemas de crença, como, 262
  Ver também Matriz pessoal
Éter, 55, 192, 199, 202, 213, 216-217
Evidências científicas, 32
  dos efeitos da meditação, 269
Evolução, 23, 27, 28, 31-32, 43, 49, 57, 71-
  72, 82, 112, 141-142, 144, 175, 183, 206,
  210, 264-265, 298-300, 302-308, 310-312
Exercício
  abdominais, 154
  abertura do peito, 185-186
  abrindo os chakras das mãos, 36
  alinhamento, 36, 58, 88, 104, 175-176,
    268, 271
  alongamento frontal, 156-157
  andar a partir da pelve, 129

343

aterramento, 75-76, 78, 87, 93, 96-97, 147
balanços pélvicos, 126-128
caminhada poderosa, 159
círculos com o pescoço, 220-221
círculos com os braços, 187-188
círculos com os quadris, 126, 128
criando o Sol, 158
do lenhador, 155
erguer a cabeça, 221
estabelecendo as correntes, 58
expressão das emoções durante, 129
jogo da adivinhação, 220
moinho, 187
o elefante, 94-95
para começar a trabalhar com o corpo, 81
para os olhos do yoga, 247
piscar de olhos, 250
postura da cabeça nos joelhos, 91-92
postura da cobra, 186-187
postura da deusa, 125, 127
postura da vela, 222-223
postura de lótus, 270
postura do arado, 222-223
postura do arco, 156-157
postura do barco, 156-157
postura do gafanhoto e do meio
    gafanhoto, 90-91
postura do peixe, 186-187
postura dos joelhos no peito, 89
preliminares, 58
pressão com os pés, 94-95
relaxamento profundo, 92
roda da risada, 159
superando a inércia, 151
voto de silêncio, 220
Ver também Exercícios respiratórios;
    meditações; chakras específicos
Exercício da fiação e dos resistores, 151
Exercício do lenhador, 155
Exercício para os olhos do yoga, 247
Exercícios respiratórios, 121, 184
Exibição dos anéis ressonantes, 210-211

F

Faraós egípcios, símbolo da serpente e, 50
Ferguson, Marilyn, 219
Física, 48, 86, 97, 134, 238, 311
    matéria na, 87
    teoria da informação na, 238
Fitoterapia, 26
Fluxo, uso ritual do, 340, 346, 348

Foco, 24, 41, 43, 52, 66, 76, 85, 87, 114, 119,
    134, 142, 156, 165, 190, 245, 250, 256, 261,
    271, 273-274, 280, 282-283, 294, 296
    Na meditação, 245, 282-283
    Pelo aterramento, 134
Fogo, chakra três e; *Ver também* chakra três,
    84, 130-132, 134-138, 140-143, 145-146, 148,
    150, 152-156, 158-159, 213, 287, 302-303
Força da consciência, 33, 260, 279
Força de vontade,
    chakra três e, 134-135, 141, 144-145,
        147-150, 152, 159, 292, 302
    conceitos de, 45, 143-144, 147, 150
    desenvolvimento da, 141, 144-145,
        147, 149, 151, 300, 303, 305, 316-317
    exercendo a, 78, 144, 146-147
    poder e, 40, 55, 84, 98-99, 133-135,
        138-139, 141-144, 146-152, 159, 287,
        299, 302, 306
Força simplificadora, aterramento como, 74
Forma, matéria e, 23, 48, 49, 66, 134, 136,
    202, 258
Fortune, Dion
    sobre matéria, 103, 203
    sobre vibração, 203
Fotografia Kirlian, 26, 29, 199
Freud, Sigmund, 26, 108
Frutas, chakra cinco e, 84
Futuro, comunicação como criadora do,
    198, 219, 310

G

Gafanhoto e meio gafanhoto, 90-91
Gânglios nervosos, chakras e, 29-30, 36
Gênesis, 50, 264
Gide, Andre, 108
Glândula paratireoide, chakra cinco e, 38
Glândula pineal, 53, 115, 230-232
    chakra seis, 38, 226, 230-232
Glândula pituitária, chakra sete e, 38, 106,
    110-112
Glândula tireoide, chakra cinco e, 38
Glândulas adrenais, 37, 66, 77, 136
Gorakshashatakam, no chakra três, 136
Gravidade, chakras e, 66-67, 72, 81, 85,
    87-88, 135, 305, 321
Gunas, 48, 49, 56, 66, 101, 133, 164, 195,
    227, 255, 260
Gurus, homens *versus* mulheres, 119

H

Hábitos, 39, 47, 81, 82, 116, 125, 264, 265, 279, 285, 290, 303, 305, 319
   chakras e, 33, 250-251, 264, 279, 303
Hamouris, Richard, música de, 23
Hegel, Georg, 104
Hinduísmo, 28, 31, 37, 44, 48, 66, 101, 111, 113, 115, 118, 133, 138, 164, 196, 205, 213, 227, 237, 255, 304, 323, 325
   sexualidade no, 113
Hunt, Valerie, 236

I

I Ching, 32, 74, 103
   leitura dos chakras com o, 103, 323, 324
   níveis do, 32, 103
Ida, 35, 50, 106, 108, 110, 228
Iluminação, 28, 45, 49, 50-52, 82, 115, 117-119, 181, 211, 256, 272-273
Imaginação, chakras seis e, 40, 224, 251, 282
Impotência, acabando com a, 150
Índios hopi, 32
Individualidade, unidade e, 176, 260
Inércia, 48, 135, 144-145, 149, 151, 154, 159, 212, 295
   chakra três e, 134, 135, 151, 159
   superação, 48, 134, 135, 144, 145, 154, 159, 212, 295
Informações
   acesso clarividente a, 242
   assimilação, 143
   canalização, 36, 218
   como poder, 152
   computadores e, 36, 77, 263, 309
   consciência e, 26, 111, 174, 197, 240-241, 252, 256, 258, 260-263, 279, 307-310
   natureza das, 196
   Ver também Comunicação, Conhecimento
Interações, 25, 33, 42, 53, 103, 119, 139, 284, 291-293
   dos chakras, 25, 42, 53, 80, 103, 117, 150, 284-285, 287, 289, 290-293, 319
   poder criado por, 135
Interioridade, 268
   chakra sete e, 268
Intuição, 40, 55, 224, 226, 228, 286, 289, 298, 308
   chakra seis e, 40, 224-225, 289, 308
Isvara, 164, 173

J

Jainistas, 114
Jogo de adivinhação, 220
Jornada aos registros akáshicos, 273

K

Kali, 213, 214
Kalpataru, 29, 188
Kalpataru – a Árvore dos Desejos (meditação), 29, 188
Karma, chakras e, 40
Katha Upanishad, sobre o coração, 170
Khan, Hazrat Inayat, 213
Kundalini, 28, 32, 36, 44, 49-54, 66, 69, 78, 106, 114-116, 118, 120, 145, 178, 185, 200, 229, 267, 282

L

Lakshmi, 66, 164, 165
Lashley, Karl, 238
Lawrence, D. H., 176, 275
Legumes e verduras, 56, 84, 114
Leonard, George, 205-206, 209-210
Libertação, 45, 46, 47, 85, 115, 118-121, 256, 259, 266-267, 279, 283, 304
Limitação, 47, 66, 73-74, 85, 150, 197, 261, 266, 283
   aterramento implica, 71, 74, 83, 85
   libertação e, 45, 47, 120, 279, 283
   poder e, 73, 136, 150
Linguagem, 24, 44, 45, 63, 73-74, 112, 165, 170, 197-198, 210, 214, 219, 228, 230, 239, 264, 283, 307, 316, 319
   chakra cinco e, 198
   comunicação pela, 196, 198, 210, 307, 319
Líquidos, chakra dois e, 83
Lótus, 27, 28, 33-34, 49, 66-67, 106, 138, 166, 173, 188, 195, 198, 214, 227, 253, 255-257, 260, 267, 270, 309
Lua, chakra dois e, 106, 108
Luz
   chakra seis e, 40, 55, 115, 213, 224-228, 232-234, 236, 238, 240-241, 243-244, 246-247, 249-251, 289, 308
   como energia, 45, 55, 58, 134, 136-138, 203, 233-235, 249
   consciência e, 40, 55, 115, 134, 203, 227-228, 233, 251, 256, 308-309
   matéria e, 118, 134, 203, 241-242
   no chakra três, 134, 142, 213, 249

visão como percepção da, 27, 115, 119, 205, 213, 217, 224-226, 228, 230, 232-233, 236-237, 241-243, 245-246, 249-251, 289
Ver também chakra seis

M

Macy, Joanna Rogers, 141, 159

Magia
chakras e, 23-25, 27-30, 33-59, 99-119, 121-126, 128-130, 161-185, 188, 190-203, 205-213, 215-224

Mahabharata, sobre o fogo, 134

Malkuth, 56, 65, 69
chakra um e, 69
no Sistema dos Chakras, 69

Manifestação
interação dos chakras, 42, 44-47, 72, 76, 85, 117, 172, 197-198, 232, 237, 254, 256-261, 279, 281-283, 290-292
libertação e, 45-47, 71, 85, 256, 261, 266, 283, 290
pelo aterramento, 72, 74, 86, 151, 267, 295

Mantras, 56, 192, 195, 198, 208, 212-215, 267-268, 271, 329
uso de, 212, 214

Mantras em português, 214

Mapa cósmico, 32

Massagem para aterramento, 97

Matéria
consciência e, 26, 30, 46, 48-50, 57, 66, 71, 81, 84, 103, 114, 173, 203, 210, 212, 290, 304
estrutura da, 82, 87, 199
forma e, 23, 48-50, 66, 134, 136, 202, 258
luz e, 118, 134, 202, 241, 242
som e, 199, 203, 205, 210, 211
três gunas e, 48-49
vibração e, 199, 203, 210

Materialização. *Ver também* Matéria, 85, 86, 228, 258

Matriz pessoal, 262-263

Maya, 44, 47, 87, 210, 282
comunicação verbal como, 42, 197, 216, 282, 291
Shakti e, 44-45

Meditação
dois lados do cérebro usados na, 53, 211, 269, 270, 282, 309
efeitos da, 76, 136, 150, 215, 268-270, 272-273
papel do chakra sete, 267-268, 273

sincronização rítmica causada pela, 208
técnicas, 116, 267, 270-273, 275
uso ritual da, 214
ver luzes durante a, 93, 225, 238, 249, 251
Ver também Meditações

Meditação da compaixão, 190

Meditação das cores, 249

Meditação transcendental, 111, 208, 257, 268-269, 275
estudos, 268

Meditações, 57, 59, 76, 188, 214, 254, 270-272
Acompanhando seus pensamentos, 273
água, 99, 108, 124
Aterramento, 62, 73, 75, 87, 249
chakra cinco, 193-194
chakra dois, 99-101, 108
chakra quatro, 161-163
chakra seis, 225-226
chakra sete, 267-268, 273
chakra três, 131-132, 150
chakra um, 63-65, 69, 87
Compaixão, 190-191
cor, 59, 236, 249-251, 267, 271
Jornada aos registros akáshicos, 273
Kalpataru – A Árvore dos Desejos, 188
mantras, 208, 212, 214-215, 267, 268
terceiro olho, 250
vítima, 153

Melatonina, 53, 115-116, 231, 232
hormônios sexuais e, 115

Memória, 144, 174, 225, 228, 238-239, 241, 244-245, 260, 309
acesso a, 239, 245
informações e, 238-239, 241, 244, 260
informações visuais e, 241

Metabolismo, 96, 130, 134, 137, 183, 287
chakra três e, 137

Metáfora visual, 251

Metáforas, 44
chakras como, 27, 33, 44, 296
visuais, 250-251

Mídia, 141, 198, 218-220, 297, 310
criatividade na, 198, 219-220
pública *versus* privada, 219-220

Montagu, Ashley, 121

Movimento,
chakra dois e, 45, 98, 100, 102-103, 106, 108, 111-113, 124-125, 129, 134-135, 173, 282
uso ritual do, 113

Movimento humano em potencial, 26

Mudança,
tempo e, 99, 265
Ver também Mudança na consciência
Mundaka Upanishad, sobre o chakra um, 66
Mundo físico, 47, 63, 65, 71-73, 75, 83, 87, 134, 136, 166, 181, 199, 227-228, 258, 264, 292
como armadilha ou amigo, 71
éter e, 199
Mundo material, manifestação no, 205, 262, 265
Música, 43, 190, 194, 205, 207, 216, 219, 223, 260, 320
comunicação pela, 43, 216

N

Nadis, 35, 37, 50, 51, 108, 136, 184, 228
chakra dois e, 108
chakra seis e, 108, 228
Nervo ciático, 67, 104
Níveis da consciência, 32, 40, 57, 81, 102, 111, 311-312
energia criada pelos, 32, 39, 81
Nomear para concentrar a consciência, 198, 282

O

O Elefante, 94-95
O moinho, 187
Ojas, 114
OM, 56, 205, 212-215, 227
Onda cerebral, 245
Ondas eletromagnéticas, chakras e, 57
Ordem na consciência, 57, 198, 216, 258, 260, 262, 264
Os Yoga Sutras de Patanjali, 28
Ovários, 38, 101

P

Padrões,
chakras e, 29, 32-33, 36, 39, 43, 50, 53, 57, 75, 106, 108, 117, 124, 134, 143, 174, 176, 196-198, 203, 205, 206, 210-211, 226, 236, 243, 256, 258, 264, 280-281, 284-285, 289, 291-293, 295-296
forma e, 174, 226, 234, 241, 258, 261, 280
informações como, 39, 174, 196, 234, 235, 238, 239, 241, 243, 247, 258, 284
Pagãos, 214
Paixão, chakra dois e, 104, 165

Palavras. *Ver* chakra cinco
Pâncreas, chakra três e, 38
Parada sobre a cabeça, 16
Pensamento
natureza do, 261
Percepção, 86, 111, 119, 174, 180, 228, 230, 238, 239, 241-243, 258, 271
chakra seis e, 227, 242
teoria holográfica e, 239
visão, 227
Pingala, 35, 50, 106, 108, 110, 228
Piscar os olhos, 250
Plexo coccígeo, chakra um e, 30, 65
Plexo faríngeo, chakra cinco e, 30
Plexo pulmonar, chakra quatro e, 30
Plexo sacral, chakra dois e, 42, 67
Plexo solar, chakra três e, 30, 40, 132-133, 136-137, 158
Poder,
chakra três e, 41-44, 134-139, 141, 144, 149-150, 285, 291, 297, 302, 305, 306
energia e, 43-44, 64, 73, 84, 130, 132, 134-139, 141-143, 148, 150-153, 155, 171, 207, 287, 297, 299, 305
exercícios para desenvolver o, 43, 139, 141, 144, 150, 151, 298, 303
força de vontade e, 40, 55, 84, 130-131, 133-135, 137-139, 141-144, 147-152, 159, 287, 299, 302, 305
importância do, 132
pela consciência, 43-45, 84, 136, 142-144, 150, 302
tecnologia e, 130, 141, 304-305
Polaridade, 47, 85, 139, 178, 292, 305
Postura da cabeça nos joelhos, 91-92
Postura da cobra, 186-187
Postura da deusa, 125, 127
Postura da vela, 222-223
Postura do arado, 222
Postura do arco, 156-157
Postura do barco, 156-157
Postura do meio lótus, 270-271
Postura do peixe, 223
Prana; *Ver também* Respiração, 169-170, 184
Pranayama, 28, 184-185
Prescott, James, 114
Pressão com os pés, 94-95
Pribram, Karl, 238-241, 243
Princípio do prazer, 108, 117-118
contrariar o, 117

347

Problemas com o peso, 65
Prosperidade, 43, 79
Proteínas, chakra um e, 83
Psicoterapia, 26
Psiquismo, no sexto chakra, 53, 115, 228, 242
Pular como exercício de aterramento, 96

R

Raiva, expressar, 152, 155
Rajas, 48, 49, 56, 133, 138, 164, 173, 195
   Ver também Energia
Ram Dass, 205
Realidade consensual, 70, 75
Registros akáshicos, 273
   Jornada aos (meditação), 32, 63, 253
Regressão de vidas passadas, 264
Reich, Wilhelm, 117
Relacionamentos, 40, 45, 116, 160, 171,
   173-177, 191, 244, 263, 281-282, 285-286,
   293-297, 312, 318
    chakra quatro e, 295
    comunicação como uma metáfora
     para os, 174-175, 283, 295
    equilíbrio e, 160, 173, 175-176, 281,
     293-294, 312
    evolução e, 175
    na estrutura da matéria, 174, 177
    Ver também Amor
Relaxamento, 79, 90, 92, 122, 154, 184, 212, 268
   exercício de relaxamento profundo,
    para aterramento, 92, 96, 188, 190
Resistência, poder *versus*, 108
Respiração, 28, 33, 53, 58, 63-64, 87-90, 92-
   94, 96, 99-100, 106, 111, 121-122, 126, 129,
   131-132, 138-139, 154, 156, 158, 160-162,
   166, 169-170, 176, 179, 182-191, 193-194,
   197, 205, 225, 267-268, 274
    chakra quatro e, 138
    como energia, 184
    importância de, 182, 184
    Ver também Ar; Respiração
Respiração das narinas alternadas, 106, 184
Respiração do fogo, 154, 184
Respiração profunda, 183-185.
Respirando, 28, 53, 63, 92, 94, 96, 99, 106,
   111, 121-122, 126, 129, 131-132, 138, 154,
   163, 182-185, 189-190, 268, 274
    chakra quatro e, 28, 182, 191
    chakra três e, 154
    metabolismo e, 96, 138, 183
Risada, 133, 153, 159, 209

Ritmo, 26, 53, 81, 92-93, 99, 114, 161, 179,
   184, 189, 191, 194, 196, 202-203, 205-209,
   211-212, 214, 217, 274-275, 298
    música e, 205
    nos mantras, 208, 212, 214-215
    vibração e, 194, 196, 202-203, 206, 208, 214
    Ver também Vibração
Ritual, 113, 124, 190, 214, 299, 312
    aspectos chácricos do, 299
    de agradecimento, 190
Ritual de agradecimento, 190
Roda da risada, 159

S

Sadasiva, 195, 199
Sahasrara. *Ver* chakra sete
Satprem, 216, 242, 259, 272, 275, 279
Sattva, consciência e, 260
Sattvas. *Ver também* Consciência, 164, 173, 255
Saúde, 42, 44, 66, 73, 77, 78, 82-83, 111, 114,
   117, 137, 191, 199, 210, 219, 232, 234, 244,
   251, 270, 285-287, 297, 300, 312-313
    chakra um e, 77, 78, 82, 296
    criatividade e, 218, 251
Sensação, chakra dois e, 106, 112
Sentidos, papéis dos, 122
Sentimentos, 41-42, 49-52, 58, 63, 64, 71-73,
   78-80, 94, 101-102, 104, 108, 111-112,
   116-117, 122-124, 136, 139, 141, 144,
   146-148, 150, 153, 163, 171, 177-178, 189,
   191, 209, 225, 237, 246, 257, 268, 274, 287,
   292, 310, 312, 315, 316, 319
Serpente, Kundalini e, 50, 69, 282
Sete níveis, sistemas com, 31, 57
Sexual Secrets (Douglas e Slinger), 113, 129
Sexualidade, 28, 40-44, 53, 55, 73, 97, 98,
   101-102, 106, 113-116, 118, 120-121, 129,
   143, 287, 292, 297, 301, 304, 306
    chakra dois e, 41, 105, 113, 165, 291,
     292, 301
    chakra quatro e, 165
    cuidado como o remate da, 98, 106,
     121-123, 287
Shakti, 44, 324, 327
    fogo entre Shiva e, 44-45, 115, 118-121,
     139, 143, 164, 165, 227, 255, 258, 261,
     279, 283, 327
    no Tantra, 120
    poder e, 44, 45, 139, 143, 327
Shakti Rakini, 101
Shaktipat, 53, 240
    teoria holográfica e, 240

Sheldrake, Rupert, 241, 264-266

Shiva, 44-45, 49, 66, 69, 115, 118-120, 139, 143, 164-165, 195, 199, 214, 227, 254-255, 258-259, 261, 279, 282-283, 326-328
  fogo entre Shakti e, 44-45, 115, 118-120, 138, 143, 164-165, 227, 255, 258, 261, 279, 283, 327
  no Tantra, 120-121
  sexualidade e, 115, 119, 326

Siddhis, 121, 327

Significado, comunicação do, 194, 198, 218, 307

Símbolos. *Ver* Correspondências; Tabela de correspondências

Sincronização rítmica, 53, 206, 208-210, 212
  Kundalini e, 53
  mantras para controlar a, 208

Sistema dos Chakras, 23, 26-28, 31-32, 43, 53, 57, 71, 85, 103, 118, 142, 165, 284, 290, 299, 300
  consciência no, 23, 27, 31-32, 71
  força no, 53
  poder no, 141

Sistema endócrino, 36, 38, 257
  Chakra sete e, 38

Sistema nervoso, 67, 111, 121-122, 184, 196, 219, 230, 234, 254, 257, 264, 269, 298
  chakra dois e, 106
  cuidado, 98, 106, 108, 121-122, 124, 129
  importância do, 121

Sistemas de crença, 43, 111, 256-257, 260, 263, 265
  poder dos, 138

Sistemas de níveis chineses, 32-33

Slinger, Penny, 113, 118, 129

Sobrevivência, 38-40, 43-44, 55, 62, 65-66, 71, 74, 76-80, 97, 108, 122, 134, 143, 183, 219, 265, 285, 286, 300-302, 304-305
  aterramento para, 55, 62, 65, 69, 73, 75-76, 78, 80, 97, 286, 300
  chakra um e, 43, 71, 77, 78, 110
  criatividade e, 217

Sociedade Internacional de Meditação. *Ver* Meditação transcendental

Sol, como terceiro chakra macroscópico, 135

Som
  chakra cinco e, 43, 198-199, 219
  como base da matéria, 199, 203, 205, 210-211
  mantras, 192, 198, 212-215
  matéria e, 199, 203, 205, 209, 212

semente, 56, 65, 69, 101, 133, 139, 163, 195, 213, 215, 227, 255
  Ver também Vibração

Sonhos, chakra seis e, 43, 225

Sons semente, 213, 215
  dos chakras, 69, 85, 111-112, 114, 213-215, 226, 254

Starhawk, 159

Sushumna, 33, 35, 50, 58, 69, 106, 108, 116, 175, 228, 271, 273

Svadhisthana. *Ver* chakra dois

T

Tabela de correspondências, 40, 55, 56

Tamas, 48, 56, 66, 69, 101, 173

Tantra, 28, 53, 56, 118, 121, 129
  Kundalini e, 28, 53

Tarô, 65, 101, 133, 164, 245

Tart, Charles, 275

Tecnologia, 130, 141, 199, 291, 301, 303-305, 307-308, 311-312
  chakra três e, 130
  comunicações, 308
  consciência *versus*, 304, 306

Teilhard de Chardin, Pierre, 170, 307-308
  sobre o amor, 170

Tela mental, importância de esvaziar, 250

Telepatia, 122, 192, 196, 198, 216-217, 245

Teoria holográfica, 237

Teosofistas, 31, 105

Terceiro olho, 29, 50, 228, 230, 243, 249, 250
  chakra seis e, 228
  como tela mental, 243

Testículos, 38, 101

The Cosmic Doctrine, 104, 150, 203

The Reflexive Universe (Young), 33

The Serpent Power, 28-29, 139, 267, 279

The Silent Pulse (Leonard), 205-206, 223

The Tao of Physics (Capra), 87, 97, 202

Timo
  chakra quatro e, 38
  chakra seis e, 231, 308, 320
  espaço e, 63, 74, 88, 104, 144, 190, 197, 205, 211, 216-217, 228, 230, 233, 242, 253, 257, 259, 262, 265, 282, 308
  natureza e, 319

Tompkin, Tom, 210

Toque, importância do, 122, 144

Trabalho
  como atividade de aterramento, 73, 76, 287

349

Transcendência, 30, 53, 120-121, 148, 170, 176, 197, 252, 266-267, 275, 283

Transformação, chakra três e, 130, 134-135, 139, 299

Transformação cultural, comunicação da, 219

U

Um, significado do, 40, 214

Unidade, 102, 119, 134, 142, 160, 164, 171-173, 176, 179, 197, 260, 263, 266, 268, 273, 280-281, 300, 306-307, 311
Amor como, 160, 171-172, 175, 306

Upaniṣadas, 28, 170, 328

V

Vaikhari (som audível), 205, 328

Vazio, 85, 193, 194, 225, 226-227, 280

Vazio, da Consciência transcendente, 266

Vedas, 27, 28, 113, 165, 212, 328

Vetores, 85

Vibração, 47, 55, 66, 74, 95, 126, 178, 192, 194-199, 202-203, 205-206, 208, 210-212, 214, 232, 240, 258, 271, 295
chakra cinco e, 53, 198, 202-203, 205, 209, 232
com mantras, 192, 198, 212-214, 271
importância da sincronização com, 53, 206, 208
telepatia e, 192, 198, 216-217

Vibração simpática, 206, 210, 240
teoria holográfica e, 240

Violência, 114, 219, 297, 305, 309, 315
tabus sexuais e, 114

Visão
chakra seis e, 108, 115, 228, 232
clarividência e, 40, 224, 236, 242, 245, 247

energia e, 33, 45, 46-47, 53, 71, 77, 94, 108, 135, 139, 141, 166, 171-172, 177, 212, 220, 242, 293

Visão metafísica dos chakras, 31, 36, 57, 236

Visão mundial, 43, 44, 136, 141, 158, 303

Vishnu, 28, 101, 139-140, 164-165

Vishuddha. *Ver* chakra cinco

Visualização, 158, 184, 224, 228, 235, 237, 243, 245, 247, 249, 251, 283, 308

Vontade cósmica, 148-149
unidade com a vontade pessoal, 148-149

Vórtice, 29, 35, 36, 39, 69, 85, 135, 261, 268

Voto de silêncio, 220

W

Watts, Alan, 112

Woods, John, 256

Y

Yin e yang, 32, 84, 103, 106, 108, 138, 172, 177, 180
como um sistema de níveis, 32
equilíbrio entre, 84

Yoga, 27, 28, 29, 49, 56, 65, 88, 92, 97, 101, 114, 116, 118, 120, 164, 169, 184, 186, 195, 200, 202, 227, 229, 255, 256, 259, 260, 266, 286, 304, 309, 311
propósito do, 120
sexualidade e, 114, 119-121
técnicas respiratórias, 120, 183-184, 186
Ver também Tantra

Young, Arthur, 32

Z

Zen, 271, 275

CRÉDITOS ADICIONAIS

The Chakras, de C.W. Leadbeater. Quest Books, Wheaton, IL, 1972; *The Black Pagoda*, de Robert Eversole. University Presses of Florida, Gainsville, FL, 1957; *Kundalini Yoga for the West*, de Swami Sivananda Radha. Timeless Books, Porthill, ID, 1981. Pranchas coloridas do conjunto de chakras foram disponibilizadas por Timeless Books; *Sexual Secrets*, de Nik Douglas e Penny Slinger. Destiny Books, Rochester, VT, 1979; *Energy Matter and Form*, de Christopher Hills. University of the Trees Press, Boulder Creek, CA, 1977; Páginas 21-22: "The Wheel of Life", de Paul Edwin Zimmer, 1981. Usado com permissão; Página 37: cedida pela University of the Trees Press (Figura 1.7); Página 39: cedida pela Theosophical Publishing House (Figura 1.9); Página 68: cedida pela Timeless Books (Figura 2.2); Página 107: cedida pela Timeless Books (Figura 3.3); Página 140: cedida pela Timeless Books (Figura 4.2); Página 167: cedida pela Timeless Books (Figura 5.1); Página 200: *Kundalini Yoga for the West* (Figura 6.1); Página 229: *Kundalini Yoga for the West* (Figura 7.1).

Este livro foi impresso pela Gráfica Grafilar
em fonte Minion Pro sobre papel Pólen Bold 70 g/m²
para a Mantra.